四庫全書選刊　文津閣本

御選唐宋詩醇

第一册

廣陵書社

總目

目録

欽定四庫全書

集部

御選唐宋詩醇目録卷上

詳校官山東道御史臣温常綬

臣紀昀覆勘

總校官編修臣朱鈐

校對官中書臣楊揆

謄録監生臣李邦燮

御選唐宋詩醇序

文有唐宋大家之目而詩無稱焉者宋之文足可以匹唐而詩則實不足以匹唐也既不足以匹而必為是選者則以唐宋文醇之例有文醇不可無詩醇且以見二代盛衰之大凡示千秋風雅之正則也文醇之選就向日書窓校閲所未畢付張照足成者兹詩醇之選則以二代風華此六家為最時於幾暇偶一涉獵而去取評品皆出於梁詩正等數儒臣之手夫詩與文豈異道哉昌黎有言氣盛則言之短長與聲之高下皆宜然五三六經之所傳其以言訓後世者不以文而以詩豈不以文尚有鋪張揚厲之跡而詩則優游饜飫入人者深是則有文醇尤不可無詩醇也六家品格與時會所遭各見於本集小序是編彙成梁詩正等請示其梗概故為之總叙如此乾隆十五年庚午夏六月既望四日御筆

凡例

一唐宋人以詩鳴者指不勝屈其卓然名家者猶不減數十人兹獨取六家者謂惟此足稱大家也大家與名家猶大將與名將其體段正自不同李杜一時瑜亮固千古希有若唐之配白者有元宋之繼蘇者有黄在當日亦幾角立爭雄而百世論定則微之有浮華而無忠愛魯直多生澀而少渾成其視白蘇較遜退之雖以文為詩要其志在直追

李杜實能拔奇於李杜之外務觀包含宏大亦猶唐有樂天然則騷壇之大將旗鼓舍此何適矣

一大家全力多於古詩見之就近體而論太白便不肯如子美之加意布置昌黎奇傑之氣尤不耐束縛東坡才博又似不免輕視故篇體常近於率惟白陸於古今體間庶無偏向耳意向既殊多寡亦異而選詩者之進退因之正不强為均齊也

一六家詩集中白陸最大别擇較難斷以風人之義多取其有為而作者録之顧其憂深思遠隨處感發寄興之作亦美不勝收佳處領要則又芟其複而拔其尤探得驪珠固不屑屑於一鱗片甲耳

一李杜名盛而傳久是以評賞家特多韓白同出唐時而名不逮韓之見重尤後於白則品論之詞故應遜減蘇陸在宋年代既殊名望亦復不敵晚出者評語更寥寥矣多者擇而取之少者不容傅會折衷一定聲價自齊燕瘦環肥初不以粧飾之濃淡為妍媸也

一評語悉准唐宋文醇之例色别書之但其中有援據正史雜説用資考訂疏解者與古今人評詩之語義各有在文醇未經區别今於藍筆之外另作緑筆書以便閲者燦若列眉

一舊時評語考證有錯謬者例應削去特恐沿襲既久或謂是編偶不及載而終不識其非轉致遺誤無已故仍録之而加駁正焉

欽定四庫全書　　集部八

御選唐宋詩醇目録卷上　　總集類

隴西李白

卷之一

古風

卷之二

遠别離

蜀道難

梁甫吟

烏夜啼

烏棲曲

戰城南

行行且遊獵篇

飛龍引

行路難

長相思

上留田行

前有一樽酒行

夜坐吟

野田黄雀行

箜篌謠

夷則格上白鳩拂舞辭

日出行

北風行

卷之三

關山月

獨漉篇

登高邱而望遠海

雙燕離

山人勸酒

于闐采花

鞠歌行

幽澗泉

王昭君

荆州歌

雉子斑

相逢行

有所思

久别離

白頭吟

采蓮曲

臨江王節士歌

長干行

古朗月行

獨不見

白紵辭

鳴鴈行

妾薄命

幽州胡馬客歌

卷之四

門有車馬客行

東海有勇婦

黄葛篇

塞下曲

來日大難

玉堦怨

襄陽曲

大堤曲

邯鄲才人嫁為厮養卒婦

北上行

短歌行

枯魚過河泣

丁督護歌

樹中草

贈裴十四
贈清漳明府姪聿
贈新平少年
口號贈徵君鴻
秋日鍊藥院鑷白髮贈元六兄林宗
憶襄陽舊遊贈馬少府巨
對雪獻從兄虞城宰
贈昇州王使君忠臣

贈別從甥高五
醉後贈從甥高鎮
贈秋浦柳少府
中丞宋公以吳兵三千赴河南軍次尋陽脫予
之囚參謀幕府因贈之
流夜郎贈辛判官
贈常侍御
贈易秀才

經亂離後天恩流夜郎憶舊遊書懷贈江夏韋
太守良宰
贈漢陽輔錄事
贈盧司戶
贈從弟南平太守之遙
流夜郎半道承恩放還兼欣剋復之美書懷示
息秀才
宿清溪主人

巴陵贈賈舍人
贈從弟宣州長史昭
陳情贈友人
贈錢徵君少陽
登敬亭山南望懷古贈竇主簿
經亂離後將避地剡中留贈崔宣城
卷之六
獻從叔當塗宰陽冰

贈汪倫
安陸白兆山桃花巖寄劉侍御綰
淮南臥病書懷寄蜀中趙徵君蕤
望終南山寄紫閣隱者
秋夜宿龍門香山寺奉寄王方城十七丈奉國
瑩上人從弟幼成令問
沙邱城下寄杜甫
淮陰書懷寄王宗城

闻王昌齡左遷龍標遥有此寄
憶舊遊寄譙郡元參軍
月夜江行寄崔員外宗之
宿白鷺洲寄楊江寧
新林浦阻風寄友人
寄韋南陵冰余江上乘興訪之遇尋顏尚書笑
有此贈
題情深樹寄象公

北山獨酌寄韋六
寄東魯二稚子
獨酌清溪江石上寄權昭夷
禪房懷友人岑倫
廬山謠寄盧侍御虛舟
春日歸山寄孟浩然
流夜郎至西塞驛寄裴隱
自漢陽病酒歸寄王明府

江夏寄漢陽輔録事
早春寄王漢陽
江上寄元六林宗
涇溪南藍山下有落星潭可以卜築余泊舟石
上寄何判官昌浩
早過漆林渡寄萬巨
游敬亭寄崔侍御
自金陵泝流過白壁山翫月達天門寄句容王

主簿

秋日魯郡堯祠亭上宴别杜補闕范侍御

别魯頌

夢遊天姥吟留别

留别廣陵諸公

金陵酒肆留别

贈别鄭判官

黄鶴樓送孟浩然之廣陵

留别賈舍人至

渡荆門送别

南陵别兒童入京

江夏别宋之悌

南陽送客

送張舍人之江東

送王屋山人魏萬還王屋

送友人尋越中山水

魯郡堯祠送竇明府薄華還西京

金鄉送韋八之西京

魯郡東石門送杜二甫

灞陵行送别

送裴十八圖南歸嵩山

同王昌齡送族弟襄歸桂陽

送崔度還吴

金陵送張十一再遊東吴

卷之七

送楊山人歸嵩山

送殷淑

送范山人歸泰山

送友人

送友人入蜀

送張秀才謁高中丞

餞校書叔雲

與諸公送陳郎將歸衡陽
賦得白鷺鷥送宋少府入三峽
宣州謝脁樓餞别校書叔雲
涇川送族弟錞
送崔氏昆季之金陵
登黄山凌歊臺送族弟溧陽尉濟充泛舟赴華
陰得齋字
送儲邕之武昌

早秋單父南樓詶竇公衡
山中問答
答友人贈烏紗帽
答長安崔少府叔封游終南翠微寺太宗皇帝
金沙泉見寄
詶崔五郎中
金門答蘇秀才
答高山人兼呈權顧二侯

游南陽白水登石激作
游南陽清冷泉
尋魯城北范居士失道落蒼耳中見范置酒摘
蒼耳作
遊泰山六首
下終南山過斛斯山人宿置酒
陪從祖濟南太守泛鵲山湖
宿鄭參卿山池

游謝氏山亭
把酒問月
金陵鳳凰臺置酒
陪侍郎叔遊洞庭醉後
夜泛洞庭尋裴侍御清酌
陪族叔刑部侍郎曄及中書賈舍人至遊洞庭
登單父陶少府半月臺
天台曉望

焦山望寥山

杜陵絶句

登太白峰

秋日登揚州西靈塔

登瓦官閣

登梅岡望金陵贈族姪高座寺僧中孚

登金陵鳳凰臺

望廬山瀑布水二首

登廬山五老峰

江上望皖公山

鸚鵡洲

秋登巴陵望洞庭

與夏十二登岳陽樓

登巴陵開元寺西閣贈衡嶽僧方外

與賈舍人至於龍興寺剪落梧桐枝望灉湖

秋登宣城謝朓北樓

望天門山

過崔八丈水亭

之廣陵宿常二南郭幽居

客中行

太原早秋

奔亡道中

荊門浮舟望蜀江

上三峽

自巴東舟行經瞿唐峡登巫山最高峰晚還題
壁

早發白帝城

秋下荊門

江行寄遠

卷之八

夜泊黃山聞殷十四吳吟

宿鰕湖

蘇臺覽古
越中覽古
峴山懷古
經下邳圯橋懷張子房
金陵
陪宋中丞武昌夜飲懷古
望鸚鵡洲懷禰衡
宿巫山下
金陵白楊十字巷
謝公亭
夜泊牛渚懷古
尋高鳳石門山中元丹邱
月下獨酌
春歸終南山松龕舊隱
尋山僧不遇作
待酒不至

獨酌
友人會宿
春日獨酌二首
金陵江上遇蓬池隱者
山中與幽人對酌
春日醉起言志
廬山東林寺夜懷
尋雍尊師隱居
與史郎中欽聽黄鶴樓上吹笛
對酒
獨坐敬亭山
自遣
訪戴天山道士不遇
秋日與張少府楚城韋公藏書高齋作
憶東山
望月有懷

對酒憶賀監
重憶
效古二首
擬古
感興
秋夕旅懷
尋陽紫極宫感秋作
秋夕書懷

荆州賊平臨洞庭言懷作
江南春懷
聽蜀僧濬彈琴
初出金門尋王侍御不遇詠壁上鸚鵡
觀元丹邱坐巫山屏風
見野草中有曰白頭翁者
流夜郎題葵葉
瑩禪師房觀山海圖

白鷺鷥
詠桂
巫山枕障
勞勞亭
嘲魯儒
春夜洛城聞笛
宣城見杜鵑花
白田馬上聞鶯

三五七言
雜詩
寄遠
長門怨
陌上贈美人
閨情
怨情
湖邊採蓮婦

怨情

代寄情楚辭體

學古思邊

别内赴徵

自代内贈

越女詞

巴女詞

自溧水道哭王炎

哭宣城善釀紀叟

題舒州司空山瀑布

上清寶鼎詩

襄陽杜甫

卷之九

奉贈韋左丞丈二十二韻

送高三十五書記

贈李白

遊龍門奉先寺

望嶽

陪李北海宴歷下亭

登歷下古城員外新亭

元都壇歌

貧交行

兵車行

高都護驄馬行

天育驃騎歌

白絲行

醉時歌

醉歌行

贈衛八處士

同諸公登慈恩寺塔

示從孫濟

送孔巢父謝病歸遊江東兼呈李白

飲中八仙歌

曲江

麗人行

樂遊園歌

渼陂行

奉同郭給事湯東靈湫作

夜聽許十損誦詩愛而有作

沙苑行

驄馬行

自京赴奉先縣詠懷五百字

奉先劉少府新畫山水障歌

白水縣崔少府十九翁高齋三十韻

三川觀水漲二十韻

悲陳陶

悲青坂

哀江頭

哀王孫

大雲寺贊公房

蘇端薛復筵簡薛華醉歌

晦日尋崔戢李封

卷之十

喜情

述懷一首

送樊二十三侍御赴漢中判官

送從弟亞赴安西判官

彭衙行

北征

得舍弟消息

玉華宫

九成宫

羌村

洗兵馬

留花門
李鄠縣丈人胡馬行
義鶻
畫鶻行
瘦馬行
新安吏
潼關吏
石壕吏

新婚别
垂老别
無家别
遣興三首
幽人
佳人
赤谷西崦人家
西枝村尋置草堂地夜宿贊公土室

夢李白二首
遣興
遣興
前出塞九首
後出塞五首
萬丈潭
兩當縣吳十侍御江上宅
發秦州

鐵堂峽
鹽井
寒硤
法鏡寺
青陽峽
龍門鎮
石龕
卷之十一

乾元中寓居同谷縣作歌七首
水會渡
飛仙閣
龍門閣
石櫃閣
桔柏渡
劍門
成都府

石犀行
題壁畫馬歌
戲題畫山水圖歌
題李尊師松樹障子歌
戲為雙松圖歌
病柏
病橘
枯椶
枯柟
戲作花卿歌
柟樹為風雨所拔嘆
茅屋為秋風所破歌
天邊行
苦戰行
述古
觀打魚歌

又觀打魚
越王樓歌
冬到金華山觀因得故拾遺陳公學堂遺跡
通泉驛南去通泉縣十五里山水作
過郭代公故宅
短歌行
桃竹杖引
韋諷録事宅觀曹將軍畫馬圖

贈左僕射鄭國公嚴公武
贈太子太師汝陽郡王璡
贈秘書監江夏李公邕
故秘書少監武功蘇公源明
故著作郎貶台州司户滎陽鄭公虔
故右僕射相國張公九齡
寫懷
觀公孫大娘弟子舞劍器行

同元使君舂陵行
李潮八分小篆歌
聽楊氏歌
荆南兵馬使太常卿趙公大食刀歌
王兵馬使二角鷹
狄明府
秋風二首
虎牙行
後苦寒行二首
夜歸
醉為馬墜諸公攜酒相看
大覺高僧蘭若
宿青溪驛奉懷張員外十五兄之緒
憶昔行
魏將軍歌
北風

白鳧行
醉歌行贈公安顏少府請顧八題壁
夜聞觱篥
發劉郎浦
别董頲
送顧八分文學適洪吉州
遣遇
解憂

宿鑿石浦
過津口
次空靈岸
宿花石戍
望嶽
岳麓山道林二寺行
歲晏行
追酬故高蜀州人日見寄

蘇大侍御訪江浦賦八韻紀異
題衡山縣文宣王廟新學堂呈陸宰
卷之十三
冬日洛城北謁元元皇帝廟
投贈哥舒開府翰二十韻
上韋左相二十韻
奉贈太常張卿二十韻
奉贈鮮于京兆二十韻

贈特進汝陽王二十韻
鄭駙馬宅宴洞中
重題鄭氏東亭
題張氏隱居
天寶初南曹小司寇舅於我太夫人堂下累土為山一匱盈尺以代彼朽木承諸焚香瓷甌甌甚安矣旁植慈竹蓋茲數峰嶔岑嬋娟宛有塵外致乃不知興之所至而作是詩

龍門
奉寄河南韋尹丈人
與任城許主簿遊南池
登兗州城樓
對酒書懷走邀許十一簿公
已上人茅齋
房兵曹胡馬詩
畫鷹

過宋員外之問舊莊
夜宴左氏莊
送蔡希曾都尉還隴右因寄高三十五書記
春日憶李白
贈陳二補闕
寄高三十五書記
送裴二虬作尉永嘉
贈田九判官

贈獻納使起居田舍人
陪鄭廣文遊何將軍山林十首
重過何氏五首
冬日有懷李白
贈翰林張四學士
送張二十參軍赴蜀州因呈楊五侍御
陪諸貴公子丈八溝攜妓納涼晚際遇雨二首
贈高式顏

故武衛將軍輓歌三首
官定後戲贈
九日藍田崔氏莊
崔氏東山草堂
對雪
月夜
遣興
春望

憶幼子
喜達行在所三首
得家書
奉贈嚴八閣老
奉送郭中丞兼太僕卿充隴右節度使三十韻
送楊六判官使西番
月
晚行口號

行次昭陵

重經昭陵

喜聞官軍已臨賊寇二十韻

收京

卷之十四

臘日

紫宸殿退朝口號

曲江二首

曲江對酒

曲江對雨

奉和賈至舍人早朝大明宫

宣政殿退朝晚出左掖

題省中院壁

春宿左省

送翰林張司馬南海勒碑

晚出左掖

送賈閣老出汝州

送鄭十八虔貶台州司戶傷其臨老陷賊之故

闕為面別情見於詩

端午日賜衣

奉贈王中允維

奉陪鄭駙馬韋曲二首

至德二載甫自京金光門出間道歸鳳翔乾元

初從左拾遺移華州掾與親故別因出此門

有悲往事

寄高三十五詹事適

路逢襄陽楊少府入城戲呈楊員外綰

題鄭縣亭子

望岳

至日遣興奉寄北省舊閣老兩院故人二首

得弟消息

憶弟

秦州雜詩二十首
月夜憶舍弟
宿贊公房
東樓
雨晴
寓目
山寺
遣懷

天河
初月
擣衣
促織
螢火
蒹葭
苦竹
除架
廢畦
夕烽
送遠
觀兵
天末懷李白
空囊
病馬
蕃劍

銅瓶
觀安西兵過赴關中待命二首
野望
秋日阮隱居致薤三十束
秦州見勅目薛三璩授司議郎畢　曜除監察
與二子有故遠喜遷官兼述索居凡二十韻
寄岳州賈司馬六丈巴州嚴八使君兩閣老五
十韻

可惜

落日

寒食

遊修覺寺

後遊

題新津北橋樓

江漲

晚晴

江上值水如海勢聊短述

野望因過常少仙

奉簡高　五使君

送韓十　江東覲省

草堂即事

王十七侍御掄許攜酒至草堂奉寄此詩便請

邀高三十五使君同到

陪李七司馬皁江上觀造竹橋即日成往來之

人免冬寒入水聊題短作簡李公

贈花卿

少年行

憑何十一少府邕覓榿木栽

贈別何邕

贈別鄭鍊赴襄陽

奉和嚴中丞西城晚眺十韻

嚴中丞枉駕見過

廣州段功曹到得楊五長史譚書功曹却歸聊

寄此詩

送段功曹歸廣州

絕句漫興

江畔獨步尋花絕句

絕句

戲為六絕句

鸂鶒

花鴨

畏人

遠遊

野望

水檻遣心

屛跡

奉酬嚴公寄題野亭之作

嚴公仲夏枉駕草堂兼攜酒饌

嚴公廳宴同詠蜀道畫圖

奉送嚴公入朝十韻

送嚴侍郎到綿州同登杜使君江樓

奉濟驛重送嚴公四韻

九日奉寄嚴大夫

黄草

悽舊

所思

不見

題元武禪師屋壁

客夜

客亭

野望

聞官軍收河南河北

卷之十六

涪江泛舟送韋班歸京

春日梓州登樓

郪城西原送李判官兄武判官弟赴成都府

送路六侍御入朝

望牛頭寺

上兜率寺

登牛頭山亭子

陪李梓州王閬州蘇遂州李果州四使君登惠義寺

立春
漫成一絶
老病
南楚
寄岑嘉州
卷之十七
移居夔州郭
宿江邊閣

西閣口號呈元二十一
西閣
閣夜
瀼西寒望
入宅
暮春題瀼西新賃草屋
秋野五首
課小豎鉏斫舍北果林訖移牀

自瀼西荆扉且移居東屯茅屋
東屯月夜
暫往白帝復還東屯
刈稻了咏懷
上白帝城
上白帝城
武侯廟
八陣圖

謁先主廟
灩澦堆
灩澦
白帝
白帝城最高樓
諸葛廟
峽口二首
天池

瞿塘兩崖

夔州歌

偶題

秋興八首

詠懷古跡五首

諸將五首

秋日夔府詠懷奉寄鄭監審李賓客之芳一百韻

贈李八秘書別三十韻

解悶

復愁

承聞河北諸道節度入朝歡喜口號

洞房

宿昔

能畫

鬬雞

鸚鵡

歷歷

驪山

提封

卷之十八

草閣

江上

中夜

江漢

吾宗

有嘆

中宵

南極

獨坐

遠遊

夜

返照

日暮

八月十五夜月二首

十六夜翫月

十七夜翫月

月

雨

夜

反照

向夕

曉望

雷

熟食日示宗文宗武

社日

九日

大歷二年九月三十日

小至

憶鄭南玭

愁

即事

即事

喜觀即到復題短篇二首

第五弟豐獨在江左近三四載寂無消息覓使寄此二首

舍弟觀赴藍田取妻子到江陵喜寄

陪柏中丞觀宴將士

七月一日題終明府水樓

季秋蘇五弟纓江樓夜宴崔十三評事韋少府姪

過客相尋

孟倉曹步趾領新酒醬二物滿器見遺老夫

柳司馬至

謁真諦寺禪師

送李八秘書赴杜相公幕

送李功曹之荊州充鄭侍御判官重贈

見螢火

吹笛

孤鴈

白小

麂

見王監兵馬使説近山有白黑二鷹羅者久取竟未能得王以為毛骨有異他鷹恐臘後春生騫飛避暖勁翮思秋之甚眇不可見請余賦詩

大歴三年春白帝城放船出瞿塘峽久居夔府將適江陵漂泊有詩凡四十韻

泊松滋江亭

行次古城店汎江作不揆鄙拙奉呈江陵幕府諸公

書堂飲既夜復邀李尚書下馬月下賦絶句

舟月對驛近寺

江南逢李龜年

官亭夕坐戲簡顔十少府

暮歸

公安送韋二少府匡贊

公安縣懐古

公安送李二十九弟晉肅入蜀余下沔鄂

宴王使君宅

泊岳陽城下

登岳陽樓

陪裴使君登岳陽樓

宿青草湖

宿白沙驛

湘夫人祠

祠南夕望

歸鴈

入喬口

江閣對雨有懷行營裴二端公

千秋節有感二首

登舟將適漢陽

舟中夜雪有懷盧十四侍御弟

樓上

送魏二十四司直充嶺南掌選崔郎中判官兼

寄韋韶州

燕子來舟中作

歸鴈二首

小寒食舟中作

清明

發潭州

聞惠二過東溪特一送

舟泛洞庭

遣憂

巴西聞收宮闕送班司馬入京

去蜀

太原白居易

卷之十九

賀雨

觀刈麥

雲居寺孤桐

問友

鸎詩示劉叟

杏園中棗樹

放魚

文柏牀

秦中吟十首

議婚

重賦

傷宅

傷友

不致仕

立碑

輕肥

五弦

歌舞

買花

和答詩十首 錄四首

和陽城驛

答桐花

答四皓廟

和雉媒

卷之二十

新樂府

七德舞

海漫漫

立部伎

上陽白髮人

新豐折臂翁

司天臺

捕蝗

昆明春

城鹽州

道州民

蠻子朝

驃國樂

縛戎人

驪宮高

百鍊鏡

青石
西涼伎
八駿圖
澗底松
牡丹芳
紅線毯
杜陵叟
賣炭翁

陰山道
鹽商婦
杏為梁
紫毫筆
隋堤柳
秦吉了
采詩官

卷之二十一

病假中南亭閒望
官舍小亭閒望
和錢員外禁中夙興見示
松聲
禁中寓直夢遊仙遊寺
秋山
題楊穎士西亭
秋遊原上

閒居
遊悟真寺詩
朝回遊城南
舟行
泛湓水
晚望
遊石門澗
香鑪峯下新置草堂即事詠懷題於石上

長慶二年七月自中書舍人出守杭州路次藍
溪作
自蜀江至洞庭湖口有感而作
立春後五日
別元九後咏所懷
初與元九別後忽夢見之及寤而書適至兼寄
桐花詩悵然感懷因以此寄
秋江送客

溪中早春
渭村雨歸
寄微之三首
孟夏思渭村舊居寄舍弟
南湖晚秋
早秋晚望兼呈韋侍御
司馬宅
寄王質夫
送客回晚興
東樓竹
東坡種花二首
步東坡
竹窗
卷之二十二
江南遇天寶樂叟
醉後走筆酬劉五主簿長句之贈兼簡張大賈
二十四先輩昆季

畫竹歌
長恨歌
琵琶引
醉後狂言酬贈蕭殷二協律
秋江晚泊
代書詩一百韻寄微之
和談校書秋夜感懷呈朝中親友

感秋寄遠
春題華陽觀
縣西郊秋寄贈馬造
早春獨遊曲江
江南送北客因憑寄徐州兄弟書
卷之二十三
賦得古原草送別
旅次景空寺宿幽上人院

同李十一醉憶元九
同錢員外禁中夜直
禁中夜作書與元九
八月十五日夜禁中獨直對月憶元九
八月十五日夜聞崔大員外翰林獨直對酒翫
月因懷禁中清景偶題是詩
村夜
聞蟲

王昭君
題盧秘書夏日新栽竹二十韻
欲與元八卜鄰先有是贈
題王侍御池亭
贈楊秘書巨源
鸞子樓三首
襄陽舟夜
江夜舟行

浦中夜泊
舟中讀元九詩
歲晚旅望
望江州
東南行一百韻寄通州元九侍御澧州李十一
舍人果州崔二十二使君開州韋大員外庾
三十二補闕杜十四拾遺李二十助教員外
竇七校書

初到江州寄翰林張李杜三學士
庾樓曉望
春末夏初閒遊江郭二首
題元八溪居
江樓早秋
送客之湖南
百花亭晚望夜歸
西樓

庾樓新歲
上香鑪峯
早發楚城驛
建昌江
香鑪峯下新卜山居草堂初成偶題東壁
重題
編集拙詩成一十五卷因題卷末戲贈元九李
二十

湖上閒望
江樓夜吟元九律詩成三十韻
送客春遊嶺南二十韻
得行簡書聞欲下峽先以此寄
南湖早春
題韋家泉池
點額魚
夜送孟司功

湖亭與行簡宿
贈江客
潯陽秋懷贈許明府
題遺愛寺前溪松
聞楊十二新拜省郎遥以詩賀
送韋侍御量移金州司馬
江西裴常侍以優禮見待又蒙贈詩輙叙鄙誠
用伸感謝

別草堂

行次夏口先寄李大夫

重贈李大夫

卷之二十四

江州赴忠州至江陵以來舟中示舍弟五十韻

題岳陽樓

入峽次巴東

郡齋暇日憶廬山草堂兼寄二林僧社三十韻

皆敘貶官以來出處之意

陰雨

送蕭處士遊黔南

竹枝詞四首

巴水

別種東坡花樹兩絕

別橋上竹

太平樂詞三首 録二首

閨怨詞三首 録二首

長洲苑

憶江柳

初除主客郎中知制誥與王十一李七元九三

舍人中書同宿話舊感懷

贈

見于給事暇日上直寄南省諸郎官詩因以戲

西省北院新構小亭種竹開窗東通騎省與李

常侍隔窗小飲因題四韻

送客南遷

舊房

新昌新居書事四十韻因寄元郎中張博士

勤政樓西老柳

偶題閣下廳

喜張十八博士除水部員外郎

晚庭逐涼

梨園弟子

暮江吟

聽彈湘妃怨

逢張十八員外籍

重到江州感舊遊題郡樓十一韻

題別遺愛草堂兼呈李十使君

舟中晚起

晚興

夜歸

臘後歲前遇景詠意

郡齋暇日辱常州陳郎中使君早春晚坐水西館書事詩十六韻見寄亦以十六韻酬之

題小橋前新竹招客

病中逢秋招客夜酌

洛下卜居

郡中西園

九日宴集醉題郡樓兼呈周殷二判官

霓裳羽衣歌

小童薛陽陶吹觱篥歌

雙石

和微之四月一日作

喜雨

六年春贈分司東都諸公

和微之詩二十三首　錄三首

和三月三十日四十韻

和酬鄭侍御東陽春悶放懷追越遊見寄

和順之琴者

卷之二十五

秋池二首

中隱

葺池上舊亭

翫止水

聞崔十八宿予新昌㣲宅時予亦宿崔家依仁新亭一宵偶同兩興暗合因而成詠聊以寫懷

池上夜境

遊坊口懸泉偶題石上

詠興五首 錄三首

出府歸吾廬

池上有小舟

四月池水滿

秋涼閒卧

代鶴

立秋夕有懷夢得

秋日與張賓客舒著作同遊龍門醉中狂歌凡二百三十八字

南池早春有懷

北窗三友

裴侍中晉公以集賢林亭即事詩二十六韻見贈猥蒙徵和才拙詞繁輒廣為五百言以伸酬獻

晚歸香山寺因詠所懷

洛陽有愚叟

閑居自題

菩提寺上方晚望香山寺寄舒員外

小臺

池上作

小閣閑坐

遊平泉宴浥澗宿香山石樓贈座客

和夢得洛中早春見贈七韻

李盧二中丞各創山居俱誇勝絕然去城稍遠來往頗勞㣲居新泉實在宇下偶題十五韻

聊戲二君

夢上山

錢塘湖春行

西湖晚歸回望孤山寺贈諸客

杭州春望

湖亭晚歸

孤山寺遇雨

餘杭形勝

江樓夕望招客

江樓晚眺景物鮮奇吟翫成篇寄水部張籍員

外

晚興

春題湖上

別州民

西湖留別

答微之誇越州州宅

酬微之

微之整集舊詩及文筆為百軸以七言長句寄

樂天樂天次韻酬之餘思未盡加為六韻

答微之見寄

得湖州崔十八使君書喜與杭越鄰郡因成長

句代賀兼寄微之

贈侯三郎中

履道新居二十韻

夢行簡

渡淮

自到郡齋僅經旬日方專公務未及宴遊偷閑

走筆題二十四韻兼寄常州賈舍人湖州崔

郎中仍呈吳中諸客

故衫

泛太湖書事寄微之

病中多雨逢寒食

重答劉和州

城上夜宴

得隨風好去落誰家又復戲答
時熱少見客因詠所懷
宣州崔大夫閣老忽以近詩數十首見示吟諷
之下竊有所喜因成長句寄題郡齋
晚池泛舟遇景成詠贈呂處士
和楊尚書罷相後夏日遊永安水亭兼招本曹
楊侍郎同行
五年秋病後獨宿香山寺

早入皇城贈王留守僕射
山中五絶句 錄三首
嶺上雲
石上苔
澗中魚
和敏中洛下即事
送敏中新授户部員外郎西歸
覽盧子蒙侍御舊詩多與微之唱和感今傷昔
因贈子蒙題於卷後
新小灘
喜入新年自詠
夏日與閑禪師林下避暑
談氏小外孫玉童
楊柳枝詞
詔取永豐柳植禁苑感賦
池上篇

齒落辭
不能忘情吟
江南喜逢蕭九徹因話長安舊遊戲贈五十韻
送劉郎中赴任蘇州
靈巖寺
寄韜光禪師
昌黎韓愈
卷之二十七

元和聖德詩
琴操十首
將歸操
猗蘭操
龜山操
越裳操
拘幽操
岐山操

履霜操
雉朝飛操
别鵠操
殘形操
南山詩
謝自然詩
秋懷詩十一首
卷之二十八

赴江陵途中寄贈王二十補闕李十一拾遺李二十六員外翰林三學士
此日足可惜一首贈張籍
歸彭城
醉贈張秘書
送惠師
送靈師
縣齋有懷

陪杜侍御遊湘西兩寺獨宿有題一首因獻楊常侍
岳陽樓别竇司直
送文暢師北遊
答張徹
卷之二十九
薦士
古風

嗟哉董生行
山石
汴泗交流贈張僕射
鳴鴈
雉帶箭
條山蒼
桃源圖
東方半明

謁衡嶽廟遂宿嶽寺題門樓
永貞行
鄭羣贈簟
贈崔立之評事
送區宏南歸
三星行
剝啄行
孟東野失子

卷之三十
陸渾山火和皇甫湜用其韻
苦寒
和虞部盧四酬翰林錢七赤藤杖歌
送湖南李正字歸
寄盧仝
酬司門盧四兄雲夫院長望秋作
誰氏子

送無本師歸范陽
石鼓歌
題炭谷湫祠堂
聽穎師彈琴
調張籍
盧郎中雲夫寄示送盤谷子詩兩章歌以和之
病中贈張十八
寄崔二十六立之

卷之三十一

寄開緘之日馬帥已再領鄆州之作

奉酬天平馬十二僕射暇日言懷見寄之作

奉使鎮州行次承天行營奉酬裴司空

奉和僕射裴相公感恩言志

和僕射相公朝迴見寄

御選唐宋詩醇目録卷上

欽定四庫全書

集部

御選唐宋詩醇目録卷下

詳校官山東道御史臣温常綬

總校官編修臣朱鈐

校對官中書臣楊揆

謄録監生臣李邦燮

欽定四庫全書

御選唐宋詩醇目録卷下

眉山蘇軾

卷之三十二

辛丑十一月十九日旣與子中别於鄭州西門之外馬上賦詩一篇寄之

過宜賓見夷中亂山

夜泊牛口

夜行觀星

八陣磧

入峽

出峽

神女廟

巫山

荆州十首 録三首

太白山下早行至横渠鎮書崇壽院壁留題延生觀後山小堂

石鼻城

病中大雪數日未嘗起觀號令趙薦以詩相屬戲用其韻答之

歲晚相與饋問為饋歲酒食相邀呼為别歲至除夜達旦不眠為守歲蜀之風俗如是余官於岐下歲暮思歸而不可得故為此三詩寄子由

饋歲

别歲

守歲

和子由論書

鳳翔八觀 録五首

石鼓歌

王維吳道子畫

東湖

真興寺閣

李氏園

七月二十四日以久不雨出禱磻溪是日宿虢縣二十五日晚自虢縣渡渭宿於僧舍曾閣閣故曾氏所建也夜久不寐見壁有前縣令趙薦留名有懷其人

二十七日自陽平至斜谷宿於南山中蟠龍寺是日至下馬磧憩於北山僧舍有閣曰懷賢南

直斜谷西臨五丈原諸葛孔明所從出師也

和子由記園中草木十一首 錄五首

司竹監燒葦園因召都巡檢柴貽勗左藏以其徒會獵園下

秀州僧本瑩靜照堂

送安惇秀才失解西歸

送劉道原歸覲南康

次韻張安道讀杜詩

傅堯俞濟源草堂

潁州初別子由二首

歐陽少師令賦所蓄石屏

卷之三十三

十月二日將至渦口五里所遇風留宿

出潁口初見淮山是日至壽州

壽陽岸下

泗州僧伽塔

龜山

十月十六日記所見

遊金山寺

自金山放船至焦山

甘露寺

臘日遊孤山訪惠勤惠思二僧

戲子由

越州張中舍壽樂堂

周有服

卷之三十四

韓子華石淙莊

立秋日禱雨宿靈隱寺同周徐二令

病中遊祖塔院

栢堂

與述古自有美堂乘月夜歸

有美堂暴雨

登玲瓏山

宿九仙山

宿海會寺

徑山道中次韻答周長官兼贈蘇寺丞

初自徑山歸述古召飲介亭以病先起

九日尋臻闍棃遂泛小舟至勤師院二首　録一首

九日舟中望見有美堂上魯少卿飲以詩戲之二首　録一首

次韻周長官壽星院同餞魯少卿

寶山新開徑

和錢安道寄惠建茶

夜至永樂文長老院文時卧病退院

除夜野宿常州城外二首

古纏頭曲

惠山謁錢道人烹小龍團登絶頂望太湖

虎邱寺

常潤道中有懷錢塘寄述古五首　録一首

金山寺與柳子玉飲大醉卧寶覺禪榻夜分方醒書其壁

大風留金山兩日

遊鶴林招隱一首

無錫道中賦水車

過永樂文長老已卒

聽僧昭素琴

僧惠勤初罷僧職

遊靈隱高峰塔

新城陳氏園次鼂補之韻

與毛令方尉遊西菩提寺二首

聽賢師琴

除夜病中贈段屯田

喬太守見和復次韻答之

二公再和亦再答之

雪後書北臺壁二首

次韻章傳道喜雨

惜花

送春和子由

西齋

寄劉孝叔

懷西湖寄鼂美叔同年

祭常山回小獵

和文與可洋川園池三十首 録七首

湖橋

横湖

蓼嶼

待月臺

過谿亭

篔簹谷

寒蘆港

寄題刁景純藏春塢

寄黎眉州

次韻周邠寄鴈蕩山圖二首

和鼂同年九日見寄

送喬施州

董儲郎中嘗知眉州與仙人遊過安邱訪其故居見其子希甫留詩屋壁

卷之三十五

除夜大雪留濰州元日早晴遂行中途雪復作

送范景仁遊洛中

次韻景仁留別

書韓幹牧馬圖

送魯元翰少卿知衛州

和李邦直沂山祈雨有應

東欄梨花

次韻答邦直子由四首 録二首

司馬君實獨樂園

子由將赴南都與余會宿於逍遥堂作兩絶句讀之殆不可為懷因和其詩以自解余觀子由自少曠達天資近道又得至人養生長年之訣而余亦竊聞其一二以為今者宦遊相別之日淺而異時退休相從之日長既以自解且以慰子由云

過雲龍山人張天驥

初別子由

河復

黄河

韓幹馬十四匹

贈寫御容妙善師

哭刁景純

答吕梁仲屯田

張寺丞益齋

送李公恕赴闕

虔州八境圖八首 録六首

讀孟郊詩二首

與梁左藏會飲傅國博家

續麗人行

起伏龍行

次韻答劉涇

聞辯才法師復歸上天竺以詩戲問

僕曩於長安陳漢卿家見吴道子畫佛碎爛可
惜其後十餘年復見之於鮮于子駿家則已
裝背完好子駿以見遺作詩謝之
雨中過舒教授
次韻答舒教授觀余所藏墨
答仲屯田次韻
芙蓉城
和鮮于子駿鄆州新堂月夜二首

中秋月三首
中秋見月寄子由
與頓起孫勉泛舟探韻得未字
卷之三十六
九日黄樓作
次韻王鞏獨眠
次韻僧潛見贈
百步洪
送參寥師
夜過舒堯文戲作
祈雪霧豬泉出城馬上作贈舒堯文
臺頭寺步月得人字
種松得徠字
以雙刀遺子由子由有詩次其韻
月夜與客飲杏花下
答郡中同僚賀雨
罷徐州往南京馬上走筆寄子由五首　録二首

舟中夜起
遊惠山
贈惠山僧惠表
與秦太虚參寥會於松江而關彦長徐安中適
至分韻得風字二首　録一首
端午遍遊諸寺得禪字
和孫同年卞山龍洞禱晴

與客遊道場何山得烏字
泛舟城南會者五人分韻賦詩得人皆苦炎字
四首
次韻李公擇梅花
與王郎昆仲及兒子邁遶城觀荷花登峴山亭
晚入飛英寺分韻得月明星稀四首
與胡祠部游法華山
趙閱道高齋

予以事繫御史臺獄獄吏稍見侵自度不能堪
死獄中不得一別子由故作二詩授獄卒梁
成以遺子由
十二月二十八日蒙恩責授檢校水部員外郎
黄州團練副使復用前韻
過淮
梅花二首
少年時嘗過一村院見壁上有詩云夜涼疑有
雨院靜似無僧不知何人詩也宿黄州禪智
寺寺僧皆不在夜半雨作偶記此詩故作一
絶
初到黄州
定惠院寓居月夜偶出
次韻前篇
安國寺尋春
寓居定惠院之東雜花滿山有海棠一株土人
不知貴也

雨中看牡丹三首
武昌銅劍歌
曉至巴口迎子由
與子由同遊寒谿西山
次韻子由病酒肺疾發
正月廿日往岐亭郡人潘古郭三人送余於女
王城東禪莊院

卷之三十七

東坡八首

姪安節遠來夜坐三首

岐亭道上見梅花戲贈季常

太守徐君猷通守孟亨之皆不飲酒以詩戲之

次韻和王鞏六首 錄一首

江上值雪效歐陽體限不以鹽玉鶴鷺絮蝶飛舞之類為比仍不使皓白潔素等字

是日同至女王城作詩乃和前韻

紅梅三首 錄一首

陳季常見過三首 錄二首

寒食雨二首

魚蠻子

弔李臺卿

曹既見和復次其韻

次韻孔毅父集古人句見贈五首 錄三首

六年正月二十日復出東門仍用前韻

南堂五首 錄一首

次韻孔毅父久旱已而甚雨二首

初秋寄子由

和蔡景繁海州石室

小飲公瑾舟中

過江夜行武昌山上聞黄州鼓角

自興國往筠宿石田驛南廿五里野人舍

圓通禪院先君舊遊也四月二十日晚至宿焉明日忌日也乃手寫寶積獻蓋頌佛一偈以贈長老僊公僊撫掌笑曰昨夜夢寶蓋飛下著處輒出火豈此祥乎乃作是詩院有蜀僧宣遜事訥長老識先君云

廬山二勝

題西林壁

開先漱玉亭

棲賢三峽橋
岐亭五首　錄三首
郭祥正家醉畫竹石壁上郭作詩為謝且遺二
古銅劒
龍尾硯歌
次韻杭人裴維甫
同王勝之遊蔣山
送沈逵赴廣南

豆粥
秦少游夢發殯而葬之者云是劉發之柩是歲
發首薦秦以詩賀之劉涇亦作因次其韻
徐大正閑軒
高郵陳直躬處士畫鴈一首
次韻王定國南遷回見寄
卷之三十八
泗州南山監倉蕭淵東軒二首

寄蘄簟與蒲傳正
贈眼醫王生彥若
觀杭州鈐轄歐育刀劒戰袍
王伯敭所藏趙昌花四首
梅花
黄葵
芙蓉
山茶

書林逋詩後
溪陰堂
送穆越州
金山妙高臺
贈杜介
送楊傑
次韻送徐大正
楊康功有石狀如醉道士為賦此詩

海市
過萊州雪後望三山
次韻胡完夫
送范純粹守慶州
惠崇春江晚景二首 錄一首
次韻完夫再贈之什某已卜居毗陵與完夫有
廬里之約云
次韻朱光庭初夏

送賈訥倅眉二首 錄一首
題文與可墨竹
武昌西山
趙令晏崔白大圖幅徑三丈
次韻劉貢父西省種竹
軾以去歲春夏侍立邇英而秋冬之交子由相
繼入侍次韻絕句四首各述所懷 錄二首
郭熙畫秋山平遠

次韻張昌言喜雨
書晁補之所藏與可畫竹三首 錄二首
書李世南所畫秋景二首 錄一首
書鄢陵王主簿所畫折枝二首
故李誠之待制六丈輓詞
九月十五日邇英講論語終篇賜執政講讀史
官燕於東宮又遣中使就賜御書詩各一首
臣軾得紫薇花絕句其詞云絲綸閣下文章
靜鐘鼓樓中刻漏長獨坐黃昏誰是伴紫薇

花對紫薇郎翌日各以表謝又進詩一篇臣
軾詩云
獲鬼章二十韻
和王晉卿
次韻劉貢父叔姪扈駕
和子由除夜元日省宿致齋三首
次韻黃魯直畫馬試院中作

次韻子由使契丹至涿州見寄四首 録二首
次韻劉景文周次元寒食同游西湖
次韻林子中王彥祖唱酬
壽星院寒碧軒
題楊公春蘭
次韻曹輔寄壑源試焙新芽
次韻劉景文登介亭
袁公濟和復次韻答之

安州老人食蜜歌
次韻蘇伯固主簿重九
次韻楊公濟梅花十首 録二首
贈劉景文
再和楊公濟梅花十絶 録二首
予去杭十六年而復來留二年而去平生自覺出處老少麤似樂天雖才名相遠而安分寡求亦庶幾焉三月六日來别南北山諸道人而下天竺惠淨師以醜石贈行作三絶句
贈武道士彈賀若
元祐六年六月自杭州召還汶公館我於東堂閲舊詩卷次諸公韻三首
西湖秋涸東池魚窘甚因會客呼網師遷之西池為一笑之樂夜歸被酒不能寐戲作放魚一首
復次放魚韻答趙承議陳教授

九月十五日觀月聽琴西湖示坐客
泛頴
韓退之孟郊墓銘云以昌其詩舉此問王定國當昌其身耶昌其詩也來詩下語未契作此答之
聚星堂雪
次前韻送劉景文
次韻趙景貺春思且懷吴越山水

小飲西湖懷歐陽叔弼兄弟贈趙景貺陳履常

送路都曹

送運判朱朝奉入蜀

淮上早發

在頴州與德麟同治西湖未成改揚州三月十
六日湖成德麟有詩見懷次其韻

雙石

次韻蘇伯固遊蜀岡送李孝博奉使嶺表

行宿泗間見徐州張天驥次舊韻

近以月石硯屏獻子功中書公復以涵星硯獻
純父侍講子功有詩純父未也復以月石風
林屏贈之謹和子功詩并求純父數句

次韻范純父涵星硯月石風林屏詩

卷之四十

次韻穆父尚書侍祠郊邱瞻望天光退而相慶
引滿醉吟

郊祀慶成詩

僕所藏仇池石希代之寶也王晉卿以小詩借
觀意在於奪不敢不借然以此詩先之

王晉卿示詩欲奪海石錢穆父王仲至蔣頴叔
皆次韻穆至二公以為不可許獨頴叔不然
今日頴叔見訪親覩此石之妙遂悔前語僕
以謂晉卿豈可終閉不予者若能以韓幹二
散馬易之者蓋可許也復次前韻

欲以石易畫晉卿難之穆父欲兼取二物頴叔
欲焚畫碎石乃復次前韻并解二詩之意

生日劉景文以古畫松鶴為壽且貺佳篇次韻
為謝

程德孺惠海中柏石兼辱佳篇輒復和謝

送蔣頴叔帥熙河

次韻吴傳正枯木歌

送范中濟經畧侍郎分韻賦詩得先字且贈以

魚枕杯四馬箠一以元戎十乘以先啟行為韻

書晁説之考牧圖後

七年九月自廣陵召還復館於浴室東堂八年六月乞會稽將去汶公乞詩乃復用前韻二首

東府雨中别子由

書丹元子所示李太白真

次韻滕大夫雪浪石

鶴歎

子由生日以檀香觀音像及新合印香銀篆槃為壽一首

過高郵寄孫君孚

慈湖夾阻風五首 録四首

過廬山下

壺中九華詩

秋馬歌

八月七日初入贛過惶恐灘

鬱孤臺

廉泉

塵外亭

天竺寺

月華寺

碧落洞

峽山寺

舟行至清遠縣見顧秀才極談惠州風物之美

廣州蒲澗寺

浴日亭

游羅浮山一首示兒子過

十月二日初到惠州

白水山佛跡巖

十一月二十六日松風亭下梅花盛開

新釀桂酒
江郊
正月二十四日與兒子過賴仙芝王原秀才僧曇頴行全道士何宗一同遊羅浮道院及栖禪精舍過作詩和其韻寄邁迨一首
贈王子直秀才
遊博羅香積寺
連雨漲江二首

四月十一日初食荔枝
六月十二日酒醒步月理髮而寢
荔支歎
卷之四十一
同正輔表兄遊白水山
與正輔遊香積寺
次韻正輔同遊白水山
章質夫送酒六壺書至而酒不達戲作小詩問之
雨後行菜
殘臘獨出二首　録一首
新年五首　録一首
次韻高要令劉湜峽山寺見寄
惠州近城數小山類蜀道春與進士許毅野步會意處飲之且醉作詩以記適參寥專使欲歸使持此以示西湖之上諸友庶使知余未嘗一日忘湖山也

食荔支二首　録一首
遷居
兩橋詩
東新橋
西新橋
白鶴峰新居欲成夜過西鄰翟秀才二首
縱筆

種茶

白鶴山新居鑿井四十尺遇盤石石盡乃得泉

三月二十九日二首

吾謫海南子由雷州被命即行了不相知至梧

迺聞尚在藤也旦夕當追及作此詩示之

行瓊儋間肩輿坐睡夢中得句云千山動鱗甲

萬谷酣笙鐘覺而遇清風急雨戲作此數句

次前韻寄子由

遷居之夕聞鄰舍兒誦書欣然而作

觀棊

糴米

擷菜

次韻子由月季花再生

次韻子由浴罷

十二月十七日夜坐達曉寄子由

子由生日

以黄子木拄杖為子由生日之壽

儋耳

新居

倦夜

縱筆三首 録一首

貧家淨掃地

庚辰歲人日作時聞黄河已復北流老臣舊數

論此今斯言乃驗二首 録一首

庚辰歲正月十二日天門冬酒熟予自漉之且

漉且嘗遂以大醉二首 録一首

汲江煎茶

予來儋耳得吠狗曰烏觜甚猛而馴隨予遷合

浦過澄邁泅而濟路人皆驚戲為作此詩

澄邁驛通潮閣二首

六月二十日夜渡海

次韻王鬱林

藤州江下夜起對月贈邵道士

廣倅蕭大夫借前韻見贈復和答之二首 錄一首

次韻韶倅李通直二首 錄一首

李伯時畫其弟亮功舊隱宅圖

贈嶺上老人

予昔過嶺而南題詩龍泉鐘上今復過而北次

前韻

過嶺二首

留題顯聖寺

歇白塔鋪

鬱孤臺

次韻江晦叔二首 錄一首

寒日與器之遊南塔寺寂照堂

贈詩僧道通

予昔作壺中九華詩其後八年復過湖口則石已為好事者取去乃和前韻以自解云

次韻郭公甫二首 錄一首

宋復古畫瀟湘晚景圖三首

嘲子由

第五橋

軒窗

魚

山陰陸游

卷之四十二

寄酬曾學士學宛陵先生體比得書云所寓廣教僧舍有陸子泉每對之輒奉懷

送曾學士赴行在

新夏感事

留題雲門草堂

度浮橋至南臺

還縣

航海

東陽道中

送七兄赴揚州帥幕

以石芥送劉韶美禮部劉比釀酒勁甚因以為戲

寄張真父舍人

病中簡仲彌性唐克明蘇訓直

晚泊慈姥磯下

夜宿陽山磯將曉大雨北風甚勁俄頃行三百

餘里遂抵雁翅浦

送全州趙都曹

病中作

醉中歌

上巳臨川道中

隨意

遊山西村

雨霽出遊書事

上虞逆旅見舊題歲月感懷

題十八學士圖

夜聞松聲有感

十二月一日

宿楓橋

雨中泊趙屯有感

秋風

重陽

沙頭

移船

將離江陵

滄灘

松滋小酌

晚泊松滋渡口

繫舟下牢溪遊三游洞二十八韻

秋風亭拜寇萊公遺像

聞猿

瞿唐行

蹋磧

鄉中每以寒食立夏之間省墳客夔適逢此時

悽然感懷

風雨中望峽口諸山奇甚戲作短歌

晚晴聞角有感

畏虎

鄰水延福寺早行

大安病酒留半日王守復來招不往送酒解酲

因小飲江月館

曉發金牛

山南行

和高子長參議道中

次韻張季長題龍洞

太息

閬中作

遊錦屏山謁少陵祠堂

歸次漢中境上

南沮水道中

長木夜行抵金堆市

赴成都泛舟自三泉至益昌謀以明年下三峽

雪晴行益昌道中頗有春意

劒門道中遇微雨

劒門城北回望劒關諸峯青入雲漢感蜀亡事

慨然有賦

綿州魏城縣驛有羅江東詩云芳草有情皆礙

馬好雲無處不遮樓戲用其韻

東津

東山

綿州錄參廳觀姜楚公畫鷹少陵為作詩者

西郊尋梅

海棠
驛舍見故屏風畫海棠有感
登荔枝樓
凌雲醉歸作
醉中感懷
玻瓈江
送客至江上
九月十六日夜夢駐軍河外遣使招降諸城覺

而有作
成都行
初寒
木山
十月一日浮橋成以故事宴客凌雲
觀大散關圖有感
卷之四十三
十月十九日與客飲忽記去年此時自錦屏歸
山南道中小獵今又將去此矣
長門怨
斷碑歎
蜀酒歌
醉後草書歌詩戲作
十二月初一日得梅一枝絶奇戲作長句今年
於是四賦此花矣
十二月十一日視築隄

遊修覺寺
塞上曲
苦筍
月下作
過大蓬嶺度繩橋至杜秀才山莊
東湖新竹
夏日湖上
同何元立賞荷花追懷鏡湖舊遊

舟出下牢關

峽口夜坐

初到荊州

阻風

小雨極涼舟中熟睡至夕

岳陽樓

黃鶴樓

自雪堂登四望亭因歷訪蘇公遺跡至安國院

舟行蘄黃閒雨霽得便風有感

長風沙

登賞心亭

將至京口

泝谿

冬夜聞雁有感

月夕

自雲門之陶山肩輿者失道行亂山中有茅舍

小塘極幽邃求見主人不可意其隱者也

園中雜書

池亭夜賦

雙清堂夜賦

橋南納涼

初秋夢故山覺而有作

別建安

紫谿驛

月巖

聞雁

秦雨

南窗睡起

感舊絕句

夏日晝寢夢遊一院闃然無人簾影滿堂惟燕蹋筝弦有聲覺而聞鐵鐸風響璆然殆所夢也耶因得絕句

書懷絶句
雨後極涼料簡篋中舊書有感
秋夜
雨夜
豐城高安之間憩民家景趣幽邃為之慨然懷
歸
寄奉新高令
予欲自嚴買船下七里灘謁嚴光祠而歸會灘

淺陸行至桐廬始能泛江因得絶句
辛丑正月三日雪
雪齋歸湖上過千秋觀少留
題山家壁
憶昔
秋夜
九月三日泛舟湖中作
新寒

湖村月夕
横塘
蔬圃
五雲門晚歸
夜汲井水煑茶
寄朱元晦提舉
乍晴風日已和泛舟至扶桑埭徘徊西村久之
攜癭尊醉梅花下

城西接待院後竹下作
幽居春夜
晨起
春遊
八月十四日夜湖山觀月
夜聞秋風感懷
草書歌
夜泊水村

自妙相歸將至杜浦堰舟中作

卷之四十五

秋興

三江舟中大醉作

樊江晚泊

秋夕

秋雨排悶十韻

寄題朱元晦武夷精舍

長安道

村舍

幽居感懐

遲暮

自若耶溪舟行杭鏡湖而歸

骨相

感憤

晚出偏門

過杜浦橋

莊器之作招隱閣項平父諸人賦詩予亦繼作

溪上醉吟

雨中泊舟蕭山縣驛

初夏遊凌氏小園

題少陵畫像

初冬雜題

小雨

題徐淵子環碧亭亭有茶山曾先生詩

臨安春雨初霽

飲張功父園戲題扇上

小舟過御園

春遊絶句

雨後

夜汲

新霽城南舟中夜興

丙午五月大雨五日不止鏡湖渺然想見湖未
廢時有感而賦
早自烏龍廟歸
齋中閒咏
秋雨北榭作
焉耆行
園中絶句
晨過天慶

出城
夜登千峰榭
秋興
余年二十時嘗作菊枕詩頗傳於人今秋偶復
采菊縫枕囊悽然有感
東吴女兒曲
有為予言烏龍高峻不可到處有僧巖居不知
其年予每登千峰榭望之慨然為作詩
楚宫行
妾命薄
四鼓酒醒起步庭下
秋齋
採藥
塞上曲
送潘德久使薊門
夜歸塼街巷書事

送張野夫寺丞牧滁州
夜歸偶懷故人獨孤景畧
月下小酌
鄰曲有未飯被追入郭者憫然有作
題湖邊旗亭
寓懐
題千秋觀懐賀亭
樊江

練塘
歸次樊江
泛湖至東涇
村居初夏
東關
七月一日夜坐舍北水涯戲作
以事至城南書觸目
梅花絶句

題瑩上人二畫
剡溪
吴江
山家暮春
自詠
蓬萊館午憩
夢遊散關渭水之間
秋夜

荷花
秋興
新晴
舍北望水鄉風物戲作絶句
禹跡寺南有沈氏小園四十年前嘗題小闋壁間偶復一到而園已易主刻小闋於石讀之悵然
小園

夜讀范至能攬轡録言中原父老見使者多揮涕感其事作絶句
醉卧松下短歌
探梅
題四仙像
冬晴閒步東村由故塘還舍作
夜聞湖中漁歌
村夜

野意
憶昔
感懷
卷之四十六
東村散步有懷張漢州
將軍行
古别離
望夫石

古别離
偶懷小益南鄭之間悵然有賦
欲出遇雨
看鏡
夜分不寐起坐園中至旦
步至湖上寓小舟還舍
箜篌謡寄季長少卿
悶極有作

三峽歌
贈道流
艾如張
郊行夜歸書觸月
歲暮感懷
山園雜咏
雨夜書感
春晚雜興

夜歸
三月十一日郊行
路傍曲
秋夜
舍北晚眺
初冬感懷
聞雁
枕上偶成

舍北閑望作六字絶句

雨夜有懷張季長少卿

客言來自上皋道中以其語作一絶

殘臘

懷舊

幽居初夏

晨起

六月二十四日夜分夢范至能李知幾尤延之同集江亭諸公請予賦詩記江湖之樂詩成而覺忘數字而已

題韓運鹽竹隱堂絶句

舟中咏落景餘清暉輕橈弄溪渚之句蓋孟浩然耶溪泛舟詩也因以其句為韻賦詩

秋夜紀懷

舍北搖落景物殊佳偶作

夜坐

隴頭水

書志

書憤

小舟遊西涇度西岡而歸

春行

閑身

舍北行飯書觸目

雪夜感舊

雜感

蘭

感舊

露坐

新秋

秋夕露坐作

感秋

新涼

豐歲

小舟過吉澤効王右丞

秋晴見天際飛鴻有感

戊午重九

舟中

冬日感興十韻

菴中晨起書觸目

春日小園雜賦

沈園

讀晉書

春晴自雲門歸三山

夜聞姑惡

讀前輩詩文有感

讀隱逸傳

秋陰

秋懷

秋思

冬晴與子坦子聿遊湖上

齋中弄筆偶書示子聿

夢中作遊山絶句

北望感懷

人日東園

枕上作

長干行

小橋

觀畫山水

示友

十月

梅花

對酒戲詠

先少師宣和初有贈晁公以道詩云奴愛才如

蕭穎士婢知詩似鄭康成晁公大愛賞今逸

全篇偶讀晁公文集泣而足之
追感往事
卷之四十七
春遊
三月二十日兒輩出謁孤坐北窓
西村
湖塘晚眺
秋夜

漁父
梅市
郭西
柳橋晚眺
秋社
村舍
秋日雜詠
小立

秋晚湖上
雨後至近村
題嚴州王秀才山水枕屏
追憶征西幙中舊事
解嘲
讀史
遣興
送子龍赴吉州掾

正月五日出遊
初春雜興
杜叔高秀才雨雪中相過留一宿而别誦此詩
送之
村居書喜
别嚴和之
舟中作
夏初湖村雜題

書直舍壁
謝韓實之直閣送燈
直舍獨坐思成都
出東城並江而歸
立春後十二日命駕至郊外戲書觸目
河橋晚歸
後寓嘆
與兒輩泛舟遊西湖一日間晴陰屢易

秋思
小逕登東山繚行自西北至溪上
感憤
野興
幽居春晚
閔雨
書事
明日復理夢中意作

舍南野步
出遊
山行
感昔
風雲晝晦夜遂大雪
夢華山
道室
倚樓

石帆夏日
乙丑夏秋之交小舟早夜往來湖中戲成絶句
懷舊
春雨
梨花
雜感
出遊歸鞍上口占
初夏閒居

地僻
耒陽令曾君寄禾譜農器譜二書求詩
夏末野興
訪山家
寄隱士
春前六日作
贛士曾興宗字光祖以其居篔簹谷圖來求詩
夏日雜題

西村晚歸
雨晴
秋夜
累日濃雲作雪不成遂有春意
野望
春晴
恩封渭南伯唐詩人趙嘏為渭南尉當時謂之趙渭南後來將以予為陸渭南乎戲作長句

山行
初夏書感
對酒作
頃歲從戎南鄭屢往來興鳳閒暇日追懷舊遊有賦
異夢
夜坐小飲
雜感十首之二

仲秋書事
秋日徙倚門外久之
聞新雁有感
小園獨酌
古意
湖上尋梅
湖山
雪晴欲出而路濘未通戲作

春日雜興
蘭亭道上
初夏雜興
山行過僧菴不入
夏日六言
夏夜泛溪至南莊復回湖桑歸
郊行
文章

思蜀
江村
示兒

臣等謹案唐宋詩醇乾隆十五年
御選唐四家李白八卷杜甫十卷白居易八卷韓
愈五卷宋二家蘇軾十卷陸游六卷都四十
七卷
製序頒行唐宋詩家指不勝屈六家實為大成而
六家之中又以李杜為準的故登選尤詳每
篇標其警策
親加評隲或引及前人論議間有援據他書用資
疏訂者皆別色書之朗若列眉不特承學之
士於古今格律足以資津逮而定指歸其別
擇大醇出入風雅洵合乎温柔敦厚之教矣
乾隆四十九年九月恭校上

總纂官臣紀昀臣陸錫熊臣孫士毅
總校官臣陸費墀

欽定四庫全書

集部

御選唐宋詩醇卷一 二

詳校官山東道御史臣温常綬

總校官編修臣朱鈐
校對官編修臣李鎔
謄録監生臣王家杞

欽定四庫全書

御選唐宋詩醇卷一

隴西李白詩一

[illegible]集古今之大成為風雅之正宗[illegible]無異議者然有同時並出與之[illegible]鈞力敵而無所多讓大白亦千[illegible]詩當觀其大者遠者得其性情之所存然後等厥材力辨厥淵源以定其流品一切悠

悠耳食之論奚足道哉李杜二家所謂異曲同工殊塗同歸者觀其全詩可知矣太白高逸故其言縱恣不羈飄飄然有遺世獨立之意子美沈鬱其言深切著明往往窮極筆勢盡乎事之曲折而止白之遇明皇也出於特知金鑾召見侍以殊禮雖遭讒毁猶賜金遣歸得以遨遊齊魯吳越之間浮沈詩酒放浪湖山其詩多汗漫自適近於佯狂玩世者子美年將四十始以獻賦除官其後崎嶇兵間窮愁蜀道流離轉徙幾不自存故其發

於聲者多沈痛哀切之響此二家之所以異也若其蒿目時政疚心朝廷凡禍亂之萌善敗之實靡不託之歌謡反覆慨歎以致其忠愛之志其根於性情而篤於君上者按而稽之固無不同矣至於根本風騷馳驅漢魏擷六籍之菁華埽五代之靡曼詞華炳蔚照耀百世兩人又何以異哉論者不察漫置軒輊於其間是猶焦明已翔於寥廓而羅者猶視夫藪澤也善乎韓愈之言曰李杜文章在光燄萬丈長不知羣兒愚那用故謗傷蚍

蜉撼大樹可笑不自量彼元稹蘇轍王安石之流得無愧此言乎太白嘗言齊梁以來艷薄斯極沈休文又尚以聲律將復古道非我而誰故其所作擺脫騈麗舊習軼蕩人羣上薄曹劉下凌沈鮑朱子以為聖於詩者蓋前賢亦重之矣今略舉兩家之同異及其遠大之旨知太白之與子美並稱大家而無愧者如此至有謂李杜當日名相埒而相忌其詩有交相譏者此猶末流傾軋之心不可以語君子之知交也

古風

大雅久不作吾衰竟誰陳王風委蔓草戰國多荆榛龍虎相啖食兵戈逮狂秦正聲何微茫哀怨起騷人揚馬激頹波開流蕩無垠廢興雖萬變憲章亦已淪自從建安來綺麗不足珍聖代復元古垂衣貴清真羣才屬休明乘運共躍鱗文質相炳煥衆星羅秋旻我志在刪述垂輝映千春希聖如有立絶筆於獲麟

古風詩多比興此篇全用賦體括風雅之源流明著作

之意旨一起一結有山立波迴之勢昔劉勰明詩一篇畧云兩漢之作結體散文直而不野為五言之冠冕又云建安之初五言騰踊不求纖密之巧惟取昭晰之能何晏之徒率多浮淺惟嵇志清峻阮旨遥深故能標焉晉世羣才稍入輕綺采縟於正始力柔於建安觀白此篇即劉氏之意指歸大雅志在刪述上溯風騷俯觀六代以綺麗為賤清真為貴論詩之義昭然明矣舉筆直書所見氣體實足以副之陽氷稱其馳驅屈宋鞭撻揚

馬千載獨步惟公一人洵非阿好其纂草堂集以古風
列於卷首又以此篇弁之可謂有卓見者枕上授簡同
不朽矣

朱子曰李白詩不專是豪放如首篇大雅久不作多
少和緩

劉克莊曰此今古詩人之斷案也楊齊賢曰掃魏晉
之陋起騷人之廢太白蓋以自任矣覽其著述筆力
翩翩如行雲流水出乎自然非思索而得豈欺我哉

沈德潛曰昌黎云齊梁及陳隋衆作等蟬噪太白則
云自從建安來綺麗不足珍是從來作豪傑語不足
珍謂建安以後也謝朓樓餞别云蓬萊文章建安骨
一語可証

秦皇掃六合虎視何雄哉飛劍決浮雲諸侯盡西來明
斷自天啟大畧駕羣才收兵鑄金人函谷正東開銘功
會稽嶺騁望瑯琊臺刑徒七十萬起土驪山隈尚採不
死藥茫然使心哀連弩射海魚長鯨正崔嵬額鼻象五
嶽揚波噴雲雷鬐鬣蔽青天何由覩蓬萊徐市載秦女
樓船幾時迴但見三泉下金棺葬寒灰

極寫其盛正為中間轉筆作地茫然使心哀五字多少
包含借秦以諷意深旨遠

太白何蒼蒼星辰上森列去天三百里邈爾與世絶中
有綠髮翁披雲卧松雪不笑亦不語宴棲在巖穴我来
逢真人長跪問寶訣粲然啓玉齒授以鍊藥説銘骨傳
其語竦身已電滅仰望不可及蒼然五情熱吾將營丹
砂永與世人别

郭璞遊仙青谿百餘仞一首純是寓意白詩與彼不同
蓋士之不得志於時者姑寄其意於此耳舊史稱白少
有逸才志氣宏放飄然有超世之心殆亦性之所近或
其被放東歸將授道籙時作也

蕭士贇曰太白少遇司馬承禎謂其有仙風道骨可
與學仙太白亦有志焉此詩非泛然之作

胡震亨曰古風中言仙者十有二其九自言游仙其

三則譏求仙不應通蔽互殊乃爾白之自謂可仙亦
借以抒其曠思豈真謂世有神仙哉他詩云此人古
之仙羽化竟何在意自可見是則雖言游仙未嘗不
與譏求仙者合也時方用兵吐蕃南詔而授籙投龍
崇尚不廢大類秦皇漢武之為故白之譏求仙者亦
多借秦漢為喻他詩又云窮兵黷武今如此鼎湖飛
龍安可乘其本指也歟

太白金陵送權十一序云吾希風廣成蕩漾浮世素
受寶訣為三十六帝之外臣
李陽氷序天子知其不可留乃賜金歸之遂就從祖
陳留采訪大使彥允請北海高天師授道籙於齊州
紫極宮
吳昌祺曰爾雅春為蒼天郭景純曰萬物蒼蒼然生
此言五情蒼然而生也

代馬不思越越禽不戀燕情性有所習土風固其然昔
別雁門關今戍龍庭前驚沙亂海日飛雪迷胡天蟣蝨
生虎鶡心魂逐旌旃苦戰功不賞忠誠難可宣誰憐李
飛將白首沒三邊

民安鄉井離別為難況驅之死地乎起意惻然可念杕
杜勞士道其室家之情出車勞率美其執獲之功盛世
豈無征役哉明皇喜邊事致有冐賞掩功者故蕭士贇
謂其感諷時事有為而作揚水圻父所以為風雅之變
也

五鶴西北來飛飛凌太清仙人綠雲上自道安期名兩
兩白玉童雙吹紫鸞笙去影忽不見回風送天聲我欲

一問之飄然若流星願餐金光草壽與天齊傾

前太白何蒼蒼一首僅傳其語此則欲問而不可得更
進一層天聲流星二語真如天上飛仙可望而不可即
覺李賀羲和敲日玻璃聲極意創造終屬琱琢自是仙
鬼之別
蕭士贇曰此篇亦游仙詩體恐是贈答之詞
廣異記東岳夫人所居有異草葉如芭蕉花正黃色

光可鑑曰此金明草

咸陽二三月宮柳黃金枝綠幘誰家子賣珠輕薄兒日暮醉酒歸白馬驕且馳意氣人所仰冶游方及時子雲不曉事晚獻長楊辭賦達身已老草元鬢若絲投閣良可歎但為此輩嗤

世所謂曉事者及時行樂耳而至老矻矻者晚節末路又復可歎白氣骨自負豈願以辭人終老兩兩夾照不是漫作詠嘲語

蕭士贇曰子雲白以自況也此時戚里驕縱踰制動致高位儒者沈困下僚是詩必有所感諷而作

吳昌祺曰言子雲不能自守則反為小人所嗤謂以子雲自況者非也

莊周夢蝴蝶蝴蝶為莊周一體更變易萬事良悠悠乃知蓬萊水復作清淺流青門種瓜人昔日東陵侯富貴故如此營營何所求

作達語是白本色然意在後半前乃興起耳莊周三句起第四句五六兩句橫空插入實貫上下無此二語全詩便覺率直青門二句就事指點結出本意有無數層折至其辭意自然則韓愈所云文如翻水成初不用意為也

劉辰翁曰語意音節適可如此而止

蕭士贇曰此達生者之辭也謂忽然人化為物忽然物化為人一體變易尚未能知悠然萬事豈能盡知乎況又乃知滄桑之變乎故侯種瓜富貴者固如是

也既燭破此理尚何所求而營營苟苟以勞生哉

齊有倜儻生魯連特高妙明月出海底一朝開光耀却秦振英聲後世仰末照意輕千金贈顧向平原笑吾亦澹蕩人拂衣可同調

曹植詩大國多良材譬海出明珠即明月出海底意白姿性超邁故感興於魯連後篇子陵君平亦此志也

蕭士贇曰太白生平豪邁邈視權臣浮雲富貴此詩蓋有慕乎仲連之為人也

黄河走東溟白日落西海逝川與流光飄忽不相待春
容捨我去秋髮已衰改人生非寒松年貌豈長在吾當
乘雲螭吸景駐光采

郭璞遊仙詩云雖欲騰丹谿雲螭非我駕結語本此别
本作誰能學天飛三秀與君采語意殊稗

蕭士贇曰古詩迴車駕言邁悠悠涉長道四顧何茫
茫東風摇百草所遇無故物焉得不速老盛衰各有
時立身若不早奄忽隨物化榮名以為寶太白此詩
亦此之意古詩欲用世而留名太白則欲學仙以離
世其見趣又出乎流俗矣

松柏本孤直難為桃李顔昭昭嚴子陵垂釣滄波間身
將客星隱心與浮雲閒長揖萬乘君還歸富春山清風
灑六合邈然不可攀使我長歎息冥棲巖石間

起句本之荀子直揭本指嚴羽所謂開門見山者也與
左思詠史作風格正復相似

沈德潜曰不著議論詠古一體

荀子曰桃李倩粲於一時時至而後殺至於松柏經
隆冬而不凋可謂得其真矣

君平既棄世世亦棄君平觀變窮太易探元化羣生寂
寞綴道論空簾閉幽情騶虞不虛来鸑鷟有時鳴安知
天漢上白日懸高名海客去已久誰人測沈冥

騶虞見王道之成鸑鷟為興朝之瑞蕭士贇曰此喻聖
賢不虛生其出也有時名懸天漢而人不能測此非賢
者所知也以正意作轉關與前篇各一機杼

胡關饒風沙蕭索竟終古木落秋草黄登高望戎虜荒
城空大漠邊邑無遺堵白骨横千霜嵯峨蔽榛莽借問
誰凌虐天驕毒威武赫怒我聖皇勞師事鼙鼓陽和變
殺氣發卒騷中土三十六萬人哀哀淚如雨且悲就行
役安得營農圃不見征戍兒豈知關山苦李牧今不在
邊人飼豺虎

開元以來歲有征役至王君㚟戰勝青海益事邊功石
堡一城耳得之不足制敵不得無害於國唐兵前後屢

攻所失無數哥舒翰雖能拔之而士卒死亡亦畧盡矣此詩極言邊塞之慘中間直入時事字字沈痛當與杜甫前出塞參看别本多四句語盡而露詩詞意已足不當更益

蕭士贇曰此詩專指北邊而言當為哥舒翰攻石堡城而作也天寶六載上欲使河西隴右節度使王忠嗣攻石堡城忠嗣上言石堡城高固吐蕃舉國守之今頓兵其下非數萬人不能克臣恐所得不如所亡

將軍董延光自請攻之上命忠嗣分兵助之延光過期不克言忠嗣沮撓軍計上怒貶忠嗣八載命哥舒翰帥隴右諸軍兵凡六萬三千攻之其城三面險絶唯一徑可上吐蕃但以數百人守之多貯糧食積擂木及石前後屢攻不能克翰進攻拔之獲吐蕃四百人唐士卒死亡畧盡果如忠嗣之言此詩末句曰李牧今不在邊人飼豺虎者葢以李牧比忠嗣也

燕昭延郭隗遂築黄金臺劇辛方趙至鄒衍復齊来何青雲士棄我如塵埃珠玉買歌笑糟糠養賢才方知黄鶴舉千里獨徘徊

國策田需對管燕云士三日不得咽而君鵝鶩有餘粟與孟子所云豕交獸畜者更有甚焉乃知穆生辭楚見色斯舉耳

蕭士贇曰太白少有高尚之志此篇豈出山之後不為時貴所禮有輕出之悔與讀其詩者百世之下猶有感慨

天津三月時千門桃與李朝為斷腸花暮逐東流水前水復後水古今相續流新人非舊人年年橋上遊雞鳴海色動謁帝羅公侯月落西上陽餘輝半城樓衣冠照雲日朝下散皇州鞍馬如飛龍黄金絡馬頭行人皆辟易志氣横嵩邱入門上高堂列鼎錯珍羞香風引趙舞清管隨齊謳七十紫鴛鴦雙雙戲庭幽行樂爭晝夜自言度千秋功成身不退自古多愆尤黄犬空歎息緑珠成釁讐何如鴟夷子散髮棹扁舟

此刺當時貴幸之徒怙侈驕縱而不恤其後也杜甫麗人行其刺國忠也微而婉此則直而顯自是異曲同工書曰居高思危罔不惟畏讀此能令權門膽落詩眼以為建安氣骨惟李杜有之良然

范溫曰建安詩辯而不華質而不俚風調高雅格力遒壯得風雅騷人氣骨最為近古惟李杜有之

吳昌祺曰自開一境不必古人

西京記上陽宮西有西上陽宮

昔我遊齊都登華不注峯茲山何峻秀綠翠如芙蓉蕭颯古仙人了知是赤松借予一白鹿自挾兩青龍含笑凌倒景欣然願相從泣與親友別欲語再三咽勗君青松心努力保霜雪世路多險艱白日欺紅顏分手各千里去去何時還在世復幾時倏如飄風度空聞紫金經白首愁相誤撫己忽自笑沈吟為誰故名利徒煎熬安得閑余步終留赤玉舄東上蓬萊路秦帝如我求蒼蒼但煙霧

此詩或作兩篇今合而觀之上憶昔日之遊下決今日之去意正相屬泣與親友別八句既將別矣復自疑焉故下云撫己忽自笑沉吟為誰故然後決然欲往東上蓬萊蓋倦游之餘聊以寄意范梈正所云非慕其輕舉將不可求之事求之欲耗壯心遣餘年者也

蕭士贇曰此詩恐是其一時與親友話別者故中有不能忘情之詞未有永訣割斷之語也

秋露白如玉團團下庭綠我行忽見之寒早悲歲促人

生烏過目胡乃自結束景公一何愚牛山淚相續物苦不知足得隴又望蜀人心若波瀾世路有屈曲三萬六千日夜夜當秉燭

唐風蟋蟀之篇感興如此詩之神韻與古為化擬之十九首可謂波瀾莫二結處與通篇一意相貫即桃李園序之意或謂若不知止足則當夜夜宴游為識者所笑其說未當

蕭士贇曰三萬六千日雖太白造辭如此然其意却

祖於左傳所謂奪胎換骨使事而不為事使者

大車揚飛塵亭午暗所陌中貴多黃金連雲開甲宅路逢鬬雞者冠蓋何輝赫鼻息干虹蜺行人皆怵惕世無洗耳翁誰知堯與跖

蕭士贇曰此篇諷刺之詩蓋為賈昌輩而作

東城父老傳曰賈昌生七歲解鳥語音元宗在藩邸時樂民間清明節鬬鷄戲及即位治雞坊於兩宮間索長安雄雞千數養於雞坊選六軍小兒五百人使

馴擾教飼之昌為五百小兒長天子甚愛幸之金帛之賜日至其家開元十三年雞籠三百從東封十四年三月衣鬬雞服會上於温泉天下號為神雞童時人為之語曰生兒不用識文字鬬雞走馬勝讀書賈家小兒年十三富貴榮華代不如千秋節賜酺或酺於洛元會與清明節皆在驪山每至是日萬樂具舉六宮必從昌冠鵰翠金華冠錦紬繡襦袴執鐸拂導羣雞叙立於廣場顧盼如神指揮風生隨鞭指低昂不失勝負既決强者前弱者後隨昌鴈行歸於雞坊角觝萬夫跳劍尋橦蹴毬踏繩舞於竿顛者意索氣阻已逡巡不敢入豈教猱擾龍之徒與

碧荷生幽泉朝日艷且鮮秋花冒綠水密葉羅青煙秀色空絕世馨香竟誰傳坐看飛霜滿凋此紅芳年結根未得所願託華池邊

前有郢客吟白雪一篇云舉世誰為傳此篇云馨香竟誰傳傷不遇也末二句情見乎辭白未嘗一日忘事君也求仙採藥豈其本心哉嚴羽云觀白詩要識其安身立命處此類是也

蕭士贇曰荷與華池比也君子有絕世之行處於僻野而不為世所知常恐老之將至而所抱不見於所用安得託身於朝廷之上哉是亦太白自傷之意與

鄭客西入關行行未能已白馬華山君相逢平原里璧遺鎬池君明年祖龍死秦人相謂曰吾屬可去矣一往桃花源千春隔流水

賞其風調致佳平原當作平舒

史記始皇三十六年使者從關東夜過華陰平舒道

羽檄如流星虎符合專城喧呼救邊急羣鳥皆夜鳴白日曜紫微三公運權衡天地皆得一澹然四海清借問此何為答言楚徵兵渡瀘及五月將赴雲南征怯卒非戰士炎方難遠行長號別嚴親日月慘光晶泣盡繼以血心摧兩無聲困獸當猛虎窮魚餌奔鯨千去不一回投軀豈全生如何舞干戚一使有苗平

羣鳥夜鳴寫出騷然之狀白日四句形容黷武之非至於征夫之悽慘軍勢之怯弱色色顯露字字沈痛結歸德化自是至論此等詩殊有關繫體近風雅與杜甫兵車行出塞等作工力悉敵不可軒輊宋人羅大經作鶴林玉露乃謂白作為歌詩不過狂醉於花月之間社稷蒼生曾不繫其心膂視甫之憂國憂民不可同年語此種識見真蚍蜉撼大樹多見其不知量也

蕭士贇曰太白此詩蓋討雲南時作也末二句比南詔為有苗而深歎當國之大臣不能如益之賛禹禹之佐舜敷文德以来遠人致有覆軍殺將之恥也

通鑑綱目天寳十載劍南節度使鮮于仲通討南詔大敗於西洱河士卒死者六萬人僅以身免楊國忠掩其敗狀仍叙其戰功制募兵擊之人聞雲南瘴癘莫肯應募國忠遣御史分道捕人枷送軍所十三載劍南留後李宓擊南詔深入至太和城士卒疫饑死什七八引還蠻追擊之全軍皆沒國忠更以捷聞益發中國兵討之前後死者幾二十萬人無敢言者

吳昌祺曰干羽改干戚本陶淵明刑天舞干戚

泒蘭生幽園衆草共蕪沒雖照陽春暉復悲高秋月飛霜早淅瀝綠艷恐休歇若無清風吹香氣為誰發

前有燕臣昔慟哭一章與此俱遭讒被放而作前篇哀而不傷怨而不誹尚近離騷悲痛之音此則温柔敦厚上追風雅矣

蕭士贇曰此亦比興之詩也君子在野未能自拔於

衆人之中雖蒙主知而小人之讒毀者已至狐寒之士亦如是而已矣若非在位之人引類拔萃而薦用之雖有德馨亦何以自見哉

鳳飢不啄粟所食惟琅玕焉能與羣雞刺促爭一餐朝鳴崑邱樹夕飲砥柱湍歸飛海路遠獨宿天霜寒幸遇王子晉結交青雲端懷恩未得報感別空長歎

前有鳳凰九千仞一篇與此皆白自比懷恩未報感別長歎惓惓之誠溢於言表

周穆八荒意漢皇萬乘尊淫樂心不極雄豪安足論西海宴王母北宮邀上元瑤水聞遺歌玉杯竟空言靈跡成蔓草徒悲千載魂

唐人多以王母比楊妃如杜甫西望瑤池降王母亦然則上元即指秦虢輩末句蓋傷之也

蕭士贇曰當時明皇亦好神仙之事此詩蓋有所諷云

綠蘿紛葳蕤繚繞松柏枝草木有所託歲寒尚不移奈何夭桃色坐歎葑菲詩玉顏艷紅彩雲髮非素絲君子恩已畢賤妾將何為

純用比興亦騷雅之遺金鑾召對欣有託矣中道被放如去婦以盛顏鬒髮而不見答也辭意怨而不怒旨合風人蕭士贇以為有為而作殆未必然

蕭士贇曰詩有比有興所以抒下情而通諷諭也當時君臣夫婦之大倫不合於禮義而不克終者無所不有太白此詩必有為而作也

美人出南國灼灼芙蓉姿皓齒終不發芳心空自持由來紫宮女共妬青蛾眉歸去瀟湘沚沈吟何足悲

亦前篇之意但前篇寓意於君此則謂張垍輩之譖毀也

倚劍登高臺悠悠送春目蒼榛蔽層邱瓊草隱深谷鳳鳥鳴西海欲集無珍木鸒斯得所居蒿下盈萬族晉風日以頹窮途方慟哭

天寶以還小人道長君子道消矣物亦各從其類也篇

中連類引象雜而不越途窮慟哭亦無可如何而已

羽族稟萬化小大各有依周周亦何辜六翮掩不揮願銜衆禽翼一向黄河飛飛者莫我顧歎息將安歸

知柳下惠之賢而不與立所以致恨於臧孫辰之竊位也

蕭士贇曰此詩全祖莊子韓子二事之意以鳥為喻以愧當世在位之不能引援同類者

惻惻泣路岐哀哀悲素絲路岐有南北素絲易變移萬

事固如此人生無定期田竇相傾奪賓客互盈虧世途多翻覆交道方嶮巇斗酒强然諾寸心終自疑張陳竟火滅蕭朱亦星離衆鳥集榮柯窮魚守枯池嗟嗟失權客勤問何所規

辭旨明白白古風凡五十九首以此篇結之總厥所述遠追嗣宗咏懷近比子昂感遇其間指事深切言情篤摯纏綿往復每多言外之旨白之流品亦可睹其概焉夫開元天寶治亂迴殊林甫國忠相繼柄政宵小盈朝賢人在野卒致祿山之亂宗社幾墟白以倜儻之才遭讒被放雖放浪江湖而忠君憂國之心未嘗少忘身世之感一於詩發之諸篇之中可指數也豈非風雅之嗣音詩人之冠冕乎朱子嘗欲擇歷代之詩為一編以繼三百篇楚辭之後而以白之古風為之羽翼與衛蓋有以取之矣羣兒謗傷何足信哉

蕭士贇曰此詩譏市道交者太白罹難之餘友朋之交不能始終如一而或奔走權門徒有一類失權之

客勤勤勞問亦何所規益乎可以知人心之不古矣

朱子曰太白古風兩卷皆自陳子昂感遇中來亦有全用其句處太白去子昂不遠其尊慕如此又曰太白詩如無法度乃從容於法度之中蓋聖於詩者

劉克莊曰太白古風與陳子昂感遇之作筆力相上下唐之詩人皆在下風

馮舒曰此真國風

沈德潛曰太白詩縱橫馳驟獨古風二卷不矜才不

使氣原本阮公風格伯玉感遇詩後有嗣音矣

御選唐宋詩醇卷一

欽定四庫全書

御選唐宋詩醇卷二

隴西李白詩二

遠别離

遠别離古有皇英之二女乃在洞庭之南瀟湘之浦海水直下萬里深誰人不言此離苦日慘慘兮雲冥冥猩猩啼煙兮鬼嘯雨我縱言之將何補皇穹竊恐不照余之忠誠雷憑憑兮欲吼怒堯舜當之亦禪禹君失臣兮

龍為魚權歸臣兮鼠變虎或言堯幽囚舜野死九疑聯綿皆相似重瞳孤墳竟何是帝子泣兮緑雲閒隨風波兮去無還慟哭兮遠望見蒼梧之深山蒼梧山崩湘水絶竹上之淚乃可滅

此憂天寶之將亂欲抒其忠誠而不可得也日者君象雲感則蔽其明啼煙嘯雨陰晦之象甚矣詩云薈兮蔚兮南山朝隮小人之勢至於如此政事尚可問乎屈平曰理弱而媒拙兮恐導言之不固又曰閨中既邃遠兮

哲王又不寤白以見疎之人欲言何補而忠誠不懈如此此立言之本指龍魚虎鼠之喻亦本楚詞及說苑兼用容難中語比類陳詞可謂深切著明者矣

蕭士贇曰太白熟識時病欲言則懼禍及已不得已而形之詩章聊以致其愛君憂國之志而已

楊載曰波瀾開闔如江海之波一波未平一波復起又如兵家之陣方以為正又復為奇方以為奇忽復是正出入變化不可紀極

劉辰翁曰參差曲屈幽人鬼語而動盪自然無長吉之苦

高棅曰此太白傷時君子失位小人用事以致喪亂身在江湖之上欲往救而不可哀忠諫之無從舒憤疾而作也

李東陽曰古律詩各有音節然皆限於字數求之不難樂府長短句最難調疊然亦有自然之節如太白遠別離子美桃竹杖皆極其操縱曷嘗按古人聲調而自和順委曲

沈德潛曰中有欲言不可明言處故托弔古以抒之屈折反覆離騷之旨

郭茂倩曰楚詞云悲莫悲兮生別離古詩云行行重行行與君生別離李陵與蘇武詩云良時不可再別離在須臾故後人擬之為古別離梁簡文又為生別離宋吳邁遠有長別離李白有遠別離亦皆類此

蜀道難

噫吁戲危乎高哉蜀道之難難於上青天蠶叢及魚鳧開國何茫然爾來四萬八千歲不與秦塞通人煙西當太白有鳥道可以橫絕峨眉巔地崩山摧壯士死然後天梯石棧相鉤連上有六龍回日之高標下有衝波逆折之回川黃鶴之飛尚不得過猨猱欲度愁攀援青泥何盤盤百步九折縈巖巒捫參歷井仰脅息以手撫膺坐長歎問君西遊何時還畏途巉巖不可攀但見悲鳥號古木雄飛雌從繞林間又聞子規啼夜月愁空山蜀

道之難難於上青天使人聽此凋朱顏連峯去天不盈尺枯松倒挂倚絶壁飛湍瀑流爭喧豗砯厓轉石萬壑雷其險也如此嗟爾遠道之人胡為乎來哉劍閣崢嶸而崔嵬一夫當關萬夫莫開所守或非親化為狼與豺朝避猛虎夕避長蛇磨牙吮血殺人如麻錦城雖云樂不如早還家蜀道之難難於上青天側身西望長咨嗟

解此詩者幾如聚訟惟蕭士贇謂為禄山亂華天子幸蜀而作者得之蓋其詩筆勢奇崛詞旨隱躍往往求之

不得則妄為之說若析而論之亦自瞭然可覩題本古樂府非白所創即以蜀道之難二語為通篇節奏蠶叢及魚鳧至于手撫膺坐長歎極言山川道途之險以還題意而其非尋常遊幸之地已見言外與下文神相貫注問君西遊何時還正指幸蜀事蕭士贇曰君字非泛然而言猶杜甫北征詩恐君有遺失及君誠中興主之義所謂君者明皇也其說是也當日倉皇西幸扈從蕭條棧道崎嶇霖鈴悲感鳥號鵑啼寫出淒涼之狀故曰使人聽此凋朱顏此為明皇悲也以下重寫難字而以其險也如此三句束之遠道之人蓋指從者而言故承以劍閣崢嶸六句楚蔦賈云我能往寇亦能往蜀之險不必可恃故為危之之詞以致其忠愛之意若如諸說所云為守蜀者發於義為不倫矣朝避猛虎六句直言避亂而視其早還通篇結穴在此結語收得住有無限遥情若徒賞其文章之奇而不審其深情遠意未為知白者也胡震亨謂其海說事理故包括大而有合樂府

諷世立教本旨蓋亦窮於解矣

劉辰翁曰妙在起伏其才思放肆語次崛奇自不必言

桂臨川曰蜀道難全為元宗幸蜀而作至於一夫當關云云為元宗慮深遠矣詞旨幽深雄渾飄逸歐陽子以廬山高方之殊為可哂

趙執信曰原本楚騷集中格調相類者多是為此體之祖

沈德潜曰筆陣縱横如虬飛蠖動起雷霆於指顧之間任華盧仝仿之適得其怪耳太白所以為仙才也

錦城雖云樂不如早還家是其主意

王僧虔技録有蜀道難行

吳競樂府解題曰蜀道難備言銅梁玉壘之阻與蜀國弦頗同

洪芻曰新唐書嚴武傳曰武在蜀放肆房琯以故宰相為部内刺史武踞慢不為禮最厚杜甫然欲殺甫

數矣李白作蜀道難乃為房與杜危之也新唐書據范攄雲溪友議言之耳按摭言載李白至京以所業贄謁賀知章知章覽蜀道難一篇曰子謫仙人也白本傳天寶初因吳筠被召亦至長安時往見賀知章則與嚴武帥蜀歲月懸遠嘗見李集一本於蜀道難題下注諷章仇兼瓊也考其年月近之矣謂危房杜者非也新唐書第弗深考耳

沈括曰前史稱嚴武為劍南節度不法李白為作蜀道難按孟棨所記白初至京師賀知章聞名首詣之白出蜀道難時乃天寶初也嚴武為劍南乃在至德以後肅宗時年代甚遠蓋小說所記率多舛訛

蕭士贇曰所謂嘗見李集一本於蜀道難下注諷章仇兼瓊者黄魯直嘗於宜州為周惟深作草書蜀道難亦於題下注云諷章仇兼瓊也然天寶初天下乂安四郊無警劍閣乃長安入蜀之道太白非狂者乃拳拳然欲其嚴劍閣之守不知將何所拒乎以此知

其不為章仇兼瓊也

梁甫吟

長嘯梁甫吟何時見陽春君不見朝歌屠叟辭棘津八十西來釣渭濱寧羞白髮照清水逢時吐氣思經綸廣張三千六百釣風期暗與文王親大賢虎變愚不測當年頗似尋常人君不見高陽酒徒起草中長揖山東隆準公入門不拜騁雄辯兩女輟洗來趨風東下齊城七十二指揮楚漢如旋蓬狂客落魄尚如此何況壯士當

羣雄我欲攀龍見明主雷公砰訇震天鼓帝傍投壺多玉女三時大笑開電光倏爍晦冥起風雨閶闔九門不可通以額扣關閽者怒白日不照吾精誠杞國無事憂天傾猰貐磨牙競人肉騶虞不折生草莖手接飛猱搏彫虎側足焦原未言苦智者可卷愚者豪世人見我輕鴻毛力排南山三壯士齊相殺之費二桃吳楚弄兵無劇孟亞夫咍爾為徒勞梁甫吟梁甫吟聲正悲張公兩龍劒神物各有時風雲感會起屠釣大人𡵆屼當安之

此詩當亦遭讒被放後作與屈平睠睠楚國同一精誠

三千六百釣迄無定論按說苑云吕望年七十釣于渭渚孔叢子云太公勤身苦志八十而遇文王以百年三萬六千塲計之七十至八十約三千六百釣也或又以八十始釣九十始遇為十年殆未知楚辭所云太公九十乃顯榮蓋指封國時言也

沈德潛曰太白以氣勝故拉雜使事而不見其迹若不善學之恐意氣粗豪雜出不倫矣作詩不可不防其漸

古今樂錄曰王僧虔技錄相和歌楚調五曲内有梁甫吟行始於諸葛亮

沈德潛曰三千六百釣或言地有三千六百軸太公合天下而釣之得與文王相遇也

烏夜啼

黄雲城邊烏欲棲歸飛啞啞枝上啼機中織錦秦川女碧紗如煙隔窻語停梭悵然憶遠人獨宿空房淚如雨

語淺意深樂府本色

劉辰翁曰語有深於此者無情之所至皆不如此則亦不必深也凡言樂府者未足以知此

吴昌祺曰含蘊無窮音節絕妙

古今樂錄曰烏夜啼者清商曲也乃周房中樂之遺聲江左所謂梁宋新聲也其詞始於宋臨川王義慶宋元嘉中徙彭城王義康於豫章郡義慶時為江州相見而哭文帝聞而怪之召還宅義慶大懼妓妾聞

烏夜啼叩齋閣云明日應有赦及旦改南兗州刺史因作此歌其詞云籠窻窻不開烏夜啼夜夜望郎来盖咏其妾也

李勉琴説曰烏夜啼何晏之女所造與此義同而事異

烏棲曲

姑蘇臺上烏棲時吳王宫裏醉西施吳歌楚舞歡未畢青山欲銜半邊日銀箭金壺漏水多起看秋月墜江波

東方漸高柰樂何

樂極悲生之意寓得微婉荒宴未幾而麋鹿游於姑蘇矣全不説破可謂興寄深微者胡應麟以杜之七哀雋永深厚法律森然謂此篇斤兩稍輕咏歎不足真意為謗傷未足與議也末綴一單句有不盡之妙

賀知章曰此詩可以泣鬼神

范梈曰此篇與烏夜啼可謂精金粹玉

蕭士贇曰深得國風刺詩之體盛言其美而不美者自見

樂録烏獸二十一曲之一

戰城南

去年戰桑乾源今年戰葱河道洗兵條支海上波放馬天山雪中草萬里長征戰三軍盡衰老匈奴以殺戮為耕作古来惟見白骨黄沙田秦家築城避胡處漢家還有烽火然烽火然不息征戰無已時野戰格鬬死敗馬號鳴向天悲烏鳶啄人腸銜飛上挂枯樹枝士卒塗草

莽將軍空爾為乃知兵者是凶器聖人不得已而用之

古詞云戰城南死郭北野死不葬烏可食又云願為忠臣安可得白詩亦本其意而語尤慘痛意更切至所以刺黷武而戒窮兵者深矣

蕭士贇曰開元天寶中上好邊功征伐無時此詩蓋有所諷也

沈德潛曰匈奴二句可謂奇語本末莊語却以搖曳出之

古今樂錄曰戰城南漢鼓吹鐃歌十八曲之六

行行且游獵篇

邊城兒生年不讀一字書但將游獵誇輕趫胡馬秋肥宜白草騎來躡影何矜驕金鞭拂雪揮鳴鞘半酣呼鷹出遠郊弓彎滿月不虛發雙鶬迸落連飛髇海邊觀者皆辟易猛氣英風振沙磧儒生不及遊俠人白首下帷復何益

揆文教奮武衛二者不可偏廢此白憤時有激而作蓋

天寶以後益好邊功武士得志亦世道之憂也

樂府解題曰梁劉孝威遊獵篇備言遊行射獵之事亦謂之行行且遊獵篇

飛龍引

鼎湖流水清且閑軒轅去時有弓劍古人傳道留其間後宮嬋娟多花顏乘鸞飛煙亦不還騎龍攀天造天關造天關聞天語長雲河車載玉女載玉女過紫皇紫皇乃賜白兔所搗之藥方後天而老凋三光下視瑤池見王母蛾眉蕭颯如秋霜

一結從大人賦翻出仙者後天而老乃蛾眉蕭颯如許則不老者且先凋矣諷意微而顯

蕭士贇曰飛龍引者古樂府魚龍六曲之一

行路難

金樽清酒斗十千玉盤珍羞直萬錢停杯投筯不能食拔劍四顧心茫然欲渡黄河氷塞川將登太行雪滿山閒來垂釣碧溪上忽復乘舟夢日邊行路難行路難多

岐路今安在長風破浪會有時直挂雲帆濟滄海

氷塞雪滿道路之難甚矣而日邊有夢破浪濟海尚未決志於去也後有二篇則畏其難而決去矣此蓋被放之初迷懷如此真寫得難字意出

劉辰翁曰結得不至鼠尾甚善

郭茂倩曰樂府解題云行路難備言世路艱難及離別悲傷之意多以君不見為首按陳武別傳曰武常牧羊諸家牧豎有知歌謠者武遂學行路難則所起

亦遠矣

長相思

長相思在長安絡緯秋啼金井闌微霜凄凄簟色寒孤燈不明思欲絶卷帷望月空長嘆美人如花隔雲端上有青冥之長天下有淥水之波瀾天長路遠魂飛苦夢魂不到關山難長相思摧心肝

絡緯秋啼時將晚矣曹植云盛年處房室中夜起長嘆其寓興則同然植意以禮義自守此則不勝淪落之感

衛風曰云誰之思西方美人楚辭曰恐美人之遲暮賢者窮于不遇而不敢忘君斯忠厚之旨也辭清意婉妙於言情

梅鼎祚曰纖景幽絶如泣如訴怨而不誹

郭茂倩曰古詩云客從遠方来遺我一書札上言長相思下言久别離長者久遠之辭言行人久戍寄書以遺所思也又曰客從遠方來遺我一端綺文綵雙鴛鴦裁為合歡被著以長相思緣以結不解謂被中著綿以致相思綿綿之意故曰長相思也又有千里思與此相類

上留田行

行至上留田孤墳何崢嶸積此萬古恨春草不復生悲風四邊来腸斷白楊聲借問誰家地埋没蒿里塋古老向余言言是上留田蓬科馬鬛今已平昔之弟死兄不葬他人於此舉銘旌一鳥死百鳥鳴一獸走百獸驚桓山之禽别離苦欲去迴翔不能征田氏倉卒骨肉分青天白日摧紫荆交柯之木本同形東枝顦顇西枝榮無心之物尚如此參商胡乃尋天兵孤竹延陵讓國揚名高風緬邈頽波激清尺布之謡塞耳不能聽

蕭士贇説得之白之從璘雖曰迫脅亦其倜儻自負欲藉以就功名故也詞氣激切若有不平之感如謝靈運所云道消結憤懣者桓山之禽蓋白自比也胡應麟詩藪稱其公無渡河篇波滔天堯咨嗟大禹湮百川兒啼不窺家其害乃去茫然風沙等語為極力摹漢似此情

質詞古何遽不如漢也
蕭士贇曰孤竹延陵數句非泛然之作以唐史至德間事考之其為李成式輩以謀激永王璘之反而執殺之太白目擊其事故作是詩與
沈德潛曰末一段促節繁音如聞樂章之亂

王僧虔技錄琴調曲之一
崔豹古今注上留田地名也其地有不字其孤弟者隣人作悲歌以風其兄故有此曲

前有一樽酒行

春風東來忽相過金樽淥酒生微波落花紛紛稍覺多
美人欲醉朱顏酡青軒桃李能幾何流光欺人忽蹉跎
君起舞日西夕當年意氣不肯平白髮如絲嘆何益

即白所云浮生若夢為歡幾何之意寫來偏自細致不是一味豪放又不是齊梁卑靡之音故妙

樂府觴酌十曲之一

夜坐吟

冬夜夜寒覺夜長沉吟久坐坐北堂氷合井泉月入閨
金釭青凝照悲啼金釭滅啼轉多掩妾淚聽君歌歌有
聲妾有情情聲合兩無違一語不入意從君萬曲梁塵
飛

空谷幽泉琴聲斷續恩怨爾汝呢呢如聞景細情真結語從鮑照詩翻案而出

蕭士贇曰前有一樽酒行夜坐吟三篇鮑照樂府白紵詞體也鮑詩云萬曲不關心一曲動情多欲知情厚薄更聽此聲過

譚元春曰似鮑參軍體聽君歌逐君音不貴聲貴意深而以一語不入二句露出爽俊之致微有別耳

郭茂倩曰夜坐吟鮑照所作也其詞曰冬夜沉沉夜坐吟言聽歌逐音因音託意也

野田黃雀行

游莫逐炎洲翠棲莫近吳宮燕吳宮火起焚巢窠炎洲
逐翠遭網羅蕭條兩翅蓬蒿下縱有鷹鸇奈若何

顯然自傷當在潯陽既敗之後胡震亨云不然按白身世遘遇之慨不知其因事傳題借題抒情之本指最為有見故誦詩者必貴於論世也

古今樂録曰王僧虔技録有野田黄雀行晉樂奏東阿王置酒高殿上一篇

箜篌謡

攀天莫登龍走山莫騎虎貴賤結交心不移唯有嚴陵及光武周公稱大聖管蔡寧相容漢謡一斗粟不與淮南舂兄弟尚路人吾心安所從他人方寸間山海幾千重輕言託朋友對面九疑峯開花必早落桃李不如松管鮑久已死何人繼其蹤

白之受知明皇禮遇殊絶當時王公貴人交遊亦衆潯陽既敗莫為省記故以嚴陵光武及管鮑為比言管蔡者事之緣起如此也卒之為白納官贖罪者郭子儀也亦可以無憾矣

蕭士贇曰琴操五十七曲九引内有箜篌引亦曰公無渡河亦曰箜篌謡

夷則格上白鳩拂舞辭

鏗鳴鐘考朗鼓歌白鳩引拂舞白鳩之白誰與隣霜衣雪襟誠可珍含哺七子能平均食不噎性安馴首農政鳴陽春天子刻玉杖鏤形賜耆人白鷺之白非純真外潔其色心匪仁闕五德無司晨胡為啄我葭下之紫鱗鷹鸇鵰鶚貪而好殺鳳凰雖大聖不顧以為臣

詩妙比興苟無關風義不作可也蓋自李林甫用而聚斂之臣進嚴酷之吏多此詩所以刺也詞之古奥超魏入漢王世貞乃謂李白樂府出入齊梁非篤論也

鍾惺曰似刺當時羅織諸獄吏寫出疾惡去殘之意

説得有體

楊齊賢曰唐禮樂志曰白鳩吴拂舞曲也

蕭士贇曰拂舞歌五曲有白鳩篇亦曰白鳧舞以其歌且舞也亦入清商曲按晉楊泓舞序云自到江南見白符舞符即鳧也白鳧舞即白鳩舞也白鳧之辭

出於吳拂舞五篇並晉人採集亡國所作惟白凫不
用吳舊歌而更作之命曰白鳩篇
古今樂錄曰鞞鐸巾拂四舞梁並夷則格鐘磬鳩拂
和故白擬其詞

日出行

日出東方隈似從地底来歷天又入海六龍所舍安在
哉其始與終古不息人非元氣安得與之久徘徊草不
謝榮於春風木不怨落於秋天誰揮鞭策驅四運萬物

興歇皆自然羲和羲和汝奚汩沒於荒淫之波魯陽何
德駐景揮戈逆道違天矯誣實多吾將囊括大塊浩然
與溟涬同科

易曰原始反終故知死生之說不知自然之運而意於
長生久視者妄也詩意似為求仙者發故前云人非元
氣安得與之久徘徊後云魯陽揮戈矯誣實多而結以
與溟涬同科言不如委順造化也若謂寓時行物生之
妙作理學語亦索然無味矣觀此益知白之學仙蓋有
所託而然也
樂府日出行者時景二十一曲之一

北風行

燭龍棲寒門光曜猶旦開日月照之何不及此唯有北
風號怒天上来燕山雪花大如席片片吹落軒轅臺幽
州思婦十二月停歌罷笑雙蛾摧倚門望行人念君長
城苦寒良可哀別時提劍救邊去遺此虎紋金鞞靫中
有一雙白羽箭蜘蛛結網生塵埃箭空在人今戰死不

復回不忍見此物焚之已成灰黃河捧土尚可塞北風
雨雪恨難裁
唐汝詢曰此為戍婦之辭以諷也
郭茂倩曰北風衛詩也傳曰北風寒涼病害萬物若
鮑照北風涼李白燭龍棲寒門皆傷北風雨雪而行
人不歸與衛詩異矣
淮南子燭龍在雁門北蔽於委羽之山不見日

又曰八紘之外有八極北極之山曰寒門

山海經西有王母之山有軒轅之臺陳子昂詩北登

薊邱望求古軒轅臺

御選唐宋詩醇卷二

欽定四庫全書

集部

御選唐宋詩醇卷三 四

詳校官山東道御史臣溫常綬

總校官編修臣朱鈐

校對官編修臣李鎔

謄錄監生臣王家杞

欽定四庫全書

御選唐宋詩醇卷三

隴西李白詩三

關山月

明月出天山蒼茫雲海閒長風幾萬里吹度玉門關漢下白登道胡窺青海灣由来征戰地不見有人還戍客望邊色思歸多苦顔高樓當此夜歎息未應閑

朗如行玉山可作白自道語格高氣渾雙關作收彌有逸致

呂居仁曰太白詩如明月出天山等篇氣蓋一世學者能熟味之自不褊淺矣

胡應麟曰雄渾之中多少閑雅

樂府解題曰漢横吹曲二十八解魏晉以来惟傳十曲又有關山月等八曲合十八曲關山月傷離别也

獨漉篇

獨漉水中泥水濁不見月不見月尚可水深行人没越鳥從南来胡鷹亦北渡我欲彎弓向天射惜其中道失歸路落葉别樹飄零隨風客無所託悲與此同羅幃舒卷似有人開明月直入無心可猜雄劍挂壁時時龍鳴不斷犀象綉澀苔生國恥未雪何由成名神鷹夢澤不顧鴟鳶為君一擊鵬摶九天

全從古詞奪換而出其妙過之世人但學蘭亭面欲换凡骨無金丹如白之樂府真乃神移意授變化從心故便青出於藍水寒於水

蘇轍曰羅幃舒卷四語殊不可及

蕭士贇曰獨漉篇即拂舞歌五曲中之獨禄篇也大白集中禄字作漉字其間命意造辭亦模倣規擬特古辭為父報仇太白則為國雪恥耳

登高邱而望遠海

登高邱望遠海六鼇骨已霜三山流安在扶桑半摧折白日沈光彩銀臺金闕如夢中秦皇漢武空相待精衛費木石黿鼉無所憑君不見驪山茂陵盡灰滅牧羊之

子来攀登盗賊刼寶玉精靈竟何能窮兵黷武今如此
鼎湖飛龍安可乘

蕭士贇曰此題樂錄及解題並無前聞太白此詩不過引秦皇漢武巡海求仙之事以通諷諫耳

唐汝詢曰此譏方士之無益也

雙燕離

雙燕復雙燕雙飛令人羨玉樓珠閣不獨棲金牕繡户長相見栢梁失火去因入吳王宫吳宫又焚蕩雛盡巢

亦空憔悴一身在孀雌憶故雄雙飛難再得傷我寸心中

逐窮慟哭豈勝身世之感五噫四愁同此酸楚

蕭士贇曰此其太白自歎之作乎首四句言待詔金鑾時也栢梁失火去喻遭讒被放時也中三句喻以果遭謫時也末四句言放逐之餘思君而不得再見安得不為之傷心乎亦可哀也已

琴歷曰河間新歌二十一章之一有雙燕離

山人勸酒

蒼蒼雲松落落綺皓春風爾来為阿誰蝴蝶忽然滿芳草秀眉霜雪顔桃花骨青髓緑長美好稱是秦時避世人勸酒相歡不知老各守麋鹿志恥隨龍虎爭欻起佐太子漢王乃復驚顧謂戚夫人彼翁羽翼成歸来商山下泛若雲無情舉觴酹巢由洗耳何獨清浩歌望嵩嶽意氣還相傾

泛咏四皓便是無情之文故註家以為感時事刺盧鴻

輩不為無見白居易四皓廟云如彼旱天雲一雨百穀滋澤則在天下雲復歸希夷可謂蘊藉有味矣白詩却只有五字曰泛若雲無情尤為深妙知古人每相本也

蕭士贇曰此詩盖為明皇廢太子瑛有所感而作也明皇之時盧鴻王希夷隱居嵩山李元愷吳筠之徒皆以隱逸稱或召至闕廷或遣問政事徒爾高談濶論然未有能如四皓之一言而太子得不易也末句亦深不滿於嵩嶽之隱者與其意微而顯矣

樂府山人勸酒者觴酌七曲之一

于闐采花

于闐采花人自言花相似明妃一朝西入胡胡中美女多羞死乃知漢地多名姝胡中無花可方比丹青能令醜者妍無鹽翻在深宮裏自古妒蛾眉胡沙埋皓齒

沉淪不偶之士如明妃者自古不乏若林甫當國而云野無遺賢則賢不肖之易置者衆矣即白之受譖於張垍所謂入宮見妒固其宜也結語峭甚可為歎絕

樂録于闐采花者蕃胡四曲之一

鞠歌行

玉不自言如桃李魚目笑之下和恥楚國青蠅何太多連城白璧遭讒毀荆山長號泣血人忠臣死為刖足鬼聽曲知寗戚夷吾因小妻秦穆五羊皮買死百里奚洗拂青雲上當時賤如泥朝歌皷刀叟虎變磻溪中一舉釣六合遂荒營丘東平生渭水曲誰識此老翁奈何今之人雙目送飛鴻

起六句一意三折語語奇雋盖述遭讒被放之感甯壤充幃而申椒不芳亦此物也聽曲知寗戚以下託意古人與梁甫吟起處同意亦本騷中語化出目送飛鴻用衛靈見孔子事乃心不在賢之意一路平直到此截然而止却與起勢相稱章法可玩

蕭士贇曰太白此詞始則傷士之遭讒廢棄中則羨乎四賢之遇合有時終則重嘆今人不能如古人之識士也亦借此自况云耳

王僧虔技録平調七曲七曰鞠歌行

陸機鞠歌行序曰按漢宮閣有含章鞠室靈芝鞠室後漢馬防第宅卜臨道連閣通池鞠城彌於街路鞠歌將謂此也又東阿王詩連騎擊壤或謂蹴鞠乎三言七言雖奇寶名器不遇知已終不見重顧逢知已以託意焉

幽澗泉

拂彼白石彈吾素琴幽澗愀兮流泉深善手明徽高張

清心寂歴似千古松颼颼兮萬尋中見愁猨弔影而危
處兮呌秋木而長吟客有哀時失職而聽者淚淋浪以
霑襟乃緝商綴羽潺湲成音吾但寫聲發情於妙指殊
不知此曲之古今幽澗泉鳴深林

此琴操也松響猨吟寫出淒清幽怨之音曲澗泉聲泠
然在耳

鍾惺曰中見非目境也就琴中見之末後殊不知一
語妙達樂理

樂府幽澗泉者山水二十四曲之一

王昭君

昭君拂玉鞍上馬啼紅頰今日漢宫人明朝胡地妾

題多名篇此只以十字盡之校今朝猶漢地明旦入胡
關之句詞意倍為激烈

古今樂録曰元嘉技録吟嘆四曲二曰王明君石崇
作

郭茂倩云一曰王昭君唐書樂志曰明君漢曲也石
崇以此曲教綠珠而自製新辭

荆州歌

白帝城邊足風波瞿塘五月誰敢過荆州麥熟繭成蛾
繰絲憶君頭緒多撥穀飛鳴奈妾何

古質入漢得風人之遺韻樂府妙處如是如是

桂臨川曰李詩短章若荆州歌等作俱出風雅可以
被之管絃者也

郭茂倩曰荆州歌蓋出於清商曲江陵樂荆州即江

陵也有紀南城梁簡文荆州歌云紀城南里望朝雲
雉飛麥熟妾思君是也

蕭士贇曰撥穀布穀也

雉子斑

辟邪伎作鼓吹驚雉子斑之奏曲成喔咿振迅欲飛鳴
扇錦翼雄風生雙雌同飲啄趫悍誰能爭乍向草中耿
介死不求黄金籠下生天地至廣大何惜遂物情善卷
讓天子務光亦逃名所貴曠士懷朗然合太清

前半傳題後半攄意隱者為高故往而不返究何關於造物之大然亦各行其志也白本高曠故其言如此

蕭士贇曰天寶之末爭名者於朝爭利者於市太白此詩其有所諷與

古今樂錄曰漢鼓吹鐃歌十八曲其十三曰雉子斑梁三朝樂第四十一設辟邪伎鼓吹作雉子斑曲引去來

相逢行

相逢紅塵內高揖黃金鞭萬戶垂楊裏君家阿那邊

顧華玉論五言絕以調古為上乘以情真為得體李白有之

王僧虔技錄相和歌清調六曲有相逢狹路行亦曰長安有狹邪行亦曰相逢行

胡震亨曰阿那猶云若箇也

有所思

我思仙人乃在碧海之東隅海寒多天風白波連山倒蓬壺長鯨噴湧不可涉撫心茫茫淚如珠西來青鳥東飛去願寄一書謝麻姑

海寒多天風五字融鑄古人自成奇句

蕭士贇曰王僧虔技錄相和歌瑟調三十八曲內有有所思又漢短簫鐃歌二十二曲其一曰有所思亦曰嗟佳人註云漢大樂食舉十三曲第七曰有所思漢朝以此樂侑食

久別離

別來幾春未還家玉窗五見櫻桃花況有錦字書開緘使人嗟至此腸斷彼心絕雲鬟綠鬢罷梳結愁如回飆亂白雪去年寄書報陽臺今年寄書重相催東風兮東風為我吹行雲使西來待來竟不來落花寂寂委青苔

一往纏綿所謂緣情之什却自不涉綺靡

古今樂錄別離十九曲之一

白頭吟

錦水東北流波蕩雙鴛鴦雄巢漢宮樹雌弄秦草芳寧

同萬死碎綺翼不忍雲間兩分張此時阿嬌正嬌妒獨坐長門愁日暮但願君恩顧妾深豈惜黃金買詞賦相如作賦得黃金丈夫好新多異心一朝將聘茂陵女文君因贈白頭吟東流不作西歸水落花辭條羞故林兔絲固無情隨風任傾倒誰使女蘿枝而來强縈抱兩草猶一心人心不如草莫卷龍鬚席從他生網絲且留琥珀枕或有夢來時覆水再收豈滿杯棄妾已去難重迴古來得意不相負祇今惟有青陵臺

蕭士贇曰辭悅意悲國風好色而不淫小雅怨誹而不亂是詩得之矣

馮舒曰天際鸞吟非復人間凡響

沈德潛曰此隨題感興耳後人欲扭合時事支離無謂兔絲固無情以下信手拈來無不入妙

古今樂錄曰王僧虔技錄楚調曲有白頭吟行歌古皚如山上雪篇西京雜記云卓文君作

宋書樂志大曲十五曲曰白頭吟

采蓮曲

若耶溪旁采蓮女笑隔荷花共人語日照新妝水底明風飄香袂空中舉岸上誰家游冶郎三三五五映垂楊紫騮嘶入落花去見此踟蹰空斷腸

綺而不艷此自關乎天分王安石云詩人各有所得清水出芙蓉天然去雕飾此李白所得也於此亦可見之

劉辰翁曰淺語盡情

古今樂錄曰梁武帝製江南弄七曲三曰采蓮曲

臨江王節士歌

洞庭白波木葉稀燕鴻始入吳雲飛吳雲寒燕鴻苦風號沙宿瀟湘浦節士悲秋淚如雨白日當天心照之可以事明主壯士憤雄風生安得倚天劍跨海斬長鯨

白日當天心二語深於寓照

蕭士贇曰樂府遊俠曲二十一中有臨江王節士歌陸厥所作

長干行

妾髮初覆額折花門前劇郎騎竹馬來遶牀弄青梅同居長干里兩小無嫌猜十四為君婦羞顏未嘗開低頭向暗壁千喚不一迴十五始展眉願同塵與灰常存抱柱信豈上望夫臺十六君遠行瞿塘灩澦堆五月不可觸猿聲天上哀門前遲行跡一一生綠苔苔深不能掃落葉秋風早八月蝴蝶黃雙飛西園草感此傷妾心坐愁紅顏老早晚下三巴預將書報家相迎不道遠直至長風沙

兒女子情事直從胷臆間流出縈迂迴折一往情深嘗愛司空圖所云道不自器與之圓方為深得委曲之妙此篇庶幾近之

鍾惺曰古秀真漢人樂府

楊慎曰胡蝶來文粹作胡蝶黃蝶以春來八月非來時秋蝶多黃感金氣也白樂天詩秋蝶黃茸茸此可以證

憶妾深閨裏煙塵未曾識嫁與長干人沙頭候風色五月南風興思君下巴陵八月西風起想君發揚子去來悲如何見少離別多湘潭幾日到妾夢越風波昨夜狂風度吹折江頭樹淼淼暗無邊行人在何處好乘浮雲驄佳期蘭渚東鴛鴦綠蒲上翡翠錦屏中自憐十五餘顏色桃花紅那作商人婦愁水復愁風

黃庭堅以此為李益所作頗為具眼即以前篇校之氣體固殊矣以其清麗存之

馮舒曰此等詩俱元氣所陶冶未可以中唐後詩法論之

馮班曰二篇句句有本

樂府遺聲都邑三十四曲有長干行

吳都賦長干延屬注云江東謂山岡閒為干建鄴之南有大長干小長干

古朗月行

小時不識月呼作白玉盤又疑瑤臺鏡飛在白雲端仙人垂兩足桂樹作團團白兔擣藥成問言與誰餐蟾蜍

蝕圓影大明夜已殘羿昔落九烏天人清且安陰精此淪惑去去不足觀憂來其如何悽愴摧心肝

寓託處書法謹嚴蟾蜍以比禄山陰精以刺太真取義皆切羿射九烏以彼比此原無指實必字字為之附會則鑿矣

胡震亨曰此詩生於天問夜光何德死則又育厥利維何而顧兎在腹數語盧仝月蝕詩又生於此始則微詞含寄終至破口發村矣

樂府遺聲時景二十五曲有明月篇亦曰朗月子

獨不見

白馬誰家子黃龍邊塞兒天山三丈雪豈是遠行時春蕙忽秋草莎鷄鳴西池風摧寒梭響月入霜閨悲憶與君别年種桃齊蛾眉桃今百餘尺花落成枯枝終然獨不見流淚空自知

嘤嘤草蟲趯趯阜螽卉木萋止女心悲止思婦之言三百篇具矣幽怨凄清宛然可聽

樂府解題曰獨不見傷思而不得見也

白紵辭

揚清歌發皓齒北方佳人東鄰子且吟白紵停緑水長袖拂面為君起寒雲夜卷霜海空胡風吹天飄塞鴻玉顔滿堂樂未終館娃日落歌吹濛

蕭士贇曰全篇句意間架並是擬鮑明遠者杜少陵所謂俊逸鮑參軍者與

月寒江清夜沉沉美人一笑千黃金垂羅舞縠揚哀音郢中白雪且莫吟子夜吳歌動君心動君心冀君賞顧作天池雙鴛鴦一朝飛去青雲上

二詩雖出入古詞要自情景雙美别具丰神

郭茂倩曰宋書樂志云白紵舞按舞辭有巾袍之言紵本吳地所生宜是吳舞也樂府解題曰古辭盛稱舞者之美宜及芳時為樂也唐書樂志曰梁武帝令沈約改其辭為四時白紵歌

蕭士贇曰白紵歌有白紵舞吳地出紵故興其所見

以寓意始則田野之作後乃大樂氏用馬其音入清
商調故清商七曲有子夜者即白紵也在吳歌為白
紵在雅歌為子夜其實一也

鳴雁行

胡雁鳴辭燕山昨發委羽朝度關一一銜蘆枝南飛散落天
地間連行接翼往復還客居煙波寄湘吳凌霜觸雪毛體
枯畏逢矰繳驚相呼聞絃虛墜良可吁君更彈射何為乎

此白遭難避禍而作步步憂虞所謂驚弓之鳥一結婉

而多諷誦之惻然

郭茂倩曰衛風雝雝鳴雁旭日始旦鄭箋云雁者隨
陽而處似婦人從夫故婚禮用焉雝雝聲和也鳴雁
行蓋出於此

妾薄命

漢帝寵阿嬌貯之黄金屋咳唾落九天隨風生珠玉寵
極愛還歇妒深情却踈長門一步地不肯暫迴車雨落
不上天水覆難再收君情與妾意各自東西流昔日芙
蓉花今成斷腸草以色事他人能得幾時好

因題見意與白頭吟同不必妾傳時事也雨落不上天
以下一意折旋可以發人深省

蕭士贇曰雖言漢武之事而意實在於王皇后之廢
辭意悽斷令人感歎

謝枋得曰陳無已葉落風不起山花空自紅正如太
白雨落不上天覆水難重收之意

沈德潛曰形容盡態妙於語言

蕭士贇曰樂府佳麗四十七曲中有妾薄命曹植有
妾薄命篇事出漢書許后傳曰柰何妾薄命端遇竟
寧前

陶宏景仙方注曰斷腸草不可食其花美好名芙容
花

幽州胡馬客歌

幽州胡馬客綠眼虎皮冠笑拂兩隻箭萬人不可干彎
弓若轉月白雁落雲端雙雙掉鞭行遊獵向樓蘭出門

不顧後報國死何難天驕五單于狼戾好兇殘牛馬散北海割鮮若虎餐雖居燕支山不道朔雪寒婦女馬上笑顔如頩玉盤纖纖飛射鳥獸花月醉雕鞍旄頭四光芒爭戰若蜂攢白刃灑赤血流沙為之丹名將古誰是疲兵良可歎何時天狼滅父子得閑安

明皇喜事邊功寵任蕃將天寶十載高仙芝敗於大食安禄山敗於契丹是詩之作必刺禄山也出門不顧後報國死何難詰之也名將古誰是疲兵良可歎傷之也

言切而意悲矣

古今樂録曰梁鼓角橫吹三十六曲又有隔谷等二十七曲中有幽州馬客吟

通鑑綱目天寶十載夏石國王子潛引大食欲攻四鎮仙芝將兵三萬擊之大敗士卒畧盡秋八月安禄山將三道兵六萬討契丹奚與契丹合夾擊唐兵殺傷殆盡禄山以二十騎走入師州

御選唐宋詩醇卷三

欽定四庫全書

御選唐宋詩醇卷四

隴西李白詩四

門有車馬客行

門有車馬客金鞍耀朱輪謂從丹霄落乃是故鄉親呼兒掃中堂坐客論悲辛對酒兩不飲停觴淚盈巾歎我萬里遊飄飄三十春空談帝王畧紫綬不挂身雄劍藏玉匣陰符生素塵廓落無所合流離湘水濱借問宗黨

間多為泉下人生苦百戰役死託萬鬼隣北風揚胡沙埋翳周與秦大運且如此蒼穹寧匪仁惻愴竟何道存亡任大鈞

此非漫擬前人正寫身世之感雖與陸機詩相出入而筆力校勁氣象亦大後半俯仰慨歎所見者大義遠情深豈徒作者

王僧虔技録瑟調曲有門有車馬客行歌東阿王置酒高殿上一篇

東海有勇婦

梁山感杞妻慟哭為之傾金石忽暫開都由激深情東海有勇婦何慚蘇子卿學劍越處子超然若流星捐軀報夫讎萬死不顧生白刃耀素雪蒼天感精誠十步兩躩躍三呼一交兵斬首掉國門蹴踏五藏行豁此伉儷憤粲然大義明北海李使君飛章奏天庭捨罪警風俗流芳播滄瀛名在列女籍竹帛已先榮淳于免詔獄漢主為緹縈津妾一棹歌脫父於嚴刑十子若不肖不如

一女英豫讓斬空衣有心竟無成要離殺慶忌壯夫所素輕妻子亦何辜焚之買虛聲豈如東海婦事立獨揚名

辭氣甚古寓出義烈之情凜凜有生氣

郭茂倩曰魏鞞舞五曲有關中有賢女白作此以代之

黄葛篇

黄葛生洛溪黄花自綿冪青烟蔓長條繚繞幾百尺閨人費素手採緝作絺綌縫為絕國衣遠寄日南客蒼梧大火落暑服莫輕擲此物雖過時是妾手中跡

情至語何可多得

蕭士贇曰忠厚之意發於情性風雅之作也世人作詩評乃謂太白詩全無關於人倫風教是亦未之思耳

樂府遺聲草木二十一曲有種葛篇

塞下曲

五月天山雪無花祇有寒笛中聞折柳春色未曾看曉戰隨金鼓宵眠抱玉鞍願將腰下劍直為斬樓蘭

沈德潛曰四語直下從前未具此格

塞虜乘秋下天兵出漢家將軍分虎竹戰士卧龍沙邊月隨弓影胡霜拂劍花玉關殊未入少婦莫長嗟

高調入雲於聲律中行俊逸之氣自非初唐可及

沈德潛曰只弓如月劍如霜耳筆端點染遂成奇采結意亦復深婉

胡應麟曰李白塞下曲與温泉宫别宋之悌南陽送客度荆門等詩俱盛唐絶作視初唐格調如一而神韵超元氣槪閎逸時或過之

樂府遺聲征戍十五曲中有塞下曲

蕭士贇曰此從軍樂之體也

來日大難

來日一身携糧負薪道長食盡苦口焦唇今日醉飽樂過千春仙人相存誘我遠學海凌三山陸憩五嶽乘龍天飛目瞻兩角授以仙藥金丹滿握蟪蛄蒙恩深愧短促思填東海强銜一木道重天地軒師廣成蟬翼九五以求長生下士大笑如蒼蠅聲

李白嘗謂興寄深微五言不如四言七言又其靡也非有志於古者不能作此語然自三百篇而騷而五言而七言天機所暢文章日新是非得失之故原不在此今必執三百篇以繩後之爲四言者非通論也此題本屬寓言白詩亦是擬古辭旨恍惚奇譎可喜故存之以備一體於此論四言正變及興寄深微之旨則相去遠矣

王僧虔技録瑟調曲有善哉行樂府解題曰古辭云來日大難口燥脣乾按魏明步出夏門行曰善哉殊復善弦歌樂我情則善哉者嘆美之辭也

玉階怨

玉階生白露夜久侵羅襪卻下水晶簾玲瓏望秋月

妙寫幽情於無字處得之玉顔不及寒鴉色猶帶昭陽日影來不免露却色相

蕭士贇曰無一字言怨而隱然幽怨之意見於言外蔣杲曰玉階露生待之久也水晶簾下望之息也怨而不怒惟翫月以抒其情焉此爲深於怨者可以怨矣

王僧虔技録玉階怨相和歌楚調十曲之一

襄陽曲

峴山臨漢江水緑沙如雪上有墮淚碑青苔久磨滅江山留勝迹我輩復登臨不如此寄慨之深

梅鼎祚曰興慨古今言簡意盡

蕭士贇曰樂府正聲清商曲有襄陽樂宋隋王誕始為之辭太白此詩述史而已

大堤曲

漢水臨襄陽花開大堤暖佳期大堤下淚向南雲滿春風復無情吹我夢魂散不見眼中人天長音信斷

幽秀絕遠俗艷胡應麟謂白詩人知其華藻而不知其神骨之清於此亦見一斑

楊慎曰古樂府云春風復多情吹我羅裳開白反其意云春風復無情吹我夢魂散古人謂李詩出自樂府信矣

古今樂錄大堤曲隋王誕為襄州時作

邯鄲才人嫁為廝養卒婦

妾本崇臺女揚蛾入丹闕自倚顏如花寧知有彫歇一辭玉階下去若朝雲沒每憶邯鄲城深宮夢秋月君王不可見惆悵至明發

蕭士贇曰此太白既黜後作也特借此發興叙其睽遇之始末耳然其辭意睠顧宗國繫心君王亦得騷之遺意與

樂府遺聲佳麗四十八曲之一崇臺一作叢臺

胡震亨曰此謝朓舊題也蓋設為其事寓臣妾淪擲之感楊慎以為此卒即御趙王武臣歸者果此卒也才人亦不枉矣何詩為正陽辨之未及此總固哉說詩者

北上行

北上何所苦北上緣太行磴道盤且峻巉巖凌穹蒼馬足蹶側石車輪摧高岡沙塵接幽州烽火連朔方殺氣毒劍戟嚴風裂衣裳奔鯨夾黃河鑿齒屯洛陽前行無歸日返顧思舊鄉慘戚冰雪裏悲號絕中腸尺布不掩體皮膚劇枯桑汲水澗谷阻採薪隴坂長猛虎又掉尾磨牙皓秋霜草木不可餐飢飲零露漿歎此北上苦停驂為之傷何日王道平開顏覩天光

古直悲凉亦苦寒行之比

楊齊賢曰此乃祿山初反時作也鑿齒指祿山奔鯨指史思明崔乾祐之徒

蕭士贇曰北上行者征行之曲言行役者之苦也此詩其作於至德之後乎隱然有國風愛君憂國勞而不怨厭亂思治之意

樂府解題曰晉樂奏魏武北上篇其後武謂之北上行蓋因其辭而擬之也

短歌行

白日何短短百年苦易滿蒼穹浩茫茫萬劫太極長麻姑垂兩鬢一半已成霜天公見玉女大笑億千場吾欲攬六龍迴車挂扶桑北斗酌美酒勸龍各一觴富貴非所願與人駐頹光

恣意妖奇逸情雲上

王僧虔技錄平調七曲二曰短歌行

樂府解題曰短歌行魏武帝對酒當歌人生幾何晉陸機置酒高堂悲歌臨觴皆言當及時為樂也

枯魚過河泣

白龍改常服偶被豫且制誰使爾為魚徒勞訴天帝作書報鯨鯢勿恃風濤勢濤落歸泥沙翻遭螻蟻噬萬乘慎出入柏人以為識

簡嚴如箴銘語

蕭士贇曰樂府遺聲龍魚六曲有枯魚却無過河泣字

古樂府枯魚過河泣何時復還入作書與魴鱮相教慎出入

丁督護歌

雲陽上征去兩岸饒商賈吳牛喘月時拖船一何苦水濁不可飲壺漿半成土一唱督護歌心摧淚如雨萬人鑿盤石無由達江滸君看石芒碭掩淚悲千古

落筆沉痛含意深遠此李詩之近杜者

胡震亨曰白所咏雲陽水道舟行艱礙之苦蓋為齊

灘所開新河作也按潤州舊不通江灘開元中為刺史始移漕路京口塘下直達於江立埭收課江北瓜步亦開新河但瓜步岸卑入江為易白嘗有詩美之京口岸高水淺濁用牛曳舟為難故白有此歌以言其苦其名丁都護歌者初宋高祖即京口開東府有女其夫見殺呼督護丁盱門收殯事每問輒歎息呼之人因寫為歌白感其土俗之事即因其土之古歌名以為歌也督護都護可通用

樹中草

烏銜野田草誤入枯桑裏客土植危根逢春猶不死草木雖無情因依尚可生如何同枝葉各自有枯榮

諷刺之言有關風教上留田篇云交讓之木本同形東枝憔悴西枝榮與此詩意正相似

樂府遺聲樹中草者草木二十一曲之一

君馬黃

君馬黃我馬白馬色雖不同人心本無隔共作遊冶盤雙行洛陽陌長劍既照曜高冠何艶赫各有千金裘俱為五侯客猛虎落陷穽壯夫時屈厄相知在急難獨好亦何益

蕭士贇曰此詩其傷友朋之道缺乎抑白遭誣被謗之時所作也耶婉而不迫可謂得國風之體

古今樂錄曰漢鼓吹鐃歌十八曲十曰君馬黃

少年子

青雲少年子挾彈章臺左鞍馬四邊開突如流星過金

丸落飛鳥夜入瓊樓臥夷齊是何人獨守西山餓

通首傳題一結見意詩人寄託往往如此行行且游獵篇亦用此格然彼則語激而意已盡此則語冷而意有餘也

樂府遺聲遊俠二十一曲之一又有少年行

少年行

五陵年少金市東銀鞍白馬度春風落花踏盡游何處笑入胡姬酒肆中

胡應麟曰唐人七言絶有作樂府體者如此詩及横江詞尚是古調

鍾惺曰行徑風生

豫章行

胡風吹代馬北擁魯陽關吴兵照海雪西討何時還半渡上遼津黄雲慘無顔老母與子别呼天野草閒白馬繞旌旗悲鳴相追攀白楊秋月苦早落豫章山本為休明人斬虜素不閑豈惜戰鬬死為君掃凶頑精感石沒

羽豈云憚險艱樓船若鯨飛波蕩落星灣此曲不可奏三軍鬢成斑

胡震亨説得詩之意其以胡風吹代馬起而繼曰西討何時還若曰禄山之亂未弭璘之起兵原為國家討賊耳故下以本為休明人六句申之至於都湖潰敗若隱若顯全不徑露此白微意所在其詞意危苦筆墨沉鬱真古樂府之遺

胡震亨曰古豫章行吟白楊生豫章山秋至為人所伐太白此詞中間止着白楊秋月苦兩句首尾俱作軍旅喪敗語並不及白楊片字讀者多為之茫然今詳味之如所云吴兵照海雪及老母與子别并樓船若鯨飛等語皆永王璘兵敗事也盖白在廬山受璘辟及璘舟師都湖潰散白坐繫潯陽獄並豫章地故以白楊之生落於豫章者自況用志璘之傷敗並已身名隳壞之痛耳其借題畧點白楊正用筆之妙巧於擬古得樂府深意者蕭楊二家注何曾道着一字

王僧虔技録清調六曲二曰豫章行

沐浴子

沐芳莫彈冠浴蘭莫振衣處世忌太潔至人貴藏暉滄浪有釣叟吾與爾同歸

良賈深藏若虚君子盛德容貌若愚與聖賢尚絅之旨正復相同特老氏未免有作用耳昭昭然揭日月而行聖賢固不為也紉蘭佩茝屈平所以千古然原之被讒史謂衆害其能即後人之議原者亦以為露才揚己覲

離騷之文藉喻芬芳不一而足則其不自蔵殘可知非明夷用晦之義故朱子亦謂其未嘗學於北方求周公仲尼之道白因漁父一篇反其意而用之蓋其涉世之久英氣將斂故云然耳不然與世浮沉漫無介節胡廣中庸馮道長樂其可嗤又何如耶

蕭士贇曰此詩檃括漁父詞之意他篇云含光混世貴無名何用孤高比雲月亦此意也其太白涉難後之辭乎

樂府遺聲沐浴子者游俠二十一曲之一

静夜思

牀前明月光疑是地上霜舉頭望山月低頭思故鄉

詩藪謂古今專門大家得三人焉陳思之古拾遺之律翰林之絶皆天授非人力也要是確論至所云唐五言絶多法齊梁體製自別此則氣骨甚高神韻甚穆過齊梁遠矣

劉辰翁曰自是古意不須言笑

范梈曰五言短古不可明白説盡含蓄則有餘味此篇是也

徐增曰因疑則望因望則思並無他念真静夜思也

胡應麟曰古詩樂府後惟太白諸絶近之

緑水曲

緑水明秋月南湖采白蘋荷花嬌欲語愁殺蕩舟人

逸調末句非有軼思特妬花之艷耳

琴集曰琴曲五弄游春淥水幽居坐愁秋思並宮調

蔡邕所作琴書曰邕入青溪訪鬼谷先生所居山有五曲一曲制一弄南曲有澗冬夏常淥故作淥水郭茂倩云近世作者多因題命詞無復本意云

淮南子手會緑水之趣

春思

燕草如碧絲秦桑低緑枝當君懷歸日是妾斷腸時春風不相識何事入羅幃

古意却帶秀色體近齊梁不相識言不識人意也自有

貞靜之意

蕭士贇曰燕草如絲興征夫懷歸秦桑低枝興思婦斷腸末意貞潔非外物所能動可謂得國風不淫之義矣

吴昌祺曰以風之來反襯夫之不來與衹恐多情月旋來照妾牀同意

子夜吴歌

秦地羅敷女采桑綠水邊素手青條上紅妝白日鮮蠶飢妾欲去五馬莫流連

多少含蓄勝於陌上桑作

長安一片月萬户擣衣聲秋風吹不盡總是玉關情何日平胡虜良人罷遠征

一氣渾成有删末二句作絶句者不見此女貞心亮節何以風世厲俗

唐汝詢曰結句不言黷武而言未平深得風人之旨

吴昌祺曰萬户砧聲風吹不盡而其情則同亦婉而深矣

明朝驛使發一夜絮征袍素手抽針冷那堪把剪刀裁縫寄遠道幾日到臨洮

語逼清商擣衣篇尚帶初唐綺習不及此之真摯夏歌一首亦衹綺語故并不録

古今樂録曰吴聲十曲一曰子夜

唐書樂志曰子夜歌者晉曲也晉有女子名子夜造此聲

樂府解題曰後人更為四時行樂之詞謂之子夜四時歌

晉書樂志曰吴歌雜曲並出江南東晉以來稍有增廣其始皆徒歌既而被之管弦蓋自永嘉渡江下至梁陳咸都建業吴聲歌曲起於此也

對酒行

松子棲金華安期入蓬海此人古之仙羽化竟何在浮生速流電倐忽變光彩天地無彫換容顔有遷改對酒

不肯飲含情欲誰待

人非元氣安得與之久徘徊白固非不達於理者豈復以冲舉為可待耶蓬萊煙霧聊以寄興此詩乃似胸臆間語自然流出者耳

蕭士贇曰古詩浩浩陰陽移一篇太白亦祖其意

樂府相和歌有對酒始於曹魏樂奏對酒歌太平一篇

估客行

海客乘天風將船遠行役譬如雲中鳥一去無蹤跡

樸直得樂府體

古今樂録曰估客樂者齊武所製唐書樂志曰梁改其名為商旅行

長相思

日色已盡花含煙月明欲素愁不眠趙瑟初停鳳凰柱蜀琴欲奏鴛鴦絃此曲有意無人傳願隨春風寄燕然憶君迢迢隔青天昔日横波目今成流淚泉不信妾腸斷歸来看取明鏡前

蕭士贇曰此亦戍婦詞也

馮舒曰廓古人而大之

美人在時花滿堂美人去後餘空牀牀中繡被卷不寢至今三載聞餘香香亦竟不滅人亦竟不来相思黄葉落白露濕青苔

幽艷之韻綴以淒凉悄然竟住意在言外姜夔所謂詞盡意不盡有臨水送將歸之致彷彿似之

去婦詞

古来有棄婦棄婦有歸處今日妾辭君遣妾何處去本家零落盡慟哭来時路憶昔未嫁君聞君甚周旋綺羅錦繡段有贈黄金千十五許嫁君二十移所天結髮日未久離君緬山川家家盡歡樂孤妾長自憐幽閨多沉思感事無十年相思若循環枕席生流泉流泉咽不掃獨夢關山道及此見君歸君歸妾已老物情惡衰賤新寵方妍好掩淚出故房傷心劇秋草自妾為君妻君東

妾在西羅幃到曉恨玉貌一生啼妾有嫁時服輕雲淡
翠霞瑠璃作斗帳四角金蓮花自從離别久不覺塵埃
厚常嫌玳瑁孤猶羨鴛鴦偶歲華逐霜散賤妾何能久
寒沼落芙蓉秋風散楊柳以此顦顇顏空持舊物還餘
生欲何寄誰肯相牽攣君恩既斷絶相見何年月悔傾
連理杯虚作同心結女蘿附青松貴欲相依投浮萍失
綠水教作若爲流不歎君棄妾自歎妾緣業憶昔初嫁
君小姑纔倚牀今日妾辭君小姑如妾長回頭語小姑

莫嫁如兄夫

怨而不怒直從谷風篇脱化……悲感在的是李白手筆

蕭士贇曰此篇即顧況棄婦詞後人添增數語竄入太白集中

御選唐宋詩醇卷四

欽定四庫全書

集部

御選唐宋詩醇卷五 六

詳校官山東道御史臣温常綬

總校官編修臣朱鈐
校對官編修臣李鎔
謄録監生臣王家杞

御選唐宋詩醇卷五

隴西李白詩五

襄陽歌

落日欲沒峴山西倒著接䍦花下迷襄陽小兒齊拍手攔街爭唱白銅鞮傍人借問笑何事笑殺山翁醉似泥鸕鷀杓鸚鵡杯百年三萬六千日一日須傾三百杯遥看漢水鴨頭綠恰似葡萄新醱醅此江若變作春酒壘

麴便築糟邱臺千金駿馬換小妾笑坐雕鞍歌落梅車傍側挂一壺酒鳳笙龍管行相催咸陽市中歎黄犬何如月下傾金罍君不見晉朝羊公一片石龜頭剥落生莓苔淚亦不能為之墮心亦不能為之哀清風朗月不用一錢買玉山自倒非人推舒州杓力士鐺李白與爾同死生襄王雲雨今安在江水東流猿夜聲

意曠神逸極顛唐之趣入後俯仰含情乃有心人語韞精日沈飲誰知非荒宴亦同此懐抱耳子美云長鑱長鑱白木柄我生託子以為命語奇矣此詩云舒州杓力士鐺李白與爾同死生苦樂不同造語正復匹敵

歐陽修曰落日欲沒峴山西四句此常語也至於清風明月不用一錢買玉山自倒非人推然後見太白之横放其所以驚動千古者固不在此乎

黄庭堅曰李白歌詩度越六代與漢魏樂府爭衡

彭乘曰歐陽公題滄浪亭云清風明月本無價可惜只賣四萬錢與太白致辭雖異然皆善言風月

古今樂録襄陽樂宋隨王誕作襄陽蹋銅蹄者梁武西下所製沈約又作其和云襄陽白銅蹄聖德應乾來

江上吟

木蘭之枻沙棠舟玉簫金管坐兩頭美酒尊中置千斛載妓隨波任去留仙人有待乘黄鶴海客無心隨白鷗

屈平詞賦懸日月楚王臺榭空山邱興酣落筆搖五嶽
詩成笑傲凌滄洲功名富貴若長在漢水亦應西北流
發端四語即事之辭也以下慷當以慨雖帶初唐風調
而氣骨過絕矣反筆作結殊爲遒健

侍從宜春苑奉詔賦龍池柳色初青聽新鶯百囀
歌

東風已綠瀛洲草紫殿紅樓覺春好池南柳色半青青
縈烟嫋娜拂綺城垂絲百尺挂雕楹上有好鳥相和鳴

間關早得春風情春風卷入碧雲去千門萬户皆春聲
是時君王在鎬京五雲垂暉耀紫清仗出金宮隨日轉
天回玉輦繞花行始向蓬萊看舞鶴還過茝石聽新鶯
新鶯飛繞上林苑願入簫韶雜鳳笙
清圓流麗可以鼓吹休明千門萬户一語氣象頗大全
篇格調想見初唐餘響
范德機曰此賦物詩格調既高法度又謹妙而易見
者也

蕭士贇曰蓬萊茝石當時宮苑名
沈德潛曰西都賦後宮則有茝若椒風作茝石者誤
也

西嶽雲臺歌送丹邱子

西嶽崢嶸何壯哉黃河如絲天際來黃河萬里觸山動
盤渦轂轉秦地雷榮光休氣紛五彩千年一清聖人在
巨靈咆哮擘兩山洪波噴箭射東海三峰卻立如欲摧
翠崖丹谷高掌開白帝金精運元氣石作蓮花雲作臺

雲臺閣道連窈冥中有不死丹邱生明星玉女備灑掃
麻姑搔背指爪輕我皇手把天地户丹邱談天與天語
九重出入生光輝東來蓬萊復西歸玉漿儻惠故人飲
騎二茅龍上天飛
健筆凌雲一掃靡靡之調

梁園吟

我浮黃河去京闕挂席欲進波連山天長水濶欲遠涉
訪古始及平臺間平臺爲客憂思多對酒遂作梁園歌

却憶蓬池阮公詠因吟淥水揚洪波洪波浩蕩迷舊國路遠西歸安可得人生達命豈暇愁且飲美酒登高樓平頭奴子搖大扇五月不熱疑清秋玉盤楊梅為君設吴鹽如花皎白雪持鹽把酒但飲之何用孤高比雲月昔人豪貴信陵君今人耕種信陵墳荒城虚照碧山月古木盡入蒼梧雲梁王宫闕今安在枚馬先歸不相待舞影歌聲散淥池空餘汴水東流海沈吟此事淚滿衣黄金買醉未能歸連呼五白行六博分曹賭酒酣馳輝

歌且諧意方遠東山高卧時起來欲濟蒼生未應晚

懐古之作慷慨悲歌興會飈舉范傳正有云李白脫屣軒冕釋羈韁鑠自放宇宙間飲酒非嗜其酣樂取其昏以自穢好神仙非慕其輕舉欲耗壯心遣餘年作詩非事其文律取其吟咏以自適三誦斯篇信然

桂臨川曰太白樂天知命感今懐古備載此詩

阮籍詠懐詩徘徊蓬池上還顧望大梁淥水揚洪波曠野莽茫茫

歸藏啓筮曰有白雲出自蒼梧入於大梁

鳴臯歌送岑徵君　自注時梁園三尺雪在清泠池作

若有人兮思鳴臯阻積雪兮思煩勞洪河凌兢不可以徑度冰龍鱗兮難容舸邈仙山之峻極兮聞天籟之嘈嘈霜厓縞皓以合沓兮若長風扇海湧滄溟之波濤元猨緑羆舔舕崟岌危柯振石駭膽慄魄羣呼而相號峯崢嶸以路絶挂星辰於巖㠋送君之歸兮動鳴臯之新作交鼓吹兮彈絲觴清泠之池閣君不行兮何待若反

顧之黄鶴掃梁園之羣英振大雅於東洛巾征軒兮歷阻折尋幽居兮越巘崿盤白石兮坐素月琴松風兮寂萬壑望不見兮心氛氳蘿冥冥兮霰紛紛水横洞以下淥波小聲而上聞虎嘯谷而生風龍藏溪而吐雲寡鶴清唳飢鼯嚬呻魂獨處此幽默兮愀空山而愁人雞聚族以爭食鳳孤飛而無鄰蝘蜓嘲龍魚目混珍嫫母衣錦西施負薪若使巢由桎梏於軒冕兮亦奚異乎夔龍蹩躠於風塵哭何苦而救楚笑何誇而却秦吾誠不能

學二子沽名矯節以耀世兮固將棄天地而遺身白鷗兮飛來長與君兮相親

作騷體便覺屈原宋玉去人不遠其不規規步趨處正是其才高氣逸為之耳望不見兮一段寫去幽居寂寞之況興起下文脈絡相貫陳繹曽謂白詩祖風騷宗漢魏善於掉弄造出奇怪驚動心目忽然撇出妙入無聲其知言者乎王世貞以為歌行縱橫往往强弩之末間以長語英雄欺人是不知其錯落變化自有天然節奏而輕議之也

晁補之緝變離騷叙此篇曰鳴臯歌者唐翰林供奉李白之所作也白天才俊麗不可矩矱然要長於詩至鳴臯歌一篇本末楚辭也而世誤以為詩因為出之其畧曰蝘蜓嘲龍魚目混珍嫫母衣錦西施負薪此譚譚效屈原卜居及賈誼弔屈原語而白才自逸蕩故或離而去之云

范德機曰此篇稍長而詞意易見亦楚人之流也惟其有蝘蜓魚目巢由夔龍等語故前輩嘗稱之然此實非太白之用意處妙不在此

吳昌祺曰元猿綠熊疊四句而以五句為一韻非騷人法且多對仗亦太白之古詩耳雞聚族爭食以下乃白感岑之歸隱而發嘆與岑無關一統志鳴臯山在河南嵩縣東北四十里

橫江詞

橫江西望阻西秦漢水東連揚子津白浪如山那可渡狂風愁殺峭帆人

橫江館前津吏迎向余東指海雲生郎今欲渡緣何事如此風波不可行

梁簡文烏棲曲云郎今欲渡畏風波白用其語風致轉勝若其即景寫心則託興遠矣

范德機曰此篇氣格合歌行之體使人嗟咏有無窮之思

胡應麟曰尚是樂府古調

趙執信曰横江館前一首此樂府也問余何事一首此古詩也

白雲歌送劉十六歸山

秦山楚山皆白雲白雲處處長隨君長隨君君入楚山裏雲亦隨君渡湘水湘水上女蘿衣白雲堪卧君早歸

吐語如轉丸珠又如白雲卷舒清風與歸畫家逸品

秋浦歌

秋浦長似秋蕭條使人愁客愁不可度行上東大樓正

西望長安下見江水流寄言向江水汝意憶儂不遥傳一掬淚為我達揚州

觸物懷人抑鬱誰語澤畔行吟深情宛露自是騷人之緒

沿革志秋浦隋縣名唐置池州

秋浦猨夜愁黄山堪白頭清溪非隴水翻作斷腸流欲去不得去薄遊成久遊何年是歸日雨淚下孤舟

秋浦錦駝鳥人間天上稀山雞羞淥水不敢照毛衣

兩鬢入秋浦一朝颯已衰猨聲催白髮長短盡成絲

秋浦千重嶺水車嶺最奇天傾欲墮石水拂寄生枝

奇境如畫

千千石楠樹萬萬女貞林山山白鷺滿澗澗白猨吟君莫向秋浦猿聲碎客心

周南采蘋章連用六于以字十九首青青河畔草連用六疊字句白詩祖之

邏人横鳥道江祖出魚梁水急客舟疾山花拂面香

江行真景

白髮三千丈緣愁似个長不知明鏡裏何處得秋霜

哭然而起四句三折格力極健要是倒裝法耳陳師道云白髮緣愁百尺長語亦自然王安石云繰成白髮三千丈有斧鑿痕矣

唐汝詢曰託興在意象之外

秋浦田舍翁採魚水中宿妻子張白鷴結罝映深竹

似輞川詩

當塗趙炎少府粉圖山水歌

峨眉高出西極天羅浮直與南溟連名公繹思揮彩筆驅山走海置眼前滿堂空翠如可掃赤城霞氣蒼梧煙洞庭瀟湘意渺綿三江七澤情洄沿驚濤洶湧向何處孤舟一去迷歸年征帆不動亦不旋飄如隨風落天邊心搖目斷興難盡幾時可到三山巔西峯崢嶸噴流泉橫石蹙水波潺湲東崖合沓蔽輕霧深林雜樹空芊綿此中冥昧失晝夜隱几寂聽無鳴蟬長松之下列羽客

對坐不語南昌仙南昌仙人趙夫子妙年歷落青雲士訟庭無事羅衆賓杳然如在丹青裏五色粉圖安足珍真仙可以全吾身若待功成拂衣去武陵桃花笑殺人

寫畫似真亦遂驅山走海奔輳腕下杳然如在丹青裏又以真為畫各有奇趣康樂之模山範水從此另開生面

漢書梅福為南昌尉棄官去至今傳以為仙

上皇西巡南京歌

誰道君王行路難六龍西幸萬人歡地轉錦江成渭水天迴玉壘作長安

渭水長安隱寓故都之感且以幸其早還非誇成都佳麗也

胡震亨曰王弇州以地轉錦江等句不異宋人東狩錢塘封事夫太白亦詩酒自娛跌宕一生者耳安能顧語忌拘教義為是屑屑者哉詩人各自寫一性情各自成一品局固不得取錦袍豪翰强繩以瘦笠苦

藻必同篇吹為善也

劍閣重關蜀北門上皇歸馬若雲屯少帝長安開紫極雙懸日月照乾坤

述當時事何等明白可作詩史有謂肅宗當避位以請上皇復辟者有謂惑張良娣徙上皇於南內者皆傅會之說

沈德潛曰二句上皇三句少帝而以末句總收格法又別

唐書天寶十五載六月帝幸蜀七月太子即位於靈
武尊帝為上皇天帝改元至德二載十二月上皇至
京師大赦以蜀郡為南京

峨眉山月歌

峨眉山月半輪秋影入平羌江水流夜發清溪向三峽
思君不見下渝州

但覺其工然妙處不傳

劉辰翁曰含情悽惋有竹枝縹緲之音

王世貞曰二十八字中有峨眉山平羌江清溪三峽
渝州使後人為之不勝痕迹矣益見此老鑪錘之妙

江夏行

憶昔嬌小姿春心亦自持為言嫁夫壻得免長相思誰
知嫁商賈令人卻愁苦自從為夫妻何曾在鄉土去年
下揚州相送黃鶴樓眼看帆去遠心逐江水流只言期
一載誰謂歷三秋使妾腸欲斷恨君情悠悠東家西舍
同時發北去南來不逾月未知行李游何方作箇音書
能斷絕適來往南浦欲問西江船正見當壚女紅粧二
八年一種為人妻獨自多悲悽對鏡便垂淚逢人只欲
啼不如輕薄兒旦暮長相隨悔作商人婦青春長別離
如今正好同懽樂君去容華誰得知

曲盡怨別之情絮絮可聽豈無膏沐誰適為容末句正
用此意

清溪行

清溪清我心水色異諸水借問新安江見底何如此人

行明鏡中鳥度屏風裏向晚猩猩啼空悲遠遊子

佇興而言鏗然古調一結有言不盡意之妙

贈孟浩然

吾愛孟夫子風流天下聞紅顏棄軒冕白首臥松雲醉
月頻中聖迷花不事君高山安可仰徒此挹清芬

見京兆韋叅軍量移東陽

潮水還歸海流人卻到吳相逢問愁苦淚盡日南珠

贈韋侍御黃裳二首

太華生長松亭亭凌霜雪天與百尺高豈為微飈折桃李賣陽艷路人行且迷春光掃地盡碧葉成黃泥願君學長松慎勿作桃李受屈不改心然後知君子

見君乘驄馬知上太山道此地果摧輪全身以為寶我如豐年玉棄置秋田草但畱冰壺心無為歎衰老

古道照人得朋友交勉之誼畱君青松心努力保霜雪立言如此可以不朽

贈裴十四

朝見裴叔則朗如行玉山黃河落天走東海萬里寫入胸懷間身騎白黿不敢度金高南山買君顧徘徊六合無相知飄若浮雲且西去

吳昌祺曰有如生龍活虎非世人所可駕馭天實授之豈人力耶

贈清漳明府姪聿

我李百萬葉柯條布中州天開青雲器日為蒼生憂小邑且割雞大刀伫烹牛雷聲動四境惠與清漳流弦歌詠唐堯脫落隱簪組心和得天真風俗猶太古牛羊散阡陌夜寢不扃戶問此何以然賢人宰吾土舉邑樹桃李垂陰亦流芬河堤繞綠水桑柘連青雲趙女不冶容提籠畫成羣繅絲鳴機杼百里聲相聞訟息鳥下階高卧披道帙蒲鞭挂簷枝示恥無撲抶琴清月當戶人寂風入室長嘯無一言陶然上皇逸白玉壺冰水壺中見底清清光洞毫髮皎潔照羣情趙北美佳政燕南播高名過客覽行謠因之頌德聲

天開青雲器日為蒼生憂似范仲淹一流人物心和得天真以下循良之實藹然可觀為民牧者直當書之於座右

贈新平少年

韓信在淮陰少年相欺凌屈體若無骨壯心有所憑一遭龍顏君嘯咤從此興千金答漂母萬古共嗟稱而我竟何為寒苦坐相仍長風入短袂兩手如懷冰故友不相恤新交寧見矜摧殘檻中虎羈紲韝上鷹何時騰風

雲摶擊申所能
鍾惺曰屈體二句可與老杜嚴僕射詩開口取將相
小心事友生並看寫出英俠本色屈伸之妙
口號贈徵君鴻自注此公時被徵
陶令辭彭澤梁鴻入會稽我尋高士傳君與古人齊雲
卧留丹壑天書降紫泥不知楊伯起早晚向關西
格調高朗盧鴻屢徵不起故白詩云爾末句言其當應
召也以伯起期之位置殊高

范德機曰律詩須守規矩此等五言何其嚴哉
唐書本傳鴻博學善書籀廬嵩山開元初備禮徵再
不至五年再詔徵至東都拜諫議大夫固辭還山
秋日鍊藥院鑷白髮贈元六兄林宗
木落識歲秋瓶冰知天寒桂枝日已綠拂雪凌雲端弱
齡接光景矯翼攀鴻鸞投分三十載榮枯同所歡長吁
望青雲鑷白坐相看秋顏入曉鏡壯髮凋危冠窮與鮑
生賈飢從漂母餐時來極天人道在豈吟歎樂毅方適
趙蘇秦初說韓卷舒固在我何事空摧殘
寫懷抱於實境紛縱逸於苦調即此可以上軼鮑謝起
句本之淮南子語意奇古
憶襄陽舊遊贈馬少府巨
昔為大隄客曾上山公樓開牕碧嶂滿拂鏡滄江流高
冠佩雄劍長揖韓荊州此地別夫子今來思舊遊朱顏
君未老白髮我先秋壯志恐蹉跎功名若雲浮歸心結
遠夢落日懸春愁空思羊叔子墮淚峴山頭
落日懸春愁自是千古雋句

對雪獻從兄虞城宰
昨夜梁園雪弟寒兄不知庭前看玉樹腸斷憶連枝
劉辰翁曰此詩首二句小夫賤隸誰不能道而學士
大夫或愧之矣古今甚深密義往往於淺易得之藹
然惻然可以感動
贈昇州王使君忠臣
六代帝王國三吳佳麗城賢人當重寄天子借高名巨

海一邊靜長江萬里清應須救趙策未肯棄侯嬴

如五六語乃為不負重寄末以侯嬴自比寓意救趙蓋在天寳初亂後也

贈别從甥高五

魚目高泰山不如一璵璠賢甥即明月聲教動天門能成吾宅相不減魏陽元自顧寡籌略功名安所存五木思一擲如繩繋窮猨櫪中駿馬空堂上醉人喧黄金久已罄為報故交恩聞君隴西行使我驚心魂與爾共飄颻雲天各飛翻江水流或卷此心難具論貧家羞好客語拙覺辭繁三朝空錯莫對飯却慚冤自笑我非夫生事多契濶蓄積萬古憤向誰得開豁天地一浮雲此身乃毫末忽見無端倪太虛可包括去去何足道臨岐空復愁肝膽不楚越山河亦衾裯雲龍亦相從明主會見收成功解相訪溪水桃花流

首道贈意繼叙别情白盖與高最厚善者自笑我非夫一段開豁心胸退曠曠覽沈鬱頓挫意近杜陵從此一氣雙收聲情倍振使無後幅之雄健則氣味衰颯矣大家風格如是

醉後贈從甥高鎮

馬上相逢揖馬鞭客中相見客中憐欲邀擊筑悲歌飲正值傾家無酒錢江東風光不借人枉殺落花空自春黄金逐手快意盡昨日破産今朝貧丈夫何事空嘯傲不如燒却頭上巾君為進士不得進我被秋霜生旅鬢時清不及英豪人三尺童兒重廉藺匣中盤劍裝䱜魚閑在腰間未用渠且將换酒與君醉醉歸託宿吳專諸

有觸而鳴微露憤意醉後披寫自饒天趣

蕭士贇曰此太白少年任俠之作

李白上裴長史書曰昔東游維揚不逾一年散金三十餘萬有落魄公子悉皆濟之

贈秋浦柳少府

秋浦舊蕭索公庭人吏稀因君樹桃李此地忽芳菲搖筆望白雲開簾當翠微時來引山月縱酒酣清暉而我

愛夫子淹留未忍歸

其人有為政之實於一起見之

中丞宋公以吳兵三千赴河南軍次潯陽脫予之囚叅謀幕府因贈之

獨坐清天下專征出海隅九江皆渡虎三郡盡還珠組練明秋浦樓船入郢都風高初選將月滿欲平胡殺氣橫千里軍聲動九區白猿慙劍術黃石借兵符戎虜行當翦鯨鯢立可誅自憐非劇孟何以佐良圖

劉辰翁曰句句壯末韻更佳

范德機曰發端雄渾而嚴真長律起辭也

胡震亨曰排律起句極宜冠冕雄渾不得作小家語如此篇之類最為得體

流夜郎贈辛判官

昔在長安醉花柳五侯七貴同杯酒氣岸遙凌豪士前風流肯落他人後夫子紅顏我少年章臺走馬著金鞭文章獻納麒麟殿歌舞淹留玳瑁筵與君自謂長如此寧知草動風塵起函谷忽驚胡馬來秦宮桃李向明開我愁遠謫夜郎去何日金雞放赦回

中間轉捩處甚健

蕭士贇曰向陽者向明花木之義指同時儕類如辛判官之輩因兵興之際不次被用為人桃李我獨遭謫也

贈常侍御

安石在東山無心濟天下一起振橫流功成復瀟灑大

賢有卷舒季葉輕風雅匡復屬何人君為知音者傳聞武安將氣振長平瓦燕趙期洗清周秦保宗社登朝若有言為訪南遷賈

一往饒清剛之氣

贈易秀才

少年解長劍投贈即分離何不斷犀象精光暗往時蹉跎君自惜竄逐我因誰地遠虞翻老秋深宋玉悲空摧芳桂色不屈古松姿感激平生意勞歌寄此辭

不屑屑排比聲律氣骨清蒼自成高調空推芳桂色不屈古松姿所謂冠佩芳澤而昭質未虧露本色處故可諷詠不置

經亂離後天恩流夜郎憶舊遊書懷贈江夏韋太守良宰

天上白玉京十二樓五城仙人撫我頂結髮受長生誤逐世間樂頗窮理亂情九十六聖君浮雲挂空名天地賭一擲未能忘戰爭試涉霸王略將期軒冕榮時命乃

大謬棄之海上行學劍翻自哂為文竟何成劍非萬人敵文竊四海聲兒戲不足道五噫出西京臨當欲去時慷慨淚沾纓歎君倜儻才標舉冠羣英開筵引祖帳慰此遠徂征鞍馬若浮雲送余驃騎亭歌鐘不盡意白日落昆明十月到幽州戈鋋若羅星君王棄北海掃地借長鯨呼吸走百川燕然可摧傾心知不得語却欲栖蓬瀛彎弧懼天狼挾矢不敢張攬涕黃金臺呼天哭昭王無人貴駿骨騄耳空騰驤樂毅儻再生於今亦奔亡蹉跎不得意驅馬還貴鄉逢君聽絃歌肅穆坐華堂百里獨太古陶然卧羲皇徵樂昌樂館開筵列壺觴賢豪間青蛾對燭儼成行醉舞紛綺席清歌繞飛梁歡娛未終朝秩滿歸咸陽祖道擁萬人供帳遥相望一別隔千里榮枯異炎涼炎涼幾度改九土中横潰漢甲連胡兵沙塵暗雲海草木揺殺氣星辰無光彩白骨成丘山蒼生竟何罪函關壯帝居國命懸哥舒長戟三十萬開門納兇渠公卿如犬羊忠讜醢與菹二聖出遊豫兩京遂丘

墟帝子許專征秉旄控强楚節制非桓文軍師擁熊虎人心失去就賊勢騰風雨惟君固房陵誠節冠終古僕卧香爐頂餐霞漱瑤泉門開九江轉枕下五湖連半夜水軍來潯陽滿旌旃空名適自誤迫脅上樓船徒賜五百金棄之若浮煙辭官不受賞翻謫夜郎天夜郎萬里道西上令人老掃蕩六合清仍為負霜草日月無偏照何由訴蒼昊良牧稱神明深仁恤交道一忝青雲客三登黃鶴樓顧慚禰處士虛對鸚鵡洲樊山霸氣盡寥落

天地秋江帶峨眉雪川橫三峽流萬舸此中來連帆過揚州送此萬里目曠然散我愁紗窗倚天開水樹綠如髮窺日畏銜山促酒喜得月吳娃與越豔窈窕誇鉛紅呼來上雲梯含笑出簾櫳對客小垂手羅衣舞春風賓跪請休息主人情未極覽君荆山作江鮑堪動色清水出芙蓉天然去雕飾逸興橫素襟無時不招尋朱門擁虎士列戟何森森翦鑿竹石開縈流漲清深登臺坐水閣吐論多英音片辭貴白璧一諾輕黃金謂我不愧君

青鳥明丹心五色雲間鵲飛鳴天上來傳聞赦書至却放夜郎迴暖氣變寒谷炎煙生死灰君登鳳池去忽棄賈生才桀犬尚吠堯匈奴笑千秋中夜四五歎常為大國憂旌旆夾兩山黃河當中流連雞不得進飲馬空夷猶安得羿善射一箭落旄頭

白之從璘辟也蘇軾辨其由於迫脅論甚平允此篇歷敘交遊始末而白生平蹤跡亦略見於此十月到幽州一段蓋白自被放後北遊燕趙觀聽形勢知祿山之必叛尾大不掉之害欲言不能述之猶覺痛切至於潼關失守江陵煽亂與白之為璘所脅受累遠謫無不明如指掌結尾一段慮廟堂之無人憂將帥之不一而賊之不得速平與前逸相照應通篇以交情時勢互為經緯汪洋灝瀚如百川之灌河如長江之赴海卓乎大篇可與北征並峙

胡震亨曰太白永王璘一事論者不失之刻即曲為諱失之誣惟蔡寬夫之說為衷其言云太白非從人

為亂者蓋其學本出縱橫以氣俠自任當中原擾攘時欲藉之以立奇功耳其詩曰空名適自誤迫脅上樓船又曰南風一掃胡塵淨西入長安到日邊亦可見其志矣大抵才高意廣如孔北海之徒固未必有成功而知人料事尤其所難議者或責以璘之猖獗而欲仰以立事不能如孔巢父蕭穎士察於未萌斯可矣若其志亦可哀矣斯言也起太白於九原倘亦心服

贈漢陽輔録事

鸚鵡洲横漢陽渡水引寒烟没江樹南浦登樓不見君君今罷官在何處漢口雙魚白錦鱗令傳尺素報情人其中字數無多少秖是相思秋復春

煙江風景登樓所見即此發端接出懐人之意最有氣格

贈盧司户

秋色無遠近出門盡寒山白雲遥相識待我蒼梧間借

問盧躭鶴西飛幾歲還

高調妙於省淨

譚元春曰起二句後代清語領此一派

贈從弟南平太守之遥

少年不得意落魄無安居願隨任公子欲釣吞舟魚常時飲酒逐風景壯心遂與功名踈蘭生谷底人不鋤雲在高山空卷舒漢家天子馳駟馬赤車蜀道迎相如天門九重謁聖人龍顔一解四海春彤庭左右呼萬歲拜賀明主收沈淪翰林秉筆回英眄麟閣崢嶸誰可見承恩初入銀臺門著書獨在金鑾殿龍駒雕鐙白玉鞍象牀綺席黄金盤當時笑我微賤者却來請謁為交歡一朝謝病遊江海疇昔相知幾人在前門長揖後門關今日結交明日改愛君山岳心不移隨君雲霧迷所為夢得池塘生春草使我長價登樓詩别後遥傳臨海作可見羊何共和之

炎而附寒而去自是俗情之薄翟公書門殷浩咏詩白何見之晚耶蘭生谷底二句逸韻可賞復有深味末四語用古入化別具清新之致

流夜郎半道承恩放還兼欣剋復之美書懐示息秀才

黄口為人羅白龍乃魚服得罪豈怨天以愚陷網目鯨鯢未翦滅豺狼屢翻復悲作楚地囚何日秦庭哭遭逢二明主前後兩遷逐去國愁夜郎投身竄荒谷半道雪屯蒙曠如鳥出籠遥欣剋復美光武安可同天子巡劍

閣儲皇守扶風揚袂正北辰開襟攬羣雄胡兵出月窟雷破關之東左掃因右拂旋收洛陽宮迴輿入咸京席卷六合通叱咤開帝業手成天地功大駕還長安兩日忽再中一朝讓寳位劍璽傳無窮媿無秋毫力誰念矍鑠翁弋者何所慕高飛仰冥鴻棄劍學丹砂臨鑪雙玉童寄言息夫子歲晚陟方蓬

引罪自咎無怨尤之心有睠顧之誠不失忠厚本旨

宿清溪主人

夜到清溪宿主人碧巖裏簷楹挂星斗枕席響風水月落西山時啾啾夜猨起

奇語得自眼前

巴陵贈賈舍人

賈生西望憶京華湘浦南遷莫怨嗟聖主恩深漢文帝憐君不遣到長沙

可謂深婉蕭士贇以此與前篇為非白作觀其氣味非白不辨

贈從弟宣州長史昭

淮南望江南千里碧山對我行倦過之半落青天外宗英佐雄郡水陸相控帶長川豁中流千里瀉吳會君心亦如此包納無小大搖筆起風霜推誠結仁愛訟庭垂桃李賓館羅軒蓋何意蒼梧雲飄然忽相會才將聖不偶命與時俱背獨立山海間空老聖明代知音不易得撫劍增感慨當結九萬期中途莫先退

陳情贈友人

延陵有寳劍價重千黄金觀風歷上國暗許故人深歸來挂墳松萬古知其心懦夫感達節壯士激青衿鮑生薦夷吾一舉置齊相斯人無良朋豈有青雲望臨財不苟取推分固辭讓後世稱其賢英風邈難尚論交但若此友道孰云喪多君騁逸藻掩映當時人舒文振頹波秉德冠彝倫卜居乃此地共井為比隣清琴弄雲月美酒娛冬春薄德中見捐忽之如遺塵英豪未豹變自古多艱辛他人縱以疎君意宜獨親奈何成離居相去復

幾許飄風吹雲霓蔽日不得語投珠冀相報按劍恐相距所思採芳蘭欲贈隔荆渚沈憂心若醉積恨淚如雨願假東壁輝餘光照貧女

披露胸懷不作齪齪之態敘乖隔處極為微婉得風人之意

贈錢徵君少陽

白玉一杯酒緑楊三月時春風餘幾日兩鬢各成絲秉燭惟須飲投竿也未遲如逢渭川獵猶可帝王師

登敬亭山南望懷古贈竇主簿

敬亭一迴首目盡天南端仙者五六人常聞此遊盤谿流琴高水石聳麻姑壇白龍降陵陽黃鶴呼子安羽化騎日月雲行翼鴛鸞下視宇宙間四溟皆波瀾汰絶目下事從之復何難百歲落半途前期浩漫漫强食不成味清晨起長歎願隨子明去鍊火燒金丹

經亂後將避地剡中留贈崔宣城

雙鵝飛洛陽五馬渡江徼何意上東門胡雛更長嘯中原走豺虎烈火焚宗廟太白晝經天頹陽掩餘照王城皆蕩覆世路成奔峭四海不長安蛾眉寡西笑蒼生疑落葉白骨空相弔連兵似雪山破敵誰能料我垂北溟翼且學南山豹崔子賢主人歡娛每相召胡牀紫玉笛却坐青雲叫楊花滿州城置酒同臨眺忽思剡溪去水石遠清妙雪盡天地明風開湖山貌悶為洛生詠醉發吳越調赤霞動金光日足生海嶠獨散萬古意閑垂一溪釣猿近天上啼人移月邊櫂無以墨綬苦來求丹砂

要華髪長折腰將貽陶公誚

奇辭絡繹行以蒼峭之氣直達所懷絶無長語謝朓驚人此故不減

楊慎曰梁虞騫詩落暉散長足細雨織斜文太白亦用其字然其驚人泣鬼則劉勰所謂自鑄偉辭前無古人者乎

吳昌祺曰悲壯處亦七哀之遺

御選唐宋詩醇卷五

欽定四庫全書

御選唐宋詩醇卷六

隴西李白詩六

獻從叔當塗宰陽冰

金鏡霾六國亡新亂天經焉知高光起自有羽翼生蕭曹安峴屼耿賈摧欃槍吾家有季父傑出聖代英雖無三台位不借四豪名激昂風雲氣終協龍虎精弱冠燕趙來賢彦多逢迎魯連善談笑季布折公卿遥知禮數

絶常恐不合并惕想結宵夢素心久已冥顧慙青雲器謬奉玉樽傾山陽五百年緑竹忽再榮高歌振林木大笑喧雷霆落筆灑篆文崩雲使人驚吐辭又炳煥五色羅華星秀句滿江國高才掞天庭宰邑艱難時浮雲空古城居人若薙草掃地無纖莖惠澤及飛走農夫盡歸耕廣漢水萬里長流玉琴聲雅頌播吳越還如泰階平小子别金陵來時白下亭羣鳳憐客鳥差池相哀鳴各拔五色毛意重泰山輕贈微所費廣斗水澆長鯨彈劍歌苦寒嚴風起前楹月銜天門曉霜落牛渚清長歎即歸路臨川空屏營

贈汪倫

李白乘舟將欲行忽聞岸上踏歌聲桃花潭水深千尺不及汪倫送我情

楊齊賢曰白遊涇縣桃花潭村人汪倫常醖美酒以待白倫之裔孫至今寶其詩

安陸白兆山桃花岩寄劉侍御綰

雲卧三十年好閑復愛仙蓬壺雖冥絶鸞鶴心悠然歸來桃花岩得憩雲窻眠對嶺人共語飲潭猨相連時昇翠微上邈若羅浮巔兩岑抱東嶽一嶂横西天樹雜日易隱崖傾月難圓芳草换野色飛蘿摇春煙入遠構石室選幽開上田獨此林下意杳無區中緣永辭霜臺客千載方來旋

此等篇咏與鮑叅軍謝宣城自是神合不徒形似

淮南卧病書懷寄蜀中趙徵君蕤

吳會一浮雲飄如遠行客功業莫從就歲光屢奔迫良圖俄棄捐衰疾乃綿劇古琴藏虛匣長劍挂空壁楚冠懷鍾儀越吟比莊舄國門遥天外鄉路遠山隔朝憶相如臺夜夢子雲宅旅情初結緝秋氣方寂歷風入松下清露出草間白故人不可見幽夢誰與適寄書西飛鴻贈爾慰離析

亦是宣城一派視移病還園示親屬詩有過之無不及也

楊慎曰太白渡荆門詩仍連故鄉水萬里送行舟送人之羅浮詩爾去之羅浮余還憩峨嵋及此詩國門遥天外四句皆寓鄉思

楊慎曰趙㽕梓州人精於數學蘇頲薦西蜀人才云趙㽕術數李白文章宋人注李詩遺其事

望終南山寄紫閣隱者

出門見南山引領意無限秀色難為名蒼翠日在眼有時白雲起天際自舒卷心中與之然託興每不淺何當造幽人滅跡棲絕巘

淡雅自然處神似淵明白雲天際無心舒卷白詩妙有其意

秋夜宿龍門香山寺奉寄王方城十七丈奉國瑩上人從弟幼成令問

朝發汝海東暮棲龍門中水寒夕波急木落秋山空望極九霄迥賞幽萬壑通目皓沙上月心清松下風玉斗橫網戶銀河耿花宮興在趣方逸歡餘情未終鳳駕憶王子虎溪懷遠公桂枝坐蕭瑟棣華不復同流恨寄伊水盈盈焉可窮

沙邱城下寄杜甫

我來竟何事高臥沙邱城城邊有古樹日夕連秋聲魯酒不可醉齊歌空復情思君若汶水浩蕩寄南征

白與杜甫相知最深飯顆山頭一絕本事詩及酉陽雜俎載之蓋流俗傳聞之說白集無是也鮑庾陰何詞流所重李杜實當宗之特所成就者大不寄其籬下耳安

得以為譏議之辭乎甫詩及白者十餘見白詩亦屢及
甫即此結語情亦不薄矣世俗輕詆古人往往類是尚
論者當知之

鍾惺曰一片真氣

沈德潛曰有餘地有餘情此詩家正聲也浮淺者以
為無味

淮陰書懷寄王宗城

沙墩至梁苑二十五長亭大舶夾雙艣中流鵝鸛鳴雲

天掃空碧川嶽涵餘清飛凫從西來適與佳興并眷言
王喬舄婉孌故人情復此親懿會而增交道榮沿洄且
不定飄忽悵徂征暝投淮陰宿欣得漂母迎斗酒烹黃
雞一餐感素誠予為楚壯士不是魯諸生有德必報之
千金恥為輕緬書羇孤意遠寄櫂歌聲

一起真有萬夫之稟呂本中稱此篇與關山月為氣雄
一世非虛言也

聞王昌齡左遷龍標遙有此寄

楊花落盡子規啼聞道龍標過五溪我寄愁心與明月
隨風直到夜郎西

胡應麟曰此詩及下江陵洛陽聞笛望天門山等作
真有揮斥八極凌厲九霄之意

沈德潛曰即將心寄明月流影入君懷之意出以摇
曳之筆語意一新

憶舊遊寄譙郡元參軍

憶昔洛陽董糟邱為余天津橋南造酒樓黃金白璧買

歌笑一醉累月輕王侯海内賢豪青雲客就中與君心
莫逆迴山轉海不作難傾情倒意無所惜我向淮南攀
桂枝君留洛北愁夢思不忍别還相隨相隨迢迢訪仙
城三十六曲水迴縈一溪初入千花明萬壑度盡松風
聲銀鞍金絡倒平地漢東太守來相迎紫陽之真人邀
我吹玉笙餐霞樓上動仙樂嘈然宛似鸞鳳鳴袖長管
催欲輕舉漢中太守醉起舞手持錦袍覆我身我醉横
眠枕其股當筵意氣凌青霄星離雨散不終朝分飛楚

關山水遥余既還山尋故巢君亦歸家渡渭橋君家嚴君勇貔虎作尹并州遏戎虜五月相呼度太行摧輪不道羊腸苦行來北涼歲月深感君貴義輕黄金瓊杯綺食青玉案使我醉飽無歸心時時出向城西曲晋祠流水如碧玉浮舟弄水簫鼓鳴微波龍鱗莎草緑興來攜妓恣經過其若楊花似雪何紅粧欲醉宜斜日百尺清潭寫翠娥翠娥嬋娟初月輝美人更唱舞羅衣清風吹歌入空去歌曲自繞行雲飛此時行樂難再遇西遊因

獻長楊賦北闕青雲不可期東山白首還歸去渭橋南頭一遇君酇臺之北又離羣問余别恨知多少落花春暮爭紛紛言亦不可盡情亦不可極呼兒長跪緘此辭寄君千里遥相憶

白詩天才縱逸至於七言長古往往風雨爭飛魚龍百變又如大江無風波浪自湧白雲從空隨風變滅誠可謂怪偉奇絶者矣此篇最有紀律可循歷敘舊遊純用序事之法以離合為經緯以轉折為節奏結構極嚴而神氣自暢至於奇情勝致使覽者應接不暇又其才之獨擅者耳

唐汝詢曰此篇敘事四轉語若貫珠又非初唐牽合之比長篇當以此為法

吳昌祺曰長篇步步奇崛蒼勁亦天然筆力也

楊齊賢曰唐地理志亳州譙郡有酇縣酇才何切蕭何子孫所續封何所封音贊漢屬南陽郡

月夜江行寄崔員外宗之

飄飄秋風起蕭颯海樹秋登艫美清夜挂席移輕舟月隨碧山轉水合青天流杳如星河上但覺雲林幽歸路方浩浩徂川去悠悠徒悲蕙草歇復聽菱歌愁岸曲迷後浦沙明瞰前洲懷君不可見望遠增離憂

可謂工於發端警句亦直逼二謝

宿白鷺洲寄楊江寧

朝别朱雀門暮棲白鷺洲波光摇海月星影入城樓望美金陵宰如思瓊樹憂徒令魂入夢翻覺夜成秋緑水

解人意為余西北流因聲玉琴裏蕩漾寄君愁

節諧語警

新林浦阻風寄友人

潮水定可信天風難與期清晨西北轉薄暮東南吹以此難挂席佳期益相思海月破圓影菰蔣生綠池昨日北湖梅開花已滿枝今朝東門柳夾道垂青絲歲物忽如此我來定幾時紛紛江上雪草草客中悲明發新林浦空吟謝朓詩

起勢奇崛寄懷處不勝晼晚之嘆

寄韋南陵冰余江上乘興訪之遇尋顏尚書笑有此贈

南船正東風北船來自緩江上相逢借問君語笑未了風吹斷聞君攜妓訪情人應為尚書不顧身堂上三千珠履客甕中百斛金陵春恨我阻此樂淹留楚江濱月色醉遠客山花開欲然春風狂殺人一日劇三年乘興嫌太遲焚却子猷船夢見五柳枝已堪挂馬鞭何日到彭澤長歌陶令前

語笑未了風吹斷畫出兩舟相遇情景鍾惺極賞其工

題情深樹寄象公

腸斷枝上猨淚添山下樽白雲見我去亦為我飛翻

古意然必有所謂不必强解或以白雲為白虎引周處射虎事實之更屬紕繆

北山獨酌寄韋六

巢父將許由未聞買山隱道存跡自高何憚去人近紛

吾下茲嶺地閑喧亦泯門橫羣岫開水鑿衆泉引屏高而在雲竇深莫能準川光晝昏凝林氣夕淒緊於焉摘朱果兼得養玄牝坐月觀寶書拂霜弄瑤軫傾壺事幽酌顧影還獨盡念君風塵游傲爾令自哂

鮑謝集中高作

寄東魯二稚子

吳地桑葉綠吳蠶已三眠我家寄東魯誰種龜陰田春事已不及江行復茫然南風吹歸心飛墮酒樓前樓東

一株桃枝葉拂青烟此樹我所種別來向三年桃今與
樓齊我行尚未旋嬌女字平陽折花倚桃邊折花不見
我淚下如流泉小兒名伯禽與姊亦齊肩雙行桃樹下
撫背復誰憐念此失次第肝腸日憂煎裂素寫遠意因
之汶陽川

范梈曰天下喪亂骨肉分離此老杜詠懷入門號咷
以下意也然彼合此離彼有哭其死此則憐其生彼
兼時事此乃單咏要皆憂思之正者也

沈德潛曰家常語瑣瑣屑屑彌見其真

廣記曰太白於任城縣造酒樓其居在酒樓前

獨酌清溪江石上寄權昭夷

我攜一樽酒獨上江頭石自從天地開更長幾千尺舉
杯向天笑天迴日西照永願坐此石長垂嚴陵釣寄謝
山中人可與爾同調

禪房懷友人岑倫（自注：時南遊羅浮兼泛桂海自春徂秋不返僕旅江外書情寄之）

嬋娟羅浮月搖艷桂水雲美人竟獨往而我安得群一
朝語笑隔萬里喟情分沈吟綵霞沒夢寐群芳歇歸鴻
渡三湘遊子在百粤邊塵染衣劍白日彫華髮春風變
楚關秋聲落吳山草木結悲緒風沙淒苦顏朅來已永
久顏思如循環飄飄限江裔想像空留滯離憂每醉心
別淚徒盈袂坐愁青天末出望黃雲蔽目極何悠悠梅
花南嶺頭空長滅征鳥水闊無還舟寶劍終難託金囊
非易求歸來儻有問桂樹山之幽

稱心而言意足而止情深語摯老筆紛披

廬山謠寄盧侍御虛舟

我本楚狂人鳳歌笑孔丘手持綠玉杖朝別黃鶴樓五
嶽尋仙不辭遠一生好入名山遊廬山秀出南斗傍屏
風九疊雲錦張影落明湖青黛光金闕前開二峰長銀
河倒挂三石梁香爐瀑布遙相望迴崖沓嶂凌蒼蒼翠
影紅霞映朝日鳥飛不到吳天長登高壯觀天地間大
江茫茫去不還黃雲萬里動風色白波九道流雪山好

為廬山謠興因廬山發開窺石鏡清我心謝公行處蒼苔沒早服還丹無世情琴心三疊道初成遥見仙人綵雲裏手把芙蓉朝玉京先期汗漫九垓上願接盧敖遊太清

天馬行空不可羈紲

桂臨川曰全篇開闔軼蕩魁絕古今即使工部為之未易及此高岑輩恐亦脅息其襟期雄曠辭旨慷慨音節瀏亮無一不可

春日歸山寄孟浩然

朱紱遺塵境青山謁梵筵金繩開覺路寶筏渡迷川嶺樹攢飛栱巖花覆谷泉塔形標海月樓勢出江煙香氣三天下鐘聲萬壑連荷秋珠已滿松密蓋初圓鳥聚疑聞法龍參若護禪愧非流水韻叨入伯牙弦

方回曰太白負不羈之才樂府大篇翕忽變化而律詩乃工夫縝密如此杜審言宋之問相伯仲

道經三天者清微天禹餘天大赤天也

流夜郎至西塞驛寄裴隱

揚帆借天風水驛苦不緩平明及西塞已先投沙伴迴壑引羣峰橫蹙楚山斷砅衝萬壑會震沓百川滿龍怪潛溟波俟時救災旱我行望雷雨安得霑枯散鳥去天路長人愁春光短空將澤畔吟寄爾江南管

自漢陽病酒歸寄王明府

去歲左遷夜郎道琉璃硯水長枯槁今年敕放巫山陽蛟龍筆翰生輝光聖主還聽子虛賦相如却與論文章

願掃鸚鵡洲與君醉百場嘯起白雲飛七澤歌吟淥水動三湘莫惜連船沽美酒千金一擲買春芳

平生飛動意見爾不能無胸懷正復如此

江夏寄漢陽輔錄事

誰道此水廣狹如一匹練江夏黃鶴樓青山漢陽縣大語猶可聞故人難可見君草陳琳檄我書魯連箭報國有壯心龍顏不迴眷西飛精衛鳥東海何由填鼓角徒悲鳴樓船習征戰抽劍步霜月夜行空庭徧長呼結浮

雲埋沒顧榮扇他日觀軍容投壺接高宴

早春寄王漢陽

聞道春還未相識走傍寒梅訪消息昨夜東風入武陽
陌頭楊柳黄金色碧水浩浩雲茫茫美人不來空斷腸
預拂青山一片石與君連日醉壺觴

秀骨天成偶然涉筆無不入妙

江上寄元六林宗

霜落江始寒楓葉緑未脱客行悲清秋永路苦不達滄
波渺川汜白日隱天末停棹依林巒驚猿相叫聒夜分
河漢轉起視溟漲瀾涼風何蕭蕭流水鳴活活浦沙淨
如洗海月明可掇蘭交空懷思瓊樹詎解渴勗哉滄洲
心歲晚庶不奪幽賞頗自得興遠與誰豁

涇溪南藍山下有落星潭可以卜築余泊舟石上寄何判官昌浩

藍岑竦天壁突兀如鯨額奔蹙橫澄潭勢呑落星石沙
帶秋月明水搖寒山碧佳境宜緩棹清輝能留客恨君

阻歡遊使我自鬱悒所期俱卜築結茅鍊金液

早過漆林渡寄萬巨

西經大藍山南來漆林渡水色倒空青林煙橫積素漏
流昔呑翕沓浪競奔注潭落天上星龍開水中霧嶢巖
注公栅突兀陳焦墓嶺峭紛上千川明屢迴顧因思萬
夫子解渴同瓊樹何日覩清光相歡詠佳句

游敬亭寄崔侍御

我家敬亭下輒寄謝公作相去數百年風期宛如昨登
高素秋月下望青山郭俯視鴛鷺羣飲啄自鳴躍夫子
雖蹭蹬瑤臺雪中鶴獨立窺浮雲其心在寥廓時來顧
我笑一飯葵與藿世路如秋風相逢盡蕭索腰間玉具
劍意許無遺諾壯士不可輕相期在雲閣

自金陵泝流過白壁山翫月達天門寄句容王主簿

滄江泝流歸白壁見秋月秋月照白壁皓如山陰雪幽
人停宵征賈客忘早發進帆天門山迴首牛渚沒川長信
風來日出宿霧歇故人在咫尺新賞成胡越寄君青蘭

花惠我庶不絶
白寄人之詩大致泛濫於元嘉以還此前諸篇皆是也
白嘗謂建安以來綺麗非珍葢亦大槪言之至其閒表
表諸人昌嘗不歷閫入室相與周旋出入乎特才實邁
古故大而化之其淵源有自來矣杜甫亦復如是詞人
落筆往往過當甫嘗云陶謝不枝梧他日則云安得思
如陶謝手令渠述作與同遊後人過尊二家或欲盡薄
從前非通論也

秋日魯郡堯祠亭上宴別杜補闕范侍御

我覺秋興逸誰云秋興悲山將落日去水與晴空宜魯
酒白玉壺送行駐金羈歇鞍憩古木解帶挂横枝歌鼓
川上亭曲度神飈吹雲歸碧海夕鴈沒青天時相失各
萬里茫然空爾思

飄然而來戛然而止格調高逸有如鵰翔未息翩翩而
自逝

胡震亨曰太伯詩押宜字韻者凡五見此其一也他
如月色望不盡空天交相宜謔浪偏相宜置酒正相
宜春風與醉客今日乃相宜韻致俱勝

段成式曰李集有堯祠贈杜補闕者老杜也

別魯頌

誰道泰山高下卻魯連節誰云秦軍衆摧卻魯連舌獨
立天地間清風灑蘭雪夫子還倜儻攻文繼前烈錯落
石上松無爲秋霜折贈言鏤寶刀千歲庶不滅

與堯祠宴別二首皆極清健太沖挺拔景純豪儁非潘

陸諸人之比

劉辰翁曰上六句意象高迥自切事情結末古意選
語

夢遊天姥吟留別

海客談瀛洲煙濤微茫信難求越人語天姥雲霓明滅
或可覩天姥連天向天横勢拔五嶽掩赤城天台四萬
八千丈對此欲倒東南傾我欲因之夢吳越一夜飛度
鏡湖月湖月照我影送我至剡溪謝公宿處今尚在淥

水蕩漾清猿啼脚著謝公屐身登青雲梯半壁見海日空中聞天雞千巖萬轉路不定迷花倚石忽已暝熊咆龍吟殷巖泉慄深林兮驚層巔雲青青兮欲雨水澹澹兮生煙列缺霹靂邱巒崩摧洞天石扇訇然中開青冥浩蕩不見底日月照耀金銀臺霓為衣兮風為馬雲之君兮紛紛而來下虎鼓瑟兮鸞迴車仙之人兮列如麻忽魂悸以魄動怳驚起而長嗟惟覺時之枕席失向來之煙霞世間行樂亦如此古來萬事東流水別君去時

何時還且放白鹿青崖間須行即騎訪名山安能摧眉折腰事權貴使我不得開心顏

七言歌行本出楚騷樂府至於太白然後窮極筆力優入聖域昔人謂其以氣為主以自然為宗以俊逸高暢為貴咏之使人飄揚欲仙而尤推其天姥吟遠別離等篇以為雖子美不能道蓋其才橫絕一世故興會標舉非學可及正不必執此謂子美不能及也此篇夭矯離奇不可方物然因語而夢因夢而悟因悟而別節次相生絲毫不亂若中間夢境迷離不過詞意偉怪耳胡應麟以為無首無尾窈冥昏默是真不可以說夢也特謂非其才力學之立見顛踣則誠然耳

范梈曰夢吳越以下夢之源也次諸節夢之波瀾也其間顯而晦晦而顯非太白之胸次筆力亦不能發此

高棅曰白遠別離長相思烏栖曲鳴臯歌梁園吟天姥吟廬山謠等作長篇短韻驅駕氣勢殆與南山秋

色爭高可也

王世貞曰歐陽公自謂廬山高明妃曲李杜所不能作非公言也無論其他只半壁見海日空中聞天雞率爾語公能道否

留別廣陵諸公

憶昔作少年結交趙與燕金羈絡駿馬錦帶橫龍泉寸心無疑事所向非徒然晚節覺此疎獵精草太元空名束壯士薄俗棄高賢中回聖明顧揮翰凌雲煙騎虎不

敢下攀龍忽墮天還家守清真孤潔勵秋蟬鍊丹費火石採藥窮山川卧海不關人租税遼東田乘興忽復起棹歌溪中船臨醉謝葛強山公欲倒鞭狂歌自此別垂釣滄浪前

金陵酒肆留別

風吹柳花滿店香吳姬壓酒喚客嘗金陵子弟來相送欲行不行各盡觴請君試問東流水別意與之誰短長

言有盡而意無窮味在酸鹹之外

黄庭堅曰學者若不見古人用意處但得其皮毛所以去之甚遠如此詩若人復能為首句亦未是太白至於次句壓酒字他人亦自難及三四句益不同五六句乃真太白妙處當潛心焉

鍾惺曰不須多亦不須深寫得情出

贈別鄭判官

竄逐勿復哀慚君問寒灰浮雲本無意吹落章華臺遠別淚空盡長愁心已摧二年吟澤畔顦顇幾時迴

黄鶴樓送孟浩然之廣陵

故人西辭黄鶴樓煙花三月下揚州孤帆遠影碧空盡惟見長江天際流

語近情遥有手揮五弦目送飛鴻之妙

唐汝詢曰目力已極離思無涯悵望之情俱在言外

留別賈舍人至

大梁白雲起飄颻來南洲裴回蒼梧野十見羅浮秋鼇抃山海傾四溟揚洪流意欲託孤鳳從之摩天遊鳳苦

道路難翺翔還崑邱不肯銜我去哀鳴慙不周遠客謝主人明珠難暗投拂拭倚天劍西登岳陽樓長嘯萬里風掃清胸中憂誰念劉越石化為繞指柔

秋風吹胡霜凋此簷下芳折芳怨歲晚離別悽以傷謬攀青瑣賢延我於北堂君為長沙客我獨之夜郎勸此一杯酒豈惟道路長割珠兩分贈寸心貴不忘何必兒女仁相看淚成行

深於比喻乃騷人之遺意其音哀婉情景正合

渡荆門送别

渡遠荆門外來從楚國遊山隨平野盡江入大荒流月下飛天鏡雲生結海樓仍連故鄉水萬里送行舟

項聯與杜甫之星垂平野闊月湧大江流句法相類亦氣勢均敵胡震亨以杜為勝亦故為低昂耳

南陵别兒童入京

白酒新熟山中歸黄雞啄黍秋正肥呼童烹雞酌白酒兒女嬉笑牽人衣高歌取醉欲自慰起舞落日爭光輝

游説萬乘苦不蚤著鞭跨馬涉遠道會稽愚婦輕買臣余亦辭家西入秦仰天大笑出門去我輩豈是蓬蒿人

結句以直致見風格所謂辭意俱盡如截奔馬

江夏别宋之悌

楚水清若空遥將碧海通人分千里外興在一杯中谷鳥吟晴日江猨嘯晚風平生不下淚於此泣無窮

登高而呼衆山皆響

胡震亨曰項聯與達夫功名萬里外心事一杯中似皆從庾抱之悲生萬里外恨起一杯中來而達夫較厚太白較逸並未易軒輊

胡應麟曰高雖渾厚易到李則超逸入神

南陽送客

斗酒勿為薄寸心貴不忘坐惜故人去偏令遊子傷離顔怨芳草春思結垂楊揮手再三别臨岐空斷腸

從古詩十九首脱化而出詞意俱古詠至五六可謂蘊藉風流矣

鍾惺曰項聯是客中送客語説得渾然不覺

送張舍人之江東

張翰江東去正值秋風時天清一鴈遠海闊孤帆遲白日行欲暮蒼波杳難期吳洲如見月千里幸相思

方回曰一雁孤帆之句亦以寓吾道不偶之數下句引白日滄波而云行欲暮杳難期意可見也

送王屋山人魏萬還王屋　并序

王屋山人魏萬云自嵩宋沿吳相訪數千里不遇來

興遊台越經永嘉觀謝公石門後於廣陵相見美其
愛文好古浪跡方外因述其行而贈是詩

僊人東方生浩蕩弄雲海沛然乘天遊獨往失所在魏
侯繼大名本家聊攝城卷舒入元化跡與古賢并十三
弄文史揮筆如振綺辨折田巴生心齊魯連子西涉清
洛源頗驚人世喧采秀卧王屋因窺洞天門朅來遊嵩
峯羽客何雙雙朝攜月光子暮宿玉女牕鬼谷上窈窕
龍潭下奔潨東浮汴河水訪我三千里逸興滿吳雲飄

颻涮江汜揮手杭越間樟亭望潮還濤卷海門石雲橫
天際山白馬走素車雷奔駭心顏遥聞會稽美且渡耶
溪水萬壑與千巖崢嶸鏡湖裏秀色不可名清輝滿江
城人遊月邊去舟在空中行此中久延佇入剡尋王許
笑讀曹娥碑沈吟黄絹語天台連四明日入向國清五
峯轉月色百里行松聲靈溪恣沿越華頂殊超忽石梁
橫青天側足履半月忽然思永嘉不憚海路賒挂席歷
海嶠迴瞻赤城霞赤城漸微沒孤嶼前嶢兀水續萬古
流亭空千霜月緡雲川谷難石門最可觀瀑布挂北斗
莫窮此水端噴壁灑素雪空濛生晝寒却思惡溪去寧
懼惡溪惡咆哮七十灘水石相噴薄路創李北海（李公邕昔為括州開此嶺路）巖開謝康樂（惡溪有謝康樂題詩處）松風和猨聲搜索
連洞壑徑出梅花橋雙溪納歸潮落帆金華岸赤松若
可招沈約八詠樓城西孤岩嶤岩嶤四荒外曠望羣川
會雲卷天地開波連浙西大亂流新安口北指嚴光瀨
釣臺碧雲中邈與蒼嶺對稍稍來吳都裴回上姑蘇煙綿

橫九疑漭蕩見五湖目極心更遠悲歌但長吁迴橈楚
江濱揮策揚子津身著日本裘（裘則朝卿所贈日本布為之）昂藏出
風塵五月造我語知非佁儗人相逢樂無限水石日在
眼徒干五諸侯不致百金產吾友揚子雲弦歌播清芬
雖為江寧宰好與山公羣乘興但一行且知我愛君君
來幾何時僊臺應有期東窗綠玉樹定長三五枝至今
天壇人當笑爾歸遲我苦惜遠別茫然使心悲黄河若
不斷白首長相思

就彼所述鋪叙成文因其曲折緯以佳句大有帆隨湘轉水到渠成之致

胡震亨曰佁一作儓儓儗言癡也司馬相如賦佁以佁儗丑吏魚吏二切又音態礙注不前也雖似俗語其來已久

送友人尋越中山水

聞道稽山去偏宜謝客才千巖泉灑落萬壑樹縈迴東海橫秦望西陵遶越臺湖清霜鏡曉濤白雪山來八月

枚乘筆三吳張翰杯此中多逸興早晚向天台

桂臨川曰太白天才飄逸長律雖法度整嚴而清骨不泯

魯郡堯祠送竇明府薄華還西京 自注時久病初起作

朝策犂眉騧舉鞭力不堪強扶愁疾向何處角巾微服堯祠南長楊掃地不見石石門噴作金沙潭笑誇故人指絶境山光水色青於藍廟中往往來擊鼓堯本無心爾何苦門前長跪雙石人有女如花日歌舞銀鞍繡轂往復迴簸林蹶石鳴風雷遠煙空翠時明滅白鷗歷亂長飛雪紅泥亭子赤闌干碧流環轉青錦湍深沈百丈洞海底那知不有蛟龍蟠君不見綠珠潭水流東海綠珠紅粉沈光彩綠珠樓下花滿園今日曾無一枝在昨夜秋聲閶闔來洞庭木落騷人哀遂將三五少年輩登高遠望形神開生前一笑輕九鼎魏武何悲銅雀臺我歌白雲倚窗牖爾聞其聲但揮手長風吹月度海來遙勸仙人一杯酒酒中樂酣宵向分舉觴酹堯堯可聞何

不令臯繇擁篲橫八極直上青天揮浮雲高陽小飲真瑣瑣山公酩酊何如我竹林七子去道賒蘭亭雄筆安足誇堯祠笑殺五湖水至今顦顇空荷花爾向西秦我東越暫向瀛洲訪金闕藍田太白若可期為余掃灑石上月

起滅在手變化從心初昌嘗沾沾於矩矱而意之所到無不應節合拍歌行至此豈非神品

金鄉送韋八之西京

客自長安來還歸長安去狂風吹我心西挂咸陽樹此情不可道此别何時遇望望不見君連山起煙霧

魯郡東石門送杜二甫

醉别復幾日登臨徧池臺何時石門路重有金樽開秋波落泗水海色明徂徠飛蓬各自遠且盡手中杯

無限低徊有說不盡處可謂情深於辭

灞陵行送别

送君灞陵亭灞水流浩浩上有無花之古樹下有傷心

之春草我向秦人問路岐云是王粲南登之古道古道連綿走西京紫闕落日浮雲生正當今夕斷腸處黄鸝愁絶不忍聽

古之傷心人别有懷抱是詩之謂矣

送裴十八圖南歸嵩山

君思頼水緑忽復歸嵩岑歸時莫洗耳為我洗其心洗心得真情洗耳徒買名謝公終一起相與濟蒼生

沈刻之意以快語出之可令聞者驚竦

同王昌齡送族弟襄歸桂陽

秦地見碧草楚謠對清樽把酒爾何思鷓鴣啼南園余欲羅浮隱猶懷明主恩躊躇紫宫戀孤負滄洲言終然無心雲海上同飛翻相期乃不淺幽桂有芳根

蕭士贇曰細味此詩非一飯不忘君者乎議者何厚誣太白之不如杜也

爾家何在瀟湘川青莎白石長沙邊昨夢江花照江日幾枝正發東牕前覺來欲往心悠然魂隨越鳥飛南天

秦雲連山海相接桂水横煙不可涉送君此去令人愁風帆茫茫隔河洲春潭瓊草緑可折西寄長安明月樓

桂臨川曰情出至悃詞調警絶

送崔度還吳　自注度故人禮部員外郎國輔之子

幽燕沙雪地萬里盡黄雲朝吹歸秋雁南飛日幾羣中有孤鳳雛哀鳴九天聞我乃重此鳥綵章五色分胡為雜凡禽雞鶩輕賤君舉手捧爾足疾心若火焚拂羽淚滿面送之吳江濆去影忽不見躊躇日將曛

哀痛之音篤於故舊自見深情

金陵送張十一再遊東吳

張翰黄花句風流五百年誰人今繼作夫子世稱賢再動游吳棹還浮入海船春光白門柳霞色赤城天去國難為别思歸各未旋空餘賈生淚相顧共悽然

張翰雜詩青條若總翠黄華如散金

御選唐宋詩醇卷六

欽定四庫全書

集部

御選唐宋詩醇卷七 八

詳校官山東道御史臣温常綬

總校官編修臣朱鈐

校對官編修臣李鎔

謄録監生臣王家杞

欽定四庫全書

御選唐宋詩醇卷七

隴西李白詩七

送楊山人歸嵩山

我有萬古宅嵩陽玉女峰長留一片月挂在東溪松爾去掇仙草菖蒲花紫茸歲晚或相訪青天騎白龍

劉辰翁曰超然天地間可以不死豈獨不經人道哉

進

送殷淑

痛飲龍筇下燈青月復寒醉歌驚白鷺半夜起沙灘

送范山人歸泰山

魯客抱白鶴别余往泰山初行若片雲杳在青崖間高高至天門日觀近可攀雲山望不及此去何時還

送友人

青山横北郭白水遶東城此地一為别孤蓬萬里征浮雲遊子意落日故人情揮手自茲去蕭蕭班馬鳴

首聯整齊承則流走而下頸聯健勁結有蕭散之致大匠運斤自成規矩

沈德潛曰蘇李贈言多唏噓語無蹶蹙聲知古人之意在不盡矣太白猶不失斯旨

送友人入蜀

見說蠶叢路崎嶇不易行山從人面起雲傍馬頭生芳樹籠秦棧春流遶蜀城升沉應已定不必問君平

此五律正宗也李夢陽曰疊景者意必二闊大者半必細極得詩家微指此詩頷聯承接次句語意奇險五六則襯纖矣頷聯極言蜀道之難五六又見風景可樂以慰征夫此兩意也一結翻案更饒勝致

送張秀才謁高中丞 并序

余時繫潯陽獄中正讀留侯傳秀才張孟熊蘊滅胡之策將之廣陵謁高中丞余嘉子房之風感激於斯人因作是詩以送之

秦帝淪玉鏡留侯降氛氳感激黄石老經過滄海君壯

士揮金槌報讐六國聞智勇冠終古蕭陳難與羣兩龍爭鬬時天地動風雲酒酣舞長劍倉卒解漢紛宇宙初倒懸鴻溝勢將分英謀信奇絶夫子揚清芬胡月入紫微三光亂天文高公鎮淮海談笑却妖氛採爾幕中畫戡難光殊勳我無燕霜感玉石俱燒焚但灑一行淚臨岐竟何云

餞校書叔雲

少年費白日歌笑矜朱顔不知忽已老喜見春風還惜别且為歡裴回桃李間看花飲美酒聽鳥臨晴山向晩

竹林寂無人空閉關

落落有風致

與諸公送陳郎將歸衡陽 并序

仲尼旅人文王明夷苟非其時聖賢低眉况僕之不肖者而遷逐枯槁固亦其宜朝心不開暮髮盡白而登高送遠使人增愁陳郎將義風凛然英思逸發來下曹城之椢去邊才子之詩動清心於中流泛素波而徑去諸公仰望不及連章祖之序巘起予輒冠名賢之首作者嗤我乃為撫掌之資乎

衡山蒼蒼入紫冥下看南極老人星迴飈吹散五峯雪往往飛花落洞庭氣清嶽秀有如此郎將一家拖金紫門前食客亂浮雲世人皆比孟嘗君江上送行無白璧臨岐惆悵若為分

起擅勝勢

賦得白鷺鷥送宋少府入三峽

白鷺拳一足月明秋水寒人驚遠飛去直向使君灘

奇思古調

宣州謝朓樓餞別校書叔雲

棄我去者昨日之日不可留亂我心者今日之日多煩憂長風萬里送秋鴈對此可以酣高樓蓬萊文章建安骨中間小謝又清發俱懷逸興壯思飛欲上青天覽日月抽刀斷水水更流舉杯銷愁愁更愁人生在世不稱意明朝散髮弄扁舟

逸情飈竪逸興雲飛杜甫所謂飄然思不羣者此矣千載而下猶見酒閒岸異之狀直仙才也

吳昌祺曰亦從明遠變化出來

涇川送族弟錞

涇川三百里若耶羞見之錦石照碧山兩邊白鷺鷥佳境千萬曲客行無歇時上有琴高水下有陵陽祠仙人不見我明月空相知問我何事來盧敖結幽期蓬山振雄筆繡服揮清詞江湖發秀色草木含榮滋置酒送惠連吾家稱白眉愧無海嶠作敢闕河梁詩見爾復幾朝俄然告將離中流漾彩鷁列岸叢金羈歎息蒼梧鳳分棲瓊樹枝清晨各飛去飄落天南垂望極落日盡秋深暝猨悲寄情與流水但有長相思

送崔氏昆季之金陵

放歌倚東樓行子期曉發秋風渡江來吹落山上月主人出美酒滅燭延清光二崔向金陵安得不盡觴水客弄歸棹雲帆卷輕霜扁舟敬亭下五兩先飄揚峽石入水花碧流日更長思君無歲月西笑阻河梁

筆情蕭爽自是太白本色

登黃山凌歊臺送族弟溧陽尉濟充泛舟赴華陰得齊字

鸞乃鳳之族翱翔紫雲霓文章輝五色雙在瓊樹棲一朝各飛去鳳與鸞俱啼炎赫五月中朱曦爍河堤爾從泛舟役使我心魂悽秦地無碧草南雲喧鼓鼙君王減玉膳早起思鳴雞漕引救關輔疲人免塗泥宰相作霖雨農夫得耕犂靜者伏草間羣才滿金閨空手無壯士窮居使人低送君登黃山長嘯倚天梯小舟若鳧鴈大舟若鯨鯢開帆散長風舒卷與雲齊日入牛渚晦蒼然夕烟迷相思定何許杳在洛陽西

起有奇氣說轉漕處見得關係鄭重數語內包括頗廣得古人贈言之義送别一段情景並到沈摯軒豁非大家未易有此

送儲邕之武昌

黃鶴西樓月長江萬里情春風三十度空憶武昌城送
爾難為別銜杯惜未傾湖連張樂地山逐泛舟行諾為
楚人重詩傳謝朓清滄浪吾有曲寄入棹歌聲

健筆凌空如列子御風而行冷然善也

沈德潛曰以古風起法運作長律太白天才不拘繩
墨乃爾

早秋單父南樓酬竇公衡

白露見日滅紅顏隨霜凋別君若俯仰春芳辭秋條泰

山嵯峨夏雲在疑是白波漲東海散為飛雨川上來遙
帷却卷清浮埃知君獨坐青軒下此時結念同所懷我
閑南樓看道書幽簾清寂在仙居曾無好事來相訪賴
爾高文一起予

首尾辭義自相關照中間逸氣湧出海之波瀾山之嶙
峋得不嘆為奇絕

山中問答

問余何意栖碧山笑而不答心自閑桃花流水窅然去
別有天地非人間

自是君身有仙骨世人那得知其故

楊萬里曰此李白詩體也

許顗曰賀知章呼太白為謫仙人余觀此詩信之矣

答友人贈烏紗帽

領得烏紗帽全勝白接䍦山人不照鏡稚子道相宜

小有情致

答長安崔少府叔封遊終南翠微寺太宗皇帝金

沙泉見寄

河伯見海若傲然誇秋水小物昧遠圖寧知通方士多
君紫霄意獨往蒼山裏地古寒雲深巖高長風起初登
翠微嶺復憩金沙泉踐苔朝霜滑弄波夕月圓飲彼石
下流結蘿宿溪烟鼎湖夢淥水龍駕空茫然早行子午
關却登山路遠拂琴聽霜猨滅燭乃星飯人烟無明異
鳥道絕往返攀崖倒青天下視白日晚既過石門隱還
唱石潭歌涉雪搴紫芳濯纓想清波此人不可見此地

君自過爲余謝風泉其如幽意何

神似謝靈運

訓崔五郎中

朔雲横高天萬里起秋色壯士心飛揚落日空歎息長嘯出原野凜然寒風生幸遭聖明時功業猶未成奈何懷良圖鬱悒獨愁坐杖策尋英豪立談乃知我崔公生民秀緬邈青雲姿制作參造化託諷含神祇海嶽尚可傾吐諾終不移是時霜飈寒逸興臨華池起舞拂長劍

四座皆揚眉因得窮懽情贈我以新詩又結汗漫期九垓遠相待舉身憩蓬壺濯足弄滄海從此凌倒景一去無時還朝遊明光宮暮入閶闔關但得長把袂何必嵩邱山

吳昌祺曰起亦聳拔通首無軟語

金門答蘇秀才

君還石門日朱火始改木春草如有情山中尚含緑折芳愧遙憶永路當自爲遠見故人心平生以此足巨海納百川麟閣多才賢獻書入金闕酌醴奉瓊筵屢忝白雲唱恭聞黄竹篇恩光照拙薄雲漢希騰遷銘鼎倘云遂扁舟方渺然我留在金門君去卧丹壑未果三山期遙欣一邱樂元珠寄象罔赤水非寥廓願狎東海鷗共營西山藥棲巖君寂滅處世余龍蠖良辰不同賞永日應閑居鳥吟簷間樹花落窗下書緣溪見緑篠隔岫窺紅蕖採薇行笑歌眷我情何已月出石鏡間松鳴風琴裏得心自虛妙物外空頹靡身世如兩忘從君老煙水

寫閑居之況幽靜可愛入後頗窺道妙吐屬亦臻妙境

答高山人兼呈權顧二侯

虹蜺掩天光哲后起康濟應運生夔龍開元掃氛翳太微廓金鏡端拱清遐裔輕塵集高嶽虛點盛明意謬揮紫泥詔獻納青雲際讒惑英主心恩疏佞臣計彷徨庭闕下歎息光陰逝未作仲宣詩先流賈生涕挂帆秋江上不爲雲羅制山海向東傾百川無盡勢我於鴟夷子相去千餘歲運闊英達稀同風遥執袂登艫望遠水忽

見滄浪枻高士何處來虛舟渺安繫衣貌本淳古文章
多佳麗延引故鄉人風義未淪替顧侯達語默權子識
通蔽曾是無心雲俱爲此留滯雙萍易飄轉獨鶴思凌
厲明晨去瀟湘共謁蒼梧帝

直寫胸懷一腔憤惋稍更駭人面目矣末路遠婉猶有
楚調若其骨氣英特可以直追正始

游南陽白水登石激作

朝涉白水源暫與人俗踈島嶼佳境色江天涵清虛目

送去海雲心閑遊川魚長歌盡落日乘月歸田廬

赤石石壁諸作有此清境

游南陽清冷泉

惜彼落日暮愛此寒泉清西輝逐流水蕩漾遊子情空
歌望雲月曲盡長松聲

尋魯城北范居士失道落蒼耳中見范置酒摘蒼
耳作

雁度秋色遠日靜無雲時客心不自得浩漫將何之忽
憶范野人閑園養幽姿茫然起逸興但恐行來遲城壕
失往路馬首迷荒陂不惜翠雲裘遂爲蒼耳欺入門且
一笑把臂君爲誰酒客愛秋蔬山盤薦霜梨他筵不下
筯此席忘朝飢酸棗垂北郭寒瓜蔓東籬還傾四五酌自
詠猛虎詞近作十日歡遠爲千載期風流自簸蕩謔浪
偏相宜酣來上馬去卻笑高陽池

鍾惺曰起得空遠若不著題然相關之妙在此

譚元春曰入門且一笑是失路真境

遊泰山六首　自注天寶元年四月從故御道上泰山

四月上泰山石屏御道開六龍過萬壑澗谷隨縈迴馬
跡遶碧峰於今滿青苔飛流灑絕巘水急松聲哀北眺
崿嶂奇傾崖向東摧洞門閉石扇地底興雲雷登高望
蓬瀛想象金銀臺天門一長嘯萬里清風來玉女四五
人飄颻下九垓含笑引素手遺我流霞杯稽首再拜之
自愧非仙才曠然小宇宙棄世何悠哉

吳昌祺曰筆力矯健亦從景純游仙來

清曉騎白鹿直上天門山山際逢羽人方瞳好容顏捫蘿欲就語却掩青雲關遺我鳥跡書飄然落巖間其字乃上古讀之了不閑感此三嘆息從師方未還

琅琅數語真覺飄然欲仙風格最高

平明登日觀舉手開雲關精神四飛揚如出天地間黄河從西來窈窕入遠山憑崖攬八極目盡長空閑偶然值青童緑髮雙雲鬟笑我晚學仙蹉跎凋朱顏躊躇忽不見浩蕩難追攀

白性本高逸遇復偃蹇其胸中磊砢一於詩乎發之泰山觀日天下之奇故足以舒其曠渺而寫其塊壘不平之意是篇氣骨高峻而無俶張之象後三篇狀景奇特而無刻削之迹蓋浩浩落落獨往獨來自然而成不假人力大家所以異人者在此若其體近游仙則其寄興云爾

清齋三千日裂素寫道經吟誦有所得衆神衛我形雲行信長風颯若羽翼生攀崖上日觀伏檻窺東溟海色動遠山天雞已先鳴銀臺出倒景白浪翻長鯨安得不死藥高飛向蓬瀛

日觀東北傾兩崖夾雙石海水落眼前天光遥空碧千峰争攢聚萬壑絶凌歷緬彼鶴上仙去無雲中跡長松入雲漢遠望不盈尺山花異人間五月雪中白終當遇安期於此鍊玉液

朝飲王母池暝投天門關獨抱緑綺琴夜行青山間山明月露白夜静松風歇仙人遊碧峰處處笙歌發寂静

娱清暉玉真連翠微想像鸞鳳舞飄颻龍虎衣捫天摘匏瓜恍惚不憶歸舉手弄清淺誤攀織女機明晨坐相失但見五雲飛

宋史天文志匏瓜五星在離珠北天子果園也光明則歲豐

下終南山過斛斯山人宿置酒

暮從碧山下山月隨人歸却顧所來徑蒼蒼横翠微相攜及田家童稚開荆扉緑竹入幽徑青蘿拂行衣歡言

得所憩美酒聊共揮長歌吟松風曲盡河星稀我醉君復樂陶然共忘機

此篇及春日獨酌春日醉起言志等作逼真泉明遺韻

鍾惺曰起似右丞曲盡星河稀寂然有景

陪從祖濟南太守泛鵲山湖

水入北湖去舟從南浦回遥看鵲山轉却似送人來

宿鄭參卿山池

爾恐碧草晚我畏朱顔移愁看楊花飛置酒正相宜歌

聲送落日舞影迴清池今日不盡杯留歡更邀誰

止是及時行樂之意而吐屬自饒情致

游謝氏山亭

淪老卧江海再歡天地清病閑久寂寞歲物徒芬榮借君西池遊聊以散我情掃雪松下去捫蘿石道行謝公池塘上春草颯已生花枝拂人來山鳥向我鳴田家有美酒落日與之傾醉罷弄歸月遥欣稚子迎

若非前段不能忘情却有春風舞雩氣象矣其澄澹處足兼韋柳

把酒問月　自注故人賈淳令予問之

青天有月來幾時我今停杯一問之人攀明月不可得月行却與人相隨皎如飛鏡臨丹闕綠烟滅盡清輝發但見宵從海上來寧知曉向雲間沒白兔擣藥秋復春姮娥孤棲與誰鄰今人不見古時月今月曾經照古人古人今人若流水共看明月皆如此唯願當歌對酒時月光長照金樽裏

奇思忽生曠懷如見共看明月皆如此令延之見之又當失笑

金陵鳳凰臺置酒

置酒延落景金陵鳳凰臺長波寫萬古心與雲俱開借問往昔時鳳凰為誰來鳳凰去已久正當今日迴明君越羲軒天老坐三台豪士無所用彈弦醉金罍東風吹山花安可不盡杯六帝沒幽草深宮冥綠苔置酒勿復道歌鐘但相催

意在語言之外其暢適處正是牢騷處耳眼前景意中事若隱若顯風人妙指

陪侍郎叔遊洞庭醉後

船上齊橈樂湖心泛月歸白鷗閑不去爭拂酒筵飛
剗却君山好平鋪湘水流巴陵無限酒醉殺洞庭秋

吳昌祺曰起是奇語如子美斫却月中桂也

蕭士贇曰木華海賦鏟臨崖之阜陸決陂潢而相沷首兩句意出於此鏟與剗義通杜亦曰意欲鏟疊嶂

令韻引此詩於剗字之下

夜泛洞庭尋裴侍御清酌

日晚湘水綠孤舟無端倪明湖漲秋月獨泛巴陵西遇憩裴逸人巖居陵丹梯抱琴出深竹為我彈鵾雞曲畫酒亦傾北窗醉如泥人生且行樂何必組與珪

譬之於雲有無心出岫之意明湖漲秋月與月湧大江流同一寫景之妙

楊齊賢曰鵾雞曲名古琵琶絃用鵾雞筋

陪族叔刑部侍郎曄及中書賈舍人至遊洞庭

洞庭西望楚江分水盡南天不見雲日落長沙秋色遠不知何處弔湘君

即目傷懷含情無限二十八字不減九辯之哀矣解者求之於形迹之間何以會其神韻哉

敖英曰綴景宏闊有吞吐湖山之氣落句感慨之情深矣

蔣仲舒曰與白雲明月弔湘娥參看

鍾惺曰末句正形容秋色遠耳勿誤認用湘君事

南湖秋水夜無烟耐可乘流直上天且就洞庭賒月色將船買酒白雲邊

鍾惺曰寫洞庭寥廓幻杳俱在言外

洞庭湖西秋月輝瀟湘江北早鴻飛醉客滿船歌白苧不知霜露入秋衣

唐汝詢曰秋月未沈晨雁已起舟中之客霜露入衣而不知豈真樂而忘返耶意必有不堪者在也

帝子瀟湘去不還空餘秋草洞庭閒淡掃明湖開玉鏡
丹青畫出是君山

登單父陶少府半月臺

陶公有逸興不與常人俱築臺像半月迴向高城隅置
酒望白雲商飈起寒梧秋山入遠海桑柘羅平蕪水色
淥且明令人思鏡湖終當過江去愛此暫踟躕

襟懷高曠人如其詩

天台曉望

天台鄰四明華頂高百越門標赤城霞樓棲滄島月憑
高登遠覽直下見溟渤雲垂大鵬翻波動巨鼇沒風潮
爭洶湧神怪何翕忽觀奇跡無倪好道心不歇攀條摘
朱實服藥鍊金骨安得生羽毛千春卧蓬闕

焦山望寥山

石壁望松寥宛然在碧霄安得五綵虹駕天作長橋仙
人如愛我舉手來相招

杜陵絕句

高登杜陵上北望五陵間秋水明落日流光滅遠山

登太白峰

西上太白峰夕陽窮登攀太白與我語為我開天關願
乘泠風去直出浮雲間舉手可近月前行若無山一別
武功去何時復見還

亦率胸臆而出形容峰勢之高奇語獨造

秋日登揚州西靈塔

寶塔淩蒼蒼登攀覽四荒頂高元氣合標出海雲長萬

象分空界三天接畫梁水搖金剎影日動火珠光鳥拂
瓊簾度霞連繡栱張目隨征路斷心逐去帆揚露浴梧
楸白霜催橘柚黃玉毫如可見於此照迷方

聲色壯麗一經點入情景便覺通體皆靈此亦詩中之
金針也

吳昌祺曰凌字讀如淩陰字音此詩有似初唐非太
白本色

登瓦官閣

晨登瓦官閣極眺金陵城鍾山對北户淮水入南榮漫
漫雨花落嘈嘈天樂鳴兩廊振法鼓四角吟風箏杳出
霄漢上仰攀日月行山空霸氣滅地古寒陰生寥廓雲海晚蒼
茫宫觀平門餘閶闔宇樓識鳳凰名雷作百山動神扶
萬栱傾靈光何足貴長此鎮吴京

山空地古一聯撐拄有力小謝和伏武昌詩無此傑句

登梅岡望金陵贈族姪高座寺僧中孚

鍾山抱金陵霸氣昔騰發天開帝王居海色照宫闕羣
峰如逐鹿奔走相馳突江水九道來雲端遥明沒時遷

大運去龍虎勢休歇我來屬天清登覽窮楚越吾宗挺
禪伯特秀鸞鳳骨衆星羅青天明者獨有月冥居順生
理草木不翦伐烟窗引薔薇石壁老野蕨吴風謝安屐
白足傲履襪幾宿一下山蕭然忘干謁談經演金偈降
鶴舞海雪時聞天香來了與世事絶徃遊不可得春風
惜遠别賦詩留巖屏千載庶不滅

登金陵鳳凰臺

鳳凰臺上鳳凰遊鳳去臺空江自流吴宫花草埋幽徑
晉代衣冠成古丘三山半落青天外二水中分白鷺洲
總為浮雲能蔽日長安不見使人愁

崔顥題詩黄鶴樓李白見之去不復作至金陵登鳳凰
臺乃題此詩傳者以為擬崔而作理或有之崔詩直舉
胸情氣體高渾白詩寓目山河别有懷抱其言皆從心
而發即景而成意象偶同勝境各擅論者不舉其高情
遠意而沾沾吹索於字句之間固已蔽矣至謂白實擬
之以較勝負并謬為搥碎鶴樓等詩鄙陋之談不值一
噱也

蕭士贇曰此因懷古而動懷君之思抑亦自傷境蹙
望帝鄉而不見乃觸景而生愁亦可哀也

劉辰翁曰其開口雄偉脱落雕飾俱不論若無後兩
句亦不必作出於崔顥而特勝之以此

胡應麟曰崔作及此詩但略點題面未嘗題黄鶴鳳
凰也神韻悠然絶去斧鑿宋元雖好用事亦間有一

二未若近世之拘

陸賈新語曰邪臣蔽賢猶浮雲之蔽日月也

望廬山瀑布水二首

西登香鑪峰南見瀑布水挂流三百丈噴壑數十里歘如飛電來隱若白虹起初驚河漢落半灑雲天裏仰觀勢轉雄壯哉造化功海風吹不斷江月照還空空中亂潨射左右洗青壁飛珠散輕霞流沫沸穹石而我樂名山對之心益閑無論漱瓊液還得洗塵顏且諧宿所好

永願辭人間

五六以淺得工至海風吹不斷江月照還空可吟賞不置矣

胡仔曰海風二句磊落清壯語簡而意盡

日照香鑪生紫烟遙看瀑布挂前川飛流直下三千尺疑是銀河落九天

蘇軾曰僕初入廬山有以陳令舉廬山記見示者且行且讀見其中有徐凝和李白詩不覺失笑開元寺主求詩爲作一絶云帝遣銀河一派垂古來惟有謫仙詞飛流濺沫知多少不爲徐凝洗惡詩

登廬山五老峰

廬山東南五老峰青天削出金芙蓉九江秀色可攬結吾將此地巢雲松

純用古調次句亦秀削天成

江上望皖公山

奇峰出奇雲秀木含秀氣清宴皖公山巉絶稱人意獨

遊滄江上終日淡無味但愛玆嶺高何由討靈異默然遙相許欲往心莫遂待吾還丹成投跡歸此地

鸚鵡洲

鸚鵡來過吳江水江上洲傳鸚鵡名鸚鵡西飛隴山去芳洲之樹何青青烟開蘭葉香風暖岸夾桃花錦浪生遷客此時徒極目長洲孤月向誰明

偶書數語覺其對此茫茫百端交集矣

劉辰翁曰猶是鳳臺餘韻情景覺稱此以正平平正

平者

秋登巴陵望洞庭

清晨登巴陵周覽無不極明湖映天光徹底見秋色秋色何蒼然際海俱澄鮮山青滅遠樹水綠無寒烟來帆出江中去鳥向日邊風清長沙浦山空雲夢田瞻光惜頹髮閱水悲徂年北渚既蕩漾東流自潺湲郢人唱白雪越女歌採蓮聽此更腸斷憑崖淚如泉

寫望中景物與題相稱次聯即空水共澄鮮之意以下四聯極澗極切細意熨貼登覽中佳製也

與夏十二登岳陽樓

樓觀岳陽盡川迥洞庭開鴈引愁心去山銜好月來雲間連下榻天上接行杯醉後涼風起吹人舞袖迴

登巴陵開元寺西閣贈衡嶽僧方外

衡嶽有開士五峰秀真骨見君萬里心海水照秋月大臣南溟去問道皆請謁灑以甘露言清涼潤肌髮明湖落天鏡香閣凌銀闕登眺餐惠風新花期啓發

語言清妙如霏玉屑

傳燈錄慧可大師宴坐香山一日頭痛空中曰此乃換骨非常痛也師視其頂骨如五峰秀出矣

與賈舍人至於龍興寺剪落梧桐枝望灉湖

剪落青梧枝灉湖坐可窺雨洗秋山淨林光澹碧滋水閑明鏡轉雲繞畫屏移千古風流事名賢共此時

秋登宣城謝朓北樓

江城如畫裏山晚望晴空兩水夾明鏡雙橋落彩虹人煙寒橘柚秋色老梧桐誰念北樓上臨風懷謝公

風神散朗五六寫出秋意鬱然蒼秀

吳昌祺曰此種自堪把臂元暉

沈德潛曰中間實寫處正是如畫

望天門山

天門中斷楚江開碧水東流至北迴兩岸青山相對出孤帆一片日邊來

對結另是一體詞調高華言盡意不盡不得以半律議

之

胡應麟曰此及朝辭白帝等作俱極自然洵屬神品
足以擅場一代

過崔八丈水亭

高閣横秀氣清幽併在君簷飛宛溪水窗落敬亭雲猨
嘯風中斷漁歌月裏聞閒隨白鷗去沙上自為羣

之廣陵宿常二南郭幽居

綠水接柴門有如桃花源忘憂或假草滿院羅叢萱冥

色湖上來微雨飛南軒故人宿茅宇夕鳥棲楊園還惜詩
酒別深為江海言明朝廣陵道獨憶此傾樽

中間氣味與王孟相近

客中行

蘭陵美酒鬱金香玉椀盛來琥珀光但使主人能醉客
不知何處是他鄉

太原早秋

歲落衆芳歇時當大火流霜威出塞早雲色渡河秋夢
繞邊城月心飛故國樓思歸若汾水無日不悠悠

健舉之至行氣如虹

唐汝詢曰唐人汾上作必用秋風辭太白曰雲色渡
河秋便無蹊徑

奔亡道中

森森望湖水青青蘆葉齊歸心落何處日沒大江西歇
馬傍春草欲行遠道迷誰忍子規鳥連聲向我啼

荆門浮舟望蜀江

春水月峽來浮舟望安極正是桃花流依然錦江色江

色綠且明茫茫與天平逶迤巴山盡搖曳楚雲行雪照
聚沙鴈花飛出谷鶯芳洲却已轉碧樹森森迎流目浦
烟夕揚帆海月生江陵識遙火應到渚宮城

上三峽

巫山夾青天巴水流若茲巴水忽可盡青天無到時三
朝上黃牛三暮行太遲三朝又三暮不覺鬢成絲

質爽似古謠惟其所之皆可以相肖也真直之氣自是

本色

田雯曰青蓮善用古樂府昔人嘗言之如烏啼白門柳三朝見黃牛又春風復無情吹我夢魂散皆自古樂府來如李光弼將郭子儀軍旌旗改色又如禪僧拈佛祖語信口無非妙諦

自巴東舟行經瞿唐峽登巫山最高峰晚還題壁

江行幾千里海月十五圓始經瞿塘峽遂步巫山巔巫山高不窮巴國盡所歷日邊攀垂蘿霞外倚穹石飛步凌絕頂極目無纖烟却顧失丹壑仰觀臨青天青天若

可捫銀漢去安在望雲知蒼梧記水辨瀛海周遊孤光晚歷覽幽意多積雪照空谷悲風鳴森柯歸途行欲曛佳趣尚未歇江寒早啼猨松暝已吐月月色何悠悠清猨響啾啾辭山不忍聽揮策還孤舟

於敘次中見寄託詞意沉鬱蓋白當憂患之餘雖豪邁不減而懷抱可知故言多楚聲吟皆商調中間遇情忽往不勝魏闕之戀猨啼月上於邑誰語其所感深矣其詞斂而不肆讀者以意逆之可也

早發白帝城

朝辭白帝彩雲間千里江陵一日還兩岸猨聲啼不住輕舟已過萬重山

順風揚帆瞬息千里但道得眼前景色便疑筆墨間亦有神助三四設色托起殊覺自在中流

胡應麟曰古大家有齊名合德者當虛心易氣各舉所長偏重一隅便非篤論況以甲所獨工形乙所不經意何異寸木岑樓鈎金輿羽哉正如朝辭白帝乃

太白絕中之絕出者而楊用修舉杜歌行中常語以當之然則秋興八首求之李集可盡得乎李杜二家其才本無優劣但工部體裁明密有法可尋青蓮興會標舉非學可至

沈德潛曰入猨聲一句文勢不傷於直畫家布景設色每於此處用意

秋下荊門

霜落荆門江樹空布帆無恙挂秋風此行不為鱸魚鱠
自愛名山入剡中

輕秀運古入化絶妙好辭

江行寄遠

刳木出吳楚危槎百餘尺疾風吹片帆日暮千里隔别
時酒猶在巳為異鄉客思君不可得愁見江水碧

字字真至情至而文亦至

御選唐宋詩醇卷七

御選唐宋詩醇卷八

隴西李白詩八

夜泊黄山聞殷十四吳吟

昨夜誰為吳會吟風生萬壑振空林龍驚不敢水中卧
猨嘯時聞巖下音我宿黄山碧溪月聽之却罷松間琴
朝來果是滄洲逸酤酒醍盤飯霜栗半酣更發江海聲
客愁頓向杯中失

宿鰕湖

雞鳴發黄山暝投鰕湖宿白雨暎寒山森森似銀竹提
攜採鉛客結荷水邊沐半夜四天開星河爛人目明晨
大樓去岡隴多屈伏當與持斧翁前溪伐雲木

奇句天成非關削琢

蘇臺覽古

舊苑荒臺楊柳新菱歌清唱不勝春只今惟有西江月
曾照吳王宮裏人

越中覽古

越王句踐破吳歸戰士還鄉盡錦衣宮女如花滿春殿只今惟有鷓鴣飛

前蘇臺覽古通首言其蕭索而末一語兜轉其盛此首從盛時說起而末句轉入荒涼此立格之異也

峴山懷古

訪古登峴首憑高眺襄中天清遠峰出水落寒沙空弄珠見遊女醉酒懷山公感歎發秋興長松鳴夜風

經下邳圯橋懷張子房

子房未虎嘯破產不為家滄海得壯士椎秦博浪沙報韓雖不成天地皆振動潛匿遊下邳豈曰非智勇我來圯橋上懷古欽英風惟見碧流水曾無黃石公歎息此人去蕭條徐泗空

凜然英鷙之氣筆落驚風雨此足當之

鍾惺曰智勇二字可作留侯世家小贊

吳昌祺曰東楚謂橋為圯圯下加橋誤也

金陵

六代興亡國三杯為爾歌苑方秦地少山似洛陽多古殿吳花草深宮晉綺羅併隨人事滅東逝與滄波

六朝佳麗滿目黯然詩亦別一風格

陪宋中丞武昌夜飲懷古

清景南樓夜風流在武昌庾公愛秋月乘興坐胡牀龍笛吟寒水天河落曉霜我心還不淺懷古醉餘觴

八句一氣湧出古無此格乃古體中之諧調律篇中之清音

望鸚鵡洲懷禰衡

魏帝營八極蟻觀一禰衡黃祖斗筲人殺之受惡名吳江賦鸚鵡落筆超羣英鏘鏘振金玉句句欲飛鳴鷙鶚啄孤鳳千春傷我情五嶽起方寸隱然詎可平才高竟何施寡識冒天刑至今芳洲上蘭蕙不忍生

曹瞞黃祖輩不足道也寡識冒天刑禍生亦應心服

宿巫山下

昨夜巫山下猨聲夢裏長桃花飛緑水三月下瞿塘雨色風吹去南行拂楚王高邱懷宋玉訪古一霑裳

嚴羽曰律詩有徹首尾不對者皆文從字順音韻鏗鏘盛唐諸公有此體此篇及長信宮牛渚懷古是也

金陵白楊十字巷

白楊十字巷北夾湖溝道不見吳時人空生唐年草天地有反覆宮城盡傾倒六帝餘古邱樵蘇泣遺老

謝公亭 自注蓋謝朓范雲之所游

謝公離別處風景每生愁客散青天月山空碧水流池花春映日窗竹夜鳴秋今古一相接長歌懷舊遊

吳昌祺曰通體完渾

夜泊牛渚懷古 自注此地即謝尚聞袁宏詠史處

牛渚西江夜青天無片雲登舟望秋月空憶謝將軍余亦能高詠斯人不可聞明朝挂帆席楓葉落紛紛

白天才超邁絶去町畦其論詩以興寄為主而不屑屑於排偶聲調當其意合真能化盡筆墨之迹逈出塵壒之外司空圖云不著一字盡得風流嚴羽云鏡中之花水中之月羚羊挂角無迹可求論者以此詩及孟浩然望廬山一篇當之蓋有以窺其妙矣羽又云味在酸鹹之外吟此數過知其善於名狀矣

吳昌祺曰長信猶用對起此篇全散如海鶴凌空不必鸞凰之色彩

田雯曰青蓮作近體如作古風一氣呵成無對待之跡有流行之樂境地高絶

尋高鳳石門山中元丹邱

尋幽無前期乘興不覺遠蒼厓渺難涉白日忽欲晚未窮三四山已歷千萬轉寂寂聞猨愁行行見雲収高松來好月空谷宜清秋溪深古雪在石斷寒泉流峰巒秀中天登眺不可盡丹邱遥相呼顧我忽而哂遂造窮谷間始知靜者閑留歡達永夜清曉方言還

鍾惺曰乘興而來興盡而返只是此起五字意然如此說不殺風景

月下獨酌

花間一壺酒獨酌無相親舉杯邀明月對影成三人月既不解飲影徒隨我身暫伴月將影行樂須及春我歌月裴回我舞影零亂醒時同交歡醉後各分散永結無情遊相期邈雲漢

千古奇趣從眼前得之爾時情景雖復潦倒終不勝其曠達陶潛云揮杯勸孤影白意本此

三月咸陽城千花晝如錦誰能春獨愁對此徑須飲窮

通與修短造化夙所稟一樽齊死生萬事固難審醉後失天地兀然就孤枕不知有吾身此樂最爲甚

置之陶飲酒中真趣正復相似

春歸終南山松龕舊隱

我來南山陽事事不異昔却尋溪中水還望巖下石薔薇緣東窗女蘿遶北壁别來能幾日草木長數尺且復命酒樽獨酌陶永夕

尋山僧不遇作

石徑入丹壑松門閉青苔閑階有鳥跡禪室無人開窺窗見白拂挂壁生塵埃使我空歎息欲去仍裴回香雲徧山起花雨從天來已有空樂好況聞青猿哀了然絶世事此地方悠哉

客不欲去僧復何之嘆息之意於後半見之

待酒不至

玉壺繫青絲沽酒來何遲山花向我笑正好銜杯時晚酌東窗下流鶯復在茲春風與醉客今日乃相宜

世人皆以豪放待白豈知其靜妙乃爾

獨酌

春草如有意羅生玉堂陰東風吹愁來白髮坐相侵獨酌勸孤影閑歌面芳林長松爾何知蕭瑟爲誰吟手舞石上月膝横花間琴過此一壺外悠悠非我心

閒適諸篇大概與陶近似非有意擬古其自然處合以天耳

友人會宿

滌蕩千古愁留連百壺飲良宵宜清談皓月未能寢醉來卧空山天地即衾枕

春日獨酌二首

東風扇淑氣水木榮春暉白日照綠草落花散且飛孤雲還空山衆鳥各已歸彼物皆有託吾生獨無依對此石上月長醉歌芳菲

我有紫霞想緬懷滄洲間思對一壺酒澹然萬事閑橫琴倚高松把酒望遠山長空去鳥沒落日孤雲還但恐光景晚宿昔成秋顔

金陵江上遇蓬池隱者 自注時於落星石上以紫綺裘換酒為歡

心愛名山遊身隨名山遠羅浮麻姑臺此去或未返遇君蓬池隱就我石上飯空言不成歡強笑惜日晚綠水向雁門黄雲蔽龍山歎息兩客鳥裴回吳越間共語一執手留連夜將久解我紫綺裘且換金陵酒酒來笑復歌興酣樂事多水影弄月色清光奈愁何明晨挂帆席離恨滿滄波

白雖徘徊吳越非忘情國家者偶然觸發不覺流露篇中亦喜得此健句撐拄

山中與幽人對酌

兩人對酌山花開一杯一杯復一杯我醉欲眠卿且去明朝有意抱琴來

用成語妙如已出前二句古調後二句諧協體正格

春日醉起言志

處世若大夢胡為勞其生所以終日醉頽然卧前楹覺

來盼庭前一鳥花間鳴借問此何時春風語流鶯感之欲歎息對酒還自傾浩歌待明月曲盡已忘情

蕭士贇曰太白此詩擬陶之化也

吳昌祺曰有感時之思而不覺自得於酒有高歌之興而不覺遂忘其情此意正佳

廬山東林寺夜懷

我尋青蓮宇獨往謝城闕霜清東林鐘水白虎溪月天香生虛空天樂鳴不歇宴坐寂不動大千入毫髮湛然

寔真心曠刼斷出沒

法藏碑金曰静勝境中有自然清氣名曰天香自然

清意名曰天樂

尋雍尊師隱居

羣峭碧摩天逍遥不記年撥雲尋古道倚石聽流泉花

暖青牛卧松高白鶴眠語來江色暮獨自下寒烟

一結擅勝神韻悠然

吴昌祺曰此種甚與襄陽相似

與史郎中欽聽黄鶴樓上吹笛

一為遷客去長沙西望長安不見家黄鶴樓中吹玉笛

江城五月落梅花

淒切之情見於言外有含蓄不盡之致至於落梅笛曲

點用入化論者乃紛紛争梅之落與不落豈非癡人前

不得說夢耶

樂府解題曰梅花落笛曲也自宋鮑照以下常為之

對酒

勸君莫拒杯春風笑人來桃李如舊識傾花向我開流

鶯啼碧樹明月窺金罍昨日朱顔子今日白髮催棘生

石虎殿鹿走姑蘇臺自古帝王宅城闕閉黄埃君若不

飲酒昔人安在哉

獨坐敬亭山

衆鳥高飛盡孤雲獨去閑相看兩不厭只有敬亭山

宛然獨坐神理胡應麟謂絶句貴含蓄此詩太分曉非

善說詩者

自遣

對酒不覺暝落花盈我衣醉起步溪月鳥還人亦稀

訪戴天山道士不遇

犬吠水聲中桃花帶雨濃樹深時見鹿溪午不聞鐘野

竹分青靄飛泉挂碧峰無人知所去愁倚兩三松

自然深秀似王維集中高作視孟浩然尋梅道士詩華

實俱勝

秋日與張少府楚城韋公藏書高齋作

日下空庭暮城荒古跡餘地形連海盡天影落江虛舊
賞人雖隔新知樂未踈彩雲思作賦丹壁間藏書槎擁
隨流葉萍開出水魚夕來秋興滿回首意何如

憶東山

不向東山久薔薇幾度花白雲還自散明月落誰家

吳昌祺曰後二句即明月獨舉白雲誰侶之意

望月有懷

清泉映疎松不知幾千古寒月搖清波流光入窗戶對
此空長吟思君意何深無因見安道興盡愁人心

對酒憶賀監 并序

太子賓客賀公於長安紫極宮一見余呼余為謫仙
人因解金龜換酒為樂歿後對酒悵然有懷而作是
詩

狂客歸四明山陰道士迎敕賜鏡湖水為君臺沼榮人
亡餘故宅空有荷花生念此杳如夢淒然傷我情

白於知章有知己之感對酒傷懷不減西州一慟

重憶

欲向江東去定將誰舉杯稽山無賀老却棹酒船回

裴敬墓碑曰予過當塗訪翰林舊宅於浮圖寺化城
之僧得翰林自寫訪賀監不遇詩云東山無賀老却
棹酒船回味之不足重之為寶

效古二首

朝入天苑中謁帝蓬萊宮青山映輦道碧樹搖蒼空謬
題金閨籍得與銀臺通待詔奉明主抽毫頌清風歸時
落日晚蹀躞浮雲驄人馬本無意飛馳自豪雄入門紫
鴛鴦金井雙梧桐清歌弦古曲美酒沽新豐快意且為
樂列筵坐羣公光景不可留生世如轉蓬早達勝晚遇
羞比垂釣翁

自古有秀色西施與東鄰蛾眉不可妬況乃效其曠所
以尹婕好羞見邢夫人低頭不出氣塞默少精神寄語

無鹽子如君何足珍

凡效古擬古之作皆非空言必中有所感藉以寄意故質言之不得則以寓言明之正言之不可則反其辭以見意白之高曠豈沾沾以早達自喜誇娥眉而嗤醜女者哉刺之深諷之微也真得古樂府之遺讀者以意逆志得其言外之旨可也

擬古

青天何歷歷明星如白石黃姑與織女相去不盈尺銀

河無鵲橋非時將安適閨人理紈素遊子悲行役瓶冰知冬寒霜露歎遠客客似秋葉飛飄颻不言歸別後羅帶長愁寬去時衣乘月託宵夢因之寄金徽

蕭士贇曰此篇傷時窮兵黷武行役無期度男女怨曠不得遂其室家之情感時而悲者焉

梅禹祚曰古詩相去日以遠衣帶日以緩太白約其語曰別後羅帶長所謂延年善減

唐地理志羈縻州金微都督府隸安北都護府

長繩難繫日自古共悲辛黃金高北斗不惜買陽春石火無留光還如世中人即事已如夢後來我誰身提壺莫辭貧取酒會四鄰仙人殊恍惚未若醉中真

後來我誰身鑄為奇句乃不累理

月色不可掃客愁不可道玉露生秋衣流螢飛百草日月終銷毀天地同枯槁蟪蛄啼青松安見此樹老金丹寧誤俗昧者難精討爾非千歲翁多恨去世早飲酒入玉壺藏身以為寶

起句妙語天然不由思索而得

蕭士贇曰太白素志學仙此是反古詩中服食求神仙多為藥所誤之意猶反騷云

生者為過客死者為歸人天地一逆旅同悲萬古塵月兔空搗藥扶桑已成薪白骨寂無言青松豈知春前後更歎息浮榮安足珍

涉江弄秋水愛此荷花鮮攀荷弄其珠蕩漾不成圓佳人綵雲裏欲贈隔遠天相思無由見悵望涼風前

蕭士贇曰喻賢者慕君始得位而害之者至欲有獻而為讒所間也辭哀意顯怨而不誹

去去復去去辭君還憶君漢水既殊流楚山亦此分人生難稱意豈得長為羣越燕喜海日燕鴻思朔雲別久容華晚琅玕不能飯日落知天昏夢長覺道遠望夫登高山化石竟不返

漢代五言雖辭多質直然如十九首之類各具機杼變化不測非盡無作用者也陸機江淹擬古善矣論者謂

如搏猛虎捉生龍急與之較而力不暇誠為氣格悉敵白之諸作體雖彷古意乃自運其才無所不有故辭意出入魏晉而大致直媲西京正不必拘拘句比字擬以求之又其辭多有寄託當以意會更不必處處牽合如舊註所云也

蕭士贇曰此其太白去國之時所作乎身在江湖心居魏闕懷君憂國之意藹然見於言表末言雖隔絶遠方而愛君之心猶石之堅也悲夫

唐汝詢曰前篇擬涉江采芙蓉此擬行行重行行也皆自鮑謝中來非盡十九首風格

感興

裂素持作書將寄萬里懷眷眷待遠信竟歲無人來征鴻務隨陽又不為我棲委之在深篋蠹魚壞其題何如投水中流落他人開不惜他人開但恐生是非

嘉穀隱豐草草深苗且稀農夫既不異孤穗將安歸常恐委疇隴忽與秋蓬飛烏得薦宗廟為君生光輝

前篇情意纏綿次篇比興深厚辭旨醇正直逼漢人

秋夕旅懷

涼風度秋海吹我鄉思飛連山去無際流水何時歸目極浮雲色心斷明月暉芳草歇柔豔白露催寒衣夢長銀漢落覺天星稀含悲想舊國泣下誰能揮

晉宋間有此清機齊梁間無此逸氣

尋陽紫極宮感秋作

何處聞秋聲翛翛北窗竹迴薄萬古心攬之不盈掬靜

坐觀衆妙浩然媚幽獨白雲南山來就我檐下宿嬾從唐生決羞訪季主卜四十九年非一往不可復野情轉蕭灑世道有翻覆陶令歸去來田家酒應熟

劉辰翁曰其自然不可及矣東坡和此終涉擬議

譚元春曰取太白詩貴以幽細之語補其輕快有餘之失似此即妙矣

秋夕書懷

北風吹海鴈南渡落寒聲感此瀟湘客淒其流浪情海

懷結滄洲霞想遊赤城始探蓬壺事旋覺天地輕澹然吟高秋閑卧瞻太清蘿月掩空幕松霜結前楹滅見息羣動獵微窮至精桃花有源水可以保吾生

亦所謂工於發端者滅見息羣動二語頗有見地

荊州賊平臨洞庭言懷作

修蛇橫洞庭吞象臨江島積骨成巴陵遺言聞楚老水窮三苗國地窄三湘道歲宴天崢嶸時危人枯槁思歸阻喪亂去國傷懷抱郢路方邱墟章華亦傾倒風悲猿嘯苦木落鴻飛早日隱西赤沙月明東城草關河望已絕氛霧行當掃長叫天可聞吾將問蒼昊

幽鬱之衷沈雄之氣可云程形賦音

江南春懷

青春幾何時黄鳥鳴不歇天涯失鄉路江外老華髮心飛秦塞雲影滯楚關月身世殊爛漫田園久蕪沒歲宴何所從長歌謝金闕

聽蜀僧濬彈琴

蜀僧抱綠綺西下峨眉峰為我一揮手如聽萬壑松客心洗流水餘響入霜鐘不覺碧山暮秋雲暗幾重

纍纍如貫珠泠泠如叩玉斯為雅奏清音

初出金門尋王侍御不遇詠壁上鸚鵡

落羽辭金殿孤鳴咤繡衣能言終見棄還向隴西飛

楊齊賢曰太白自況也

觀元丹邱坐巫山屏風

昔遊三峽見巫山見畫巫山宛相似疑是天邊十二峰

飛入君家彩屏裏寒松蕭瑟如有聲陽臺微茫如有情錦衾瑤席何寂寂楚王神女徒盈盈高咫尺如千里翠屏丹崖粲如綺蒼蒼遠樹圍荆門歷歷行舟泛巴水水石潺湲萬壑分烟光草色俱氛氲溪花笑日何年發江客聽猿幾歲聞使人對此心緬邈疑入嵩邱夢綵雲

題畫詩杜多沉着李自飄逸

見野草中有白頭翁者

醉入田家去行歌荒野中如何青草裏亦有白頭翁折

取對明鏡宛將衰鬢同微芳似相誚留恨向東風

結意刻深却有風致

譚元春曰徑似高岑

流夜郎題葵葉

慙君能衛足嘆我遠移根白日如分照還歸守故園

瑩禪師房觀山海圖

真僧閉精宇滅跡含達觀列嶂圖雲山攢峰入霄漢丹崖森在目清晝疑卷幔蓬壺來軒窗瀛海入几案煙濤爭噴薄島嶼相凌亂征帆飄空中瀑水灑天半崢嶸若可陟想像徒盈嘆杳與真心冥遂諧靜者翫如登赤城裏揭步滄洲畔即事能娛人從茲得消散

圖與觀圖者色色並到

白鷺鷥

白鷺下秋水孤飛如墜霜心閑且未去獨立沙洲傍

詠桂

世人種桃李皆在金張門攀折爭捷徑及此春風暄一

朝天霜下榮耀難久存安知南山桂綠葉垂芳根清陰亦可託何惜樹君園

雖託喻以達情亦可令植私者通身汗下有關世道不淺

巫山枕障

巫山枕障畫高邱白帝城邊樹色秋朝雲夜入無行處巴水橫天更不流

勞勞亭

天下傷心處勞勞送客亭春風知别苦不遣柳條青

二十字無不刺骨

譚元春曰古之傷心人豈是尋常哀樂

嘲魯儒

魯叟談五經白髮死章句問以經濟策茫如墜煙霧足著遠遊履首戴方山巾緩步從直道未行先起塵秦家丞相府不重褒衣人君非叔孫通與我本殊倫時事且未達歸耕汶水濱

儒不可輕若死於章句而不達時事則貌爲儒而已漢宣帝所謂俗儒不達時宜叔孫通所謂鄙儒施之此人則可矣不然以儒爲戲豈可訓哉

春夜洛城聞笛

誰家玉笛暗飛聲散入春風滿洛城此夜曲中聞折柳何人不起故園情

與杜甫吹笛七律同意但彼結句與白鶴樓絶句出以變化不見用事之迹此詩並不翻新深情自見亦異曲同工也

樂府雜錄曰笛者羌樂也古曲有折楊柳落梅花

宣城見杜鵑花

蜀國曾聞子規鳥宣城還見杜鵑花一叫一迴腸一斷三春三月憶三巴

如諺如謠却是絶句本色效之則癡矣或以爲杜牧作亦不類也

白田馬上聞鶯

黄鸝啄紫椹五月鳴桑枝我行不記日誤作陽春時蠶老客未歸白田已繅絲驅馬又前去捫心空自悲

曲而有直體深得樂府之意

三五七言

秋風清秋月明落葉聚還散寒鴉棲復驚相思相見知何日此時此夜難爲情

哀音促節淒若繁絃

楊齊賢曰古無此體自太白始

雜詩

白日與明月晝夜尚不閑況爾悠悠人安得久世間傳聞海水上乃有蓬萊山玉樹生綠葉靈仙每登攀一食駐元髮再食留紅顔吾欲從此去去之無時還

寄遠

陽臺隔楚水春草生黃河相思無日夜浩蕩若流波流波向海去欲見終無因遥將一點淚遠寄如花人

長短春草綠綠階如有情卷施心獨苦抽却死還生覩

物知妾意希君種後庭閑時當採掇念此莫相輕

花木考曰卷施草名拔心不死楚詞註云即枲耳也

魯縞如玉霜筆題月氏書寄書白鸚鵡西海慰離居行數雖不多字字有委曲天末如見之開緘淚相續淚盡恨轉深千里同此心相思千萬里一書直千金

三詩皆與古為化不以摹擬為工而寄託自遠

長門怨

天迴北斗挂西樓金屋無人螢火流月光欲到長門殿別作深宮一段愁

桂殿長愁不記春黃金四壁起秋塵夜懸明鏡青天上獨照長門宮裏人

寫出淒凉奇況所謂善於言愁

胡應麟曰此與江寧西宮怨李則意盡語中王則意在言外然各有至處大概李寫景入神王言情造極

陌上贈美人

駿馬驕行踏落花垂鞭直拂五雲車美人一笑褰珠箔

遥指紅樓是妾家

閨情

流水去絶國浮雲辭故關水或戀前浦雲猶歸舊山恨君流沙去棄妾漁陽間玉筯夜垂流雙雙落朱顔黃鳥坐相悲綠楊誰更攀織錦心草草挑燈淚斑斑窺鏡不自識況乃狂夫還

起極蒼渾結亦峭健雖帶齊梁格調氣骨自別

怨情

新人如花雖可寵故人似玉由來重花性飄揚不自持玉心皎潔終不移故人昔新今尚故還見新人有故時請看陳后黄金屋寂寂珠簾生網絲

偶引古辭別出新意怨意不言而顯

湖邊採蓮婦

小姑織白紵未解將人語大嫂採芙蓉溪湖千萬重長兄行不在莫使外人逢願學秋胡婦貞心比古松

亦樂府之遺作勸勉語可以厲俗比採蓮曲尤爲近古

怨情

美人捲珠簾深坐顰蛾眉但見淚痕濕不知心恨誰

絶好形容

代寄情楚辭體

君不來兮徒蓄怨積思而孤吟雲陽一去已遠隔巫山綠水之沈沈留餘香兮染繡被夜欲寢兮愁人心朝馳余馬於青樓恍若空而夷猶浮雲深兮不得語却惆悵而懷憂使青鳥兮銜書恨獨宿兮傷離居何無情而雨絶夢雖往而交疎橫流涕而長嘆折芳洲之瑶華送飛鳥以極目怨夕陽之西斜願爲連根同死之秋草不作飛空之落花

約全驅於短韻而辭氣清明意指忠厚非第偶彈古調

學古思邊

銜悲上隴首腸斷不見君流水若有情幽哀從此分蒼茫愁邊色惆悵落日曛山外接遠天天際復有雲白鴈從中來飛鳴苦難聞足繫一書札寄言難離羣離羣心

斷絶十見花成雪胡地無春暉征人行不歸相思杳如夢珠淚濕羅衣

別内赴徵

王命三徵去未還明朝離別出吳關白玉高樓看不見相思須上望夫山

自代内贈

寶刀截流水無有斷絶時妾意逐君行纒綿亦如之別來門前草秋巷春轉碧埽盡更還生萋萋滿行跡鳴鳳

始相得雄鶯雌各飛遊雲落何山一往不見歸佔客發
大樓知君在秋浦梁苑空錦衾陽臺夢行雨妾家三作
相失勢去西秦猶有舊歌管淒清聞四鄰曲度入紫雲啼
無眼中人妾似井底桃開花向誰笑君如天上月不肯
一迴照窺鏡不自識別多憔悴深安得秦吉了為人道
寸心

越女詞 自注越中書所見也

長干吳兒女眉目艷星月屐上足如霜不着鴉頭襪

鏡湖水如月耶溪女如雪新妝蕩新波光景兩奇絶

巴女詞

巴水急如箭巴船去若飛十月三千里郎行幾歲歸

自溧水道哭王炎

王公希代寶棄世一何早弔死不及哀殯宮已秋草悲
來欲脫劍挂向何枝好哭向茅山雖未摧一生淚盡丹
陽道

語真情重不求工而自工

哭宣城善釀紀叟

紀叟黃泉裏還應釀老春夜臺無曉日沽酒與何人

題舒州司空山瀑布

斷崖如削瓜嵐光破崖綠天河從中來白雲漲川谷玉
案赤文字世眼不可讀攝身凌青霄松風拂我足

西清詩話曰白仙去後有人見其詩者其畧如此又
云舉袖露條脫招我來反覆真雲烟中語也

上清寶鼎詩

人生燭上花光滅巧妍盡春風遠樹頭日與花工進惟

知雨露貪不念零落近昔我飛骨時慘見當塗墳青松
靄明霞縹緲上下村既死明月魄無彼玻瓈魂念此一
脫灑長嘯登崑崙醉着鸞鳳衣星斗俯可捫
朝披夢澤雲笠釣青茫茫尋絲得雙鯉中有三元章篆
字若丹蛇逸勢如飛翔歸來問天姥妙義不可量金刀
剖青素靈文爛煌煌嚥服十二環想見仙人房暮跨紫
鱗去海氣侵肌凉龍子喜變化化作梅花粧遺我纍纍

珠靡靡明月光勸我穿絳縷繫作裙間璫揖余以辭去

談笑聞餘香

胡仔曰太白此詩云暮跨紫鱗去海氣侵肌涼亦奇語也

蘇軾曰予都下見人携一紙文書字則顏魯公也墨迹如未乾紙亦新健其詩白朝披夢澤雲笠釣青茫茫此詩非太白不能道也

御選唐宋詩醇卷八

欽定四庫全書

集部

御選唐宋詩醇卷九

詳校官山東道御史臣溫常綬

總校官編修臣朱鈐

校對官編修臣李鎔

謄錄監生臣王家杞

欽定四庫全書

御選唐宋詩醇卷九

襄陽杜甫詩一

舉要惟事父事君豈不以詩本一吟一詠恒必有關於國家之之誠夫然故匹夫委巷之歌皆其用意深切極之諷刺怨誹無所不有而卒無悖乎臣子之義也自漢迄唐詩律愈密

詩體愈卑其體格之日卑正由性情之日薄蓋詩變而騷形貌固殊情致不減詩變而賦則鋪詞盛而寄興微揚厲繁而規諷尠唐代詩人有作大抵祖詞賦之餘波失騷雅之遺意以不足以仰追三百毋亦枝葉具而本實先撥乎風雅不絕李杜勃興其才力雄傑陵轢古今瑜亮並生實亦未易軒輊自元微之著論始先杜而後李顧其所以推尊子美衹就詞調格律言之則太白之分道揚鑣者固自有在此徒以詩言詩而未探夫作詩之本宜論者多有異同也夫子美以疏逖小臣旋起旋躓間關寇亂漂泊遠遊至於負薪拾梠餔糒不給而忠君愛國之切長歌當哭情見乎詞是豈特善陳時事足徵詩史已哉東坡信其自許稷契或者有激而然至謂其一飯未嘗忘君發於情止於忠孝詩家者流斷以是為稱首嗚呼此真子美之所以獨有千古者矣予曩在書牕嘗序其集以為原本忠孝得性情之正良足承三百篇墜緒茲復訂唐宋六家詩選首錄其集而備論之匪唯賞味其詩亦藉以為詩教云

奉贈韋左丞丈二十二韻

紈袴不餓死儒冠多誤身丈人試靜聽賤子請具陳甫昔少年日早充觀國賓讀書破萬卷下筆如有神賦料揚雄敵詩看子建親李邕求識面王翰願卜鄰自謂頗挺出立登要路津致君堯舜上再使風俗淳此意竟蕭條行歌非隱淪騎驢三十載旅食京華春朝叩富兒門暮隨肥馬塵殘杯與冷炙到處潛悲辛主上頃見徵歘

然欲求伸青冥卻垂翅蹭蹬無縱鱗甚媿丈人厚甚知丈人真每於百寮上猥誦佳句新竊效貢公喜難甘原憲貧焉能心怏怏祇是走踆踆今欲東入海即將西去秦尚憐終南山回首清渭濱常擬報一飯況懷辭大臣白鷗沒浩蕩萬里誰能馴

杜之五古從古人變化而出獨闢境界嚴羽謂其憲章漢魏取材六朝其自得之妙則先輩所謂集大成者王世貞謂其以意為主以獨造為宗以奇拔沈雄為貴是

已此篇起語兀傲甚媿丈人厚二句疊語歸題別有風神一結曠達收轉前半意在言外所謂篇終接混茫也故前人多取為壓卷總而論之讀書破萬卷下筆如有神學問之根柢也致君堯舜上再使風俗淳志願之端倪也尚憐終南山回首清渭濱見戀闕之誠白鷗投浩蕩萬里誰能馴潔身之義磊磊數語本末具見豈尋常贈答汗漫敷陳者所可比哉

蘇軾曰子美云白鷗沒浩蕩萬里誰能馴蓋滅沒於煙波間耳宋敏求謂鷗不解沒改作波字便覺神氣索然

朱鶴齡曰此詩前乃陳情也意最為委折而語非乞憐應與昌黎上宰相書同讀范元實但稱其布置得體未為知言

年譜天寶六載詔天下有一藝詣轂下李林甫命尚書省皆下之公應詔而退

送高三十五書記

崆峒小麥熟且願休王師請公問主將焉用窮荒為飢鷹未飽肉側翅隨人飛高生跨鞍馬有似幽并兒脫身簿尉中始與捶楚辭借問今何官觸熱向武威答云一書記所媿國士知人實不易知更須慎其儀十年出幕府自可持旌旄此行既特達足以慰所思男兒功名遂亦在老大時常恨結驩淺各在天一涯又如參與商慘慘中腸悲驚風吹鴻鵠不得相追隨黃塵翳沙漠念子何當歸邊城有餘力早寄從軍詩

送書記却從主將發端設為商畧以諷窮兵之非立言
有體中陳規戒末致纏綿詞意並到
錢謙益曰明皇有事于西戎垂二十年用哥舒翰于
隴右始克石堡而靡敝中國多矣此詩以窮荒為戒
亦以哥舒之謀國不臧也
仇兆鰲曰天寶之亂由當時黷武所致公已先見其
兆矣高為書記軍事皆得參謀故以休兵息民告之此
送高本旨驚風二句已不得往黃塵二句高不能來

故囑其寄詩以相慰從軍詩仍應記室
通鑑積石軍每歲麥熟吐蕃輒獲之邊人呼為吐蕃
麥莊天寶六載哥舒翰先伏兵於其側虜至斷其後
夾擊之無一人得返者自是不敢復來

贈李白

二年客東都所歷厭機巧野人對羶腥蔬食常不飽豈
無青精飯使我顏色好苦乏大藥資山林迹如掃李侯
金閨彥脫身事幽討亦有梁宋遊方期拾瑤草

雅調亦與白詩體相近
李陽冰太白詩序曰天寶中召入翰林賜金放還遂
就從祖陳留採訪大使彥允請北海高天師授道籙
於齊州紫極宮

遊龍門奉先寺

已從招提遊更宿招提境陰壑生虛籟月林散清影天
闕象緯逼雲臥衣裳冷欲覺聞晨鐘令人發深省
氣體高妙天闕象緯逼五字渾成若改作闚字閲字索

然無味矣
張溍曰通首皆言夜景首句點明晝間遊覽自不可
少

望嶽

岱宗夫如何齊魯青未了造化鍾神秀陰陽割昏曉盪
胷生層雲決眥入歸鳥會當凌絕頂一覽衆山小
四十字氣勢欲與岱嶽爭雄次句寫得高遠意出三四
奇峭所謂語不驚人死不休也

盧世㴶曰公登後園山脚云昔我遊山東憶戲東嶽陽窮秋立日觀矯首望八荒則是業升岱宗之巔而流覽無際矣乃絶不另設專題鋪張游概亦以望嶽一首已領其要故也試思他人千言萬語有加於齊魯青未了者乎

陪李北海宴歷下亭 原注時邑人蹇處士等在坐李公序

東藩駐皁蓋北渚凌青荷海右此亭古濟南名士多雲山已發興玉珮仍當謌修竹不受暑交流空湧波蘊真

愜所遇落日將如何貴賤俱物役從公難重過

王士禄曰此與下篇雅近逸體與他詩不同當是有意仿北海之作

登歷下古城員外新亭 原注亭對鵲山湖

新亭結構罷隱見清湖陰跡籍臺觀舊氣溟海嶽深圜荷想自昔遺堞感至今芳宴此時具哀絲千古心主稱壽尊客筵秩宴北林不阻蓬蓽興得兼梁甫吟

元都壇歌 原注寄元逸人

故人昔隱東蒙峯已佩含景蒼精龍故人今居子午谷獨在陰崖結茅屋屋前太古元都壇青石漠漠常風寒子規夜啼山竹裂王母晝下雲旗翻知君此計成長往芝草琅玕日應長鐵鏁高垂不可攀致身福地何蕭爽

青石漠漠常風寒與烈風無時休同一景象子規二語評者以為大類長吉然賀雖險奥故不能如此奇健

浦起龍曰歌體之整飭精麗者

貧交行

翻手作雲覆手雨紛紛輕薄何須數君不見管鮑貧時交此道今人棄如土

劉會孟曰只從俗諺累證古意

朱鶴齡曰太白云前門長揖後門關公詩云當面論心背面笑與此同慨

兵車行

車轔轔馬蕭蕭行人弓箭各在腰耶孃妻子走相送塵埃不見咸陽橋牽衣頓足闌道哭哭聲直上干雲霄道

傍過者問行人行人但云點行頻或從十五北防河便至四十西營田去時里正與裹頭歸來頭白還戍邊邊亭流血成海水武皇開邊意未已君不聞漢家山東二百州千村萬落生荊杞縱有健婦把鋤犂禾生隴畝無東西況復秦兵耐苦戰被驅不異犬與鷄長者雖有問役夫敢申恨且如今年冬未休關西卒縣官急索租租稅從何出信知生男惡反是生女好生女猶是嫁比鄰生男埋沒隨百草君不見青海頭古來白骨無人收新

鬼煩冤舊鬼哭天陰雨濕聲啾啾

此體創自老杜諷刺時事而託為征夫問答之詞言之者無罪聞之者足以為戒小雅遺音也篇首寫得行色匆匆筆勢洶湧如風潮驟至不可逼視以下接出點行之頻指出開邊之非然後正說時事末以慘語結之詞意沉鬱音節悲壯此天地商聲不可強為者也

蔡寬夫曰齊梁以來文士喜為樂府詞往往失其命題本意唯老杜兵車行悲青坂無家別等篇皆因時事自出己意立題畧不更蹈前人陳迹真豪傑也

單復曰此為明皇用兵吐蕃而作故託漢武以諷其詞可哀也先言人哭後言鬼哭中言內郡凋獘民不聊生此安史之亂所由起也

高都護驄馬行

安西都護胡青驄聲價欻然來向東此馬臨陣久無敵與人一心成大功功成惠養隨所致飄飄遠自流沙至雄資未受伏櫪恩猛氣猶思戰場利腕促蹄高如踣鐵

交河幾蹴曾冰裂五花散作雲滿身萬里方看汗流血長安壯兒不敢騎走過掣電傾城知青絲絡頭為君老何由却出橫門道

與人一心成大功寫得神駿可愛較真堪託死生意更深奧結從古樂府脫化而出有老驥伏櫪之感杜之歌行擴漢魏而大之變幻超忽不可方物學者每有望洋之嘆此乃少壯時作字字精悍章法句法妥帖排奡若從此等入手即有規矩可循自然雅健

張綖曰凡詩人題咏必胸次高超下筆方能卓絶此詩不惟格韻特高亦見少陵人品若曹唐病馬詩一朝千里心猶在首敢潛忘秣飼恩乃乞兒語也

天育驃騎歌

吾聞天子之馬走千里今之畫圖無乃是是何意態雄且傑駿尾蕭梢朔風起毛為綠縹兩耳黃眼有紫燄雙瞳方矯矯龍性合變化卓立天骨森開張伊昔太僕張景順監牧攻駒閱清峻遂令大奴守天育別養驥子憐

神俊當時四十萬匹馬張公歎其材盡下故獨寫真傳世人見之座右久更新年多物化空形影嗚呼健步無由騁如今豈無騕褭與驊騮時無王良伯樂死即休

杜甫善作馬詩畫馬詩篇篇入妙支道林愛其神駿少陵當亦爾耶末語一轉撫物自傷感慨無限夫王者不借才於異代顧其所遇何如耳四十萬之馬皆可以備馳驅此馬獨稱神駿才固難也王良伯樂代有其人甫因所遇自嘆云爾

白絲行

繰絲須長不須白越羅蜀錦金粟尺象牀玉手亂殷紅萬草千花動凝碧已悲素質隨時染裂下鳴機色相射美人細意熨帖平裁縫滅盡鍼線迹春天衣著為君舞蛺蝶飛來黃鸝語落絮游絲亦有情隨風照日宜輕舉香汗輕塵汙顏色開新合故置何許君不見才士汲引難恐懼棄捐忍羇旅

錢謙益曰此詩用郭泰機之言而反之泰機以白絲

寒女自喻而致憾於衣工之棄我以冀傳咸之相薦此詩謂白絲素質隨時染裂有香汗輕塵之汙有開新合故之置所以深思汲引之難恐懼棄捐而忍於羇旅也

仇兆鼇曰詩詠白絲即墨子悲素絲意也已悲素質隨時染當其渲染之初便是沾污之漸及其見置時欲保素質得乎唯士守貞白則不隨人榮辱矣此風人有取于素絲歟

醉時歌 原注 贈廣文館博士鄭虔

諸公衮衮登臺省廣文先生官獨冷甲第紛紛厭粱肉廣文先生飯不足先生有道出羲皇先生有才過屈宋德尊一代常轗軻名垂萬古知何用杜陵野客人更嗤被褐短窄鬢如絲日糴太倉五升米時赴鄭老同襟期得錢即相覓沽酒不復疑忘形到爾汝痛飲真吾師清夜沉沉動春酌燈前細雨檐花落但覺高歌有鬼神焉知餓死填溝壑相如逸才親滌器子雲識字終投閣先

生早賦歸去來石田茅屋荒蒼苔儒術於我何有哉孔丘盜跖俱塵埃不須聞此意慘愴生前相遇且銜杯

清夜沉沉兩語寫夜飲之景妙不容説但覺高歌二句跌宕不羈中權有此使前後文勢倍覺生色

王嗣奭曰公詠懷詩云沈醉聊自遣放歌破愁絶可移作此詩之解

醉歌行 原注 别從姪勤落第歸

陸機二十作文賦汝更小年能綴文總角草書又神速世上兒子徒紛紛驊騮作駒汗流血鷙鳥舉翮連青雲詞源倒流三峽水筆陣獨掃千人軍至今年纔十六七射策君門期第一舊穿楊葉真自知暫蹶霜蹄未為失偶然擢秀非難取會是排風有毛質汝身已見唾成珠汝伯何由髮如漆春光澹沱秦東亭渚蒲芽白水荇青風吹客衣日杲杲樹攪離思花冥冥酒盡沙頭雙玉瓶衆賓皆醉我獨醒乃知貧賤别更苦吞聲躑躅涕淚零

造語之妙深得六朝人佳致

沈德潛曰送别情景於後幅突然接入開後人無限法門醉歌意只用一點與贈鄭作自别

贈衛八處士

人生不相見動如參與商今夕復何夕共此燈燭光少壯能幾時鬢髮各已蒼訪舊半為鬼驚呼熱中腸焉知二十載重上君子堂昔别君未婚兒女忽成行怡然敬父執問我來何方問答乃未已兒女羅酒漿夜雨翦春韭新炊間黄粱主稱會面難一舉累十觴十觴亦不醉

感子故意長明日隔山岳世事兩茫茫

仇兆鼇曰漫齋詩話云怡然敬父執以下他人須臾有數句此便接云問答未及已兒女羅酒漿直有杯土障黄流氣象

同諸公登慈恩寺塔 原注 時高適薛據先有此作

高標跨蒼天烈風無時休自非曠士懷登茲翻百憂方知象教力足可追冥搜仰穿龍蛇窟始出枝撐幽七星在北户河漢聲西流羲和鞭白日少昊行清秋秦山忽

破碎涇渭不可求俯視但一氣焉能辨皇州迴首叫虞舜蒼梧雲正愁惜哉瑶池飲日宴崑崙丘黄鵠去不息哀鳴何所投君看隨陽鴈各有稻粱謀

以深秀擅長者遜其高渾以清古推勝者讓其奇傑廻首以下寄興自深前半力寫實境奇情横溢説者字字附會穿鑿紛如失於固矣

王士禄曰秦山忽破碎憑高奇句他人定費語言不能五字便了

王士正曰章八元題慈恩寺塔云迴梯暗踏如穿洞絶頂初攀似出籠便鄙極矣乃元白激賞之不容口盛唐諸公如工部云七星在北户河漢聲西流秦山忽破碎涇渭不可求俯視但一氣焉能辨皇州高常侍云秋風昨夜至秦塞多清曠千里何蒼蒼五陵鬱相望岑嘉州云下窺指高鳥俯聽聞驚風又秋色從西來蒼然滿關中五陵北原上萬古青濛濛數公如大將旗鼓相當皆萬人敵視八元詩真鬼窟中作活

計

西京雜記西京外郭城進業坊慈恩寺隋光漏寺之故地武德初廢貞觀中高宗在春宮為文德皇后立故以慈恩為名寺西院浮屠六級高三百尺永徽三年沙門元奘所立

示從孫濟

平明跨驢出未知適誰門權門多噂𠴲且復尋諸孫諸孫貧無事宅舍如荒村堂前自生竹堂後自生萱萱草

秋已死竹枝霜不蓄淘米少汲水汲多井水渾刈葵莫放手放手傷葵根阿翁嬾惰久覺兒行步奔所來為宗族亦不為盤飧小人利口實薄俗難可論勿受外嫌猜同姓古所敦

多似古樂府溫柔敦厚比興深切

送孔巢父謝病歸遊江東兼呈李白

巢父掉頭不肯住東將入海隨煙霧詩卷長留天地間釣竿欲拂珊瑚樹深山大澤龍蛇遠春寒野陰風景暮

蓬萊織女回雲車指點虛無是征路自是君身有仙骨世人那得知其故惜君只欲苦死留富貴何如草頭露蔡侯靜者意有餘清夜置酒臨前除罷琴惆悵月照席幾歲寄我空中書南尋禹穴見李白道甫問信今何如

遠性風疏逸情雲上自是君身有仙骨世人那得知其故也

李因篤曰寄元逸人得超忽之神送孔巢父極征簡之致

飲中八仙歌

知章騎馬似乘船眼花落井水底眠汝陽三斗始朝天道逢麴車口流涎恨不移封向酒泉左相日興費萬錢飲如長鯨吸百川銜杯樂聖稱避賢宗之瀟灑美少年舉觴白眼望青天皎如玉樹臨風前蘇晉長齋繡佛前醉中往往愛逃禪李白一斗詩百篇長安市上酒家眠天子呼來不上船自稱臣是酒中仙張旭三杯草聖傳脫帽露頂王公前揮毫落紙如雲煙焦遂五斗方卓然

高談雄辯驚四筵

創為格調從柏梁體變化而出

唐汝詢曰八人皆在其性真記於酒以自見者子美咏之亦廢中權之義云

李因篤曰無首無尾章法突兀妙是叙述不涉論議而八人身分自見風雅中司馬太史也

曲江

自斷此生休問天杜曲幸有桑麻田故將移住南山邊

短衣匹馬隨李廣看射猛虎終殘年

王嗣奭曰以九迴之苦心發清商之怨調

麗人行

三月三日天氣新長安水邊多麗人態濃意遠淑且真
肌理細膩骨肉勻繡羅衣裳照暮春蹙金孔雀銀麒麟
頭上何所有翠微㔩葉垂鬢脣背後何所見珠壓腰衱
穩稱身就中雲幕椒房親賜名大國虢與秦紫駝之峯
出翠釜水精之盤行素鱗犀箸厭飫久未下鸞刀縷切

空紛綸黃門飛鞚不動塵御廚絡繹送八珍簫鼓哀吟
感鬼神賓從雜遝實要津後來鞍馬何逡巡當軒下馬
入錦茵楊花雪落覆白蘋青鳥飛去銜紅巾炙手可熱
勢絶倫慎莫近前丞相嗔

託刺微婉意指遥深較衛風君子偕老篇則微而顯矣

陸時雍曰言窮則盡意褻則醜韻軟則庳此詩一以
雅道行之故君子言有則也

樂遊園歌　原注晦日賀蘭楊長史筵醉中作

樂遊古園崒森爽煙綿碧草萋萋長公子華筵勢最高
秦川對酒平如掌長生木瓢示真率更調鞍馬狂歡賞
青春波浪芙蓉園白日雷霆夾城仗閶闔晴開昳蕩
曲江翠幕排銀牓拂水低徊舞袖飜緣雲清切歌聲上
却憶年年人醉時只今未醉已先悲數莖白髮那拋得
百罰深杯亦不辭聖朝亦知賤士醜一物自荷皇天慈
此身飲罷無歸處獨立蒼茫自詠詩

沈德潛曰極歡宴時不勝身世之感臨川蘭亭記序

所云情隨事遷感慨繫之也

渼陂行

岑參兄弟皆好奇携我遠來遊渼陂天地黤慘忽異色
波濤萬頃堆琉璃琉璃漫汗泛舟入事殊興極憂思集
鼉作鯨吞不復知惡風白浪何嗟及主人錦帆相為開
舟子喜甚無氛埃鳧鷖散亂櫂謳發絲管啁啾空翠來
沈竿續蔓深莫測菱葉荷花靜如拭宛在中流渤澥清
下歸無極終南黑半陂已南純浸山動影裊窕沖融間

船舷暝戛雲際寺水面月出藍田關此時驪龍亦吐珠
馮夷擊鼓羣龍趨湘妃漢女出歌舞金支翠旗光有無
咫尺但愁雷雨至蒼茫不曉神靈意少壯幾時奈老何
向來哀樂何其多

聲光奇麗氣韻深穩昭明稱陶潛文章不羣詞采精拔跌蕩昭彰獨超衆類抑揚爽朗莫之與京可以移贈是詩驪龍吐珠等句全摹漢艷歌末語用秋風詞顛倒變化壁壘一新取材之善則也

奉同郭給事湯東靈湫作

東山氣鴻濛宮殿居上頭君來必十月樹羽臨九州陰
火煮玉泉噴薄漲巖幽有時浴出日光抱空中樓閣風
入轍跡曠原延冥搜沸天萬乘動觀水百丈湫幽靈斯
可佳王命官屬休初聞龍用壯擘石摧林丘中夜窟宅
改移因風雨秋倒懸瑶池影屈注蒼江流味如甘露漿
揮弄滑且柔翠旗澹偃蹇雲車紛少留蕭鼓蕩四溟異
香泱漭浮鮫人獻微綃曾祝沈豪牛百祥奔盛明古先
莫能儔坡陀金蝦蟆出見蓋有由至尊顧之笑王母不
肯收復歸虛無底化作長黄虬飄飄青瑣郎文彩珊瑚
鉤浩歌淥水曲清絶聽者愁

盧元昌曰靈湫一篇其曲突之諷歟

朱鶴齡曰此詩直陳温湯事而風刺自見其憂亂之意情見乎詞當與慈恩寺廻首叫虞舜數語及奉先咏懷凌晨過驪山一段參看

潘鴻曰太白詩蟾蜍蝕圓影大明夜已殘一段亦此詩之意

夜聽許十損誦詩愛而有作

許生五臺賓業白出石壁余亦師粲可身猶縛禪寂何
階子方便謬引為匹敵離索晚相逢包蒙欣有擊誦詩
渾遊衍四座皆辟易應手看捶鉤清心聽鳴鏑精微穿
溟涬飛動摧霹靂陶謝不枝梧風騷共推激紫燕自超
詣翠駮誰剪剔君意人莫知人間夜寥闃

沙苑行

君不見左輔白沙如白水繚以周牆百餘里龍媒昔是渥洼生汗血今稱獻於此苑中騋牝三千匹豐草青青寒不死食之豪健西域無每歲攻駒冠邊鄙王有虎臣司苑門入門天廄皆雲屯驌驦一骨獨當御春秋二時歸至尊至尊內外馬盈億伏櫪在坰空大存逸羣絕足信殊傑倜儻權奇難具論纍纍塠阜藏奔突往往坡陀縱超越角壯翻同麋鹿遊浮沈簸蕩黿鼉窟泉出巨魚長比人丹砂作尾黃金鱗豈知異物同精氣雖未成龍亦有神

前幅語皆嚴重入後離奇隱躍誠有寓托非空言者

盧元昌曰安祿山知總監事公作沙苑行以諷之靈湫詩云復歸虛無底化作長黃虬兩篇結語皆有寓意

通鑑天寶十三載正月祿山入朝求兼領羣牧總監密遣親信選健馬堪戰者數千匹別飼之

驄馬行 原注太常梁卿敕賜馬也李鄧公愛而有之命甫製詩

鄧公馬癖人共知初得花驄大宛種夙昔傳聞思一見牽來左右神皆竦雄姿逸態何崷崒顧影驕嘶自矜寵隅目青熒夾鏡懸肉駿碨礧連錢動朝來久試華軒下未覺千金滿高價赤汗微生白雪毛銀鞍却覆香羅帕卿家舊賜公取之天廄真龍此其亞晝洗須騰涇渭深朝趨可刷幽并夜吾聞良驥老始成此馬數年人更驚豈有四蹄疾於鳥不與八駿俱先鳴時俗造次那得致雲霧晦冥方降精近聞下詔喧都邑肯使騏驎地上行

自京赴奉先縣詠懷五百字

杜陵有布衣老大意轉拙許身一何愚竊比稷與契居然成濩落白首甘契闊蓋棺事則已此志常覬豁窮年憂黎元歎息腸內熱取笑同學翁浩歌彌激烈非無江海志蕭灑送日月生逢堯舜君不忍便永訣當今廊廟具構廈豈云缺葵藿傾太陽物性固莫奪顧惟螻蟻輩但自求其穴胡為慕大鯨輒擬偃溟渤以茲悟生理獨恥事干謁兀兀遂至今忍為塵埃沒終媿巢與由未能

易其節沈飲聊自適放歌頗愁絶歲暮百草零疾風高
岡裂天衢陰崢嶸客子中夜發霜嚴衣帶斷指直不得
結凌晨過驪山御榻在嵽嵲蚩尤塞寒空蹴蹋崖谷滑
瑶池氣鬱律羽林相摩戛君臣留歡娱樂動殷樛嶱賜
浴皆長纓與宴非短褐彤庭所分帛本自寒女出鞭撻
其夫家聚斂貢城闕聖人筐篚恩實欲邦國活臣如忽
至理君豈棄此物多士盈朝廷仁者宜戰慄況聞内金
盤盡在衛霍室中堂舞神仙煙霧散玉質煖客貂鼠裘

悲管逐清瑟勸客駝蹄羹霜橙壓香橘朱門酒肉臭路
有凍死骨榮枯咫尺異惆悵難再述北轅就涇渭官渡
又改轍羣冰從西下極目高崒兀疑是崆峒來恐觸天
柱折河梁幸未坼枝撐聲窸窣行旅相攀援川廣不可
越老妻寄異縣十口隔風雪誰能久不顧庶往共飢渴
入門聞號咷幼子飢已卒吾寧舍一哀里巷亦嗚咽所
媿為人父無食致夭折豈知秋禾登貧窶有倉卒生常
免租稅名不隸征伐撫迹猶酸辛平人固騷屑默思失
業徒因念遠戍卒憂端齊終南澒洞不可掇

此與北征為集中鉅篇摅鬱結寫胸臆蒼蒼莽莽一氣流轉其大段有千里一曲之勢而筆筆頓挫一曲中又有無數波折也甫以布衣之士乃心帝室而是時明皇失政大亂已成方且君臣荒宴若罔聞知甫從局外蒿目時艱欲言不可蓋有日矣而一於此詩發之前述平日之衷曲後寫當前之酸楚至於中幅以所經為綱所見為目言言深切字字沈痛板蕩之後未有能及此者

此甫之所以度越千古而上繼三百篇者乎甡題其集云歌謡寫忠憤灝氣運鬱積李翰望後塵鮑謝讓前席匪虚言也竊比稷契或疑其自許太過蘇軾有云甫他詩曰舜舉十六相身尊道更高孝公用商鞅法令如牛毛自是稷契輩人口中語斯言得之矣

夏朔客曰詩凡五百字而篇中叙發京師過驪山就涇渭抵奉先不過數十字耳餘皆議論感慨成文此最得變雅之法而成章者也此詩全篇議論雜以叙

事北征則全篇敘事雖以議論蓋曰詠懷自應以議論為主曰北征自應以敘事為主也

張溍曰文之至者止見精神不見語言此五百字真懇切到淋漓沉痛俱是精神何處見有語言

錢謙益曰呂汲公詩譜云是年十一月初自京赴奉先有詠懷詩是月有祿山之亂按祿山起兵在十一月九日反書至長安元宗猶未信故此詩言歡娛聚斂致亂在旦夕而不言祿山反狀也

奉先劉少府新畫山水障歌

堂上不合生楓樹怪底江山起煙霧聞君掃却赤縣圖乘興遣畫滄洲趣畫師亦無數好手不可遇對此融心神知君重毫素豈但祁岳與鄭虔筆跡遠過楊契丹得非玄圃裂無乃瀟湘翻悄然坐我天姥下耳邊已似聞清猨反思前夜風雨急乃時蒲城鬼神入元氣淋漓障猶濕真宰上訴天應泣野亭春還雜花遠漁翁暝踏孤舟立滄浪水深青溟闊欹岸側島秋毫末不見湘妃鼓瑟時至今斑竹臨江活劉侯天機精愛畫入骨髓自有兩兒郎揮灑亦莫比大兒聰明到能添老樹巔崖裏小兒心孔開貌得山僧及童子若耶溪雲門寺吾獨胡為在泥滓青鞋布襪從此始

起處飛騰而入末則餘波綺麗中間忽然頓挫刻意奇警與李白同族弟燭照山水畫壁歌用意正同而各極其妙

楊萬里曰詩有驚人句如山水障云堂上不合生楓

樹怪底江山起煙霧是也

黃生曰寫畫與贊賞分作數層說反覆濃至

寰宇記蒲城縣本漢重泉縣開元中改為奉先

白水縣崔少府十九翁高齋三十韻

客從南縣來浩蕩無與適旅食白日長況當朱炎赫高齋坐林杪信宿游衍閴清晨陪躋攀傲睨俯峭壁崇岡相枕帶曠野懷咫尺始知賢主人贈此遣愁寂危階根青冥曾冰生淅瀝上有無心雲下有欲落石泉聲聞復

急動靜隨所擊烏呼藏其身有似懼彈射吏隱適情性兹焉其窟宅白水見舅氏諸翁乃仙伯杖藜長松陰作尉窮谷僻為我炊雕胡逍遥展良覿坐久風頗愁晚來山更碧相對十丈蛟欻翻盤渦坼何得空裏雷殷殷尋地脉煙氛藹崷崒魍魎森慘戚崑崙崆峒巔回首如不隔前軒頽反照巉絶華岳赤兵氣漲林巒川光雜鋒鏑知是相公軍鐵馬雲霧積玉觴淡無味胡羯豈强敵長歌激屋梁淚下流衽席人生半哀樂天地有順逆慨彼萬國夫休明備征狄猛將紛塡委廟謀蓄長策東郊何

時開帶甲且未釋欲告清宴罷難拒幽明迫三歎酒食旁何由似平昔

三川觀水漲二十韻

我經華原來不復見平陸北上唯土山連天走窮谷火雲無時出飛電常在目自多窮岫雨行潦相豗蹙蓊匌川氣黄羣流會空曲清晨望高浪忽謂陰崖踣恐泥竄蛟龍登危聚麋鹿枯查卷拔樹礧磈共充塞聲吹鬼神下勢閱人代速不有萬穴歸何以尊四瀆及觀泉源漲反懼江海覆漂沙坼岸去漱壑松柏秃乘陵破山門回斡裂地軸交洛赴洪河及關豈信宿應沈數州没如聽萬室哭穢濁殊未清風濤怒猶蓄何時通舟車陰氣不黲黷浮生有蕩汩吾道正羈束人寰難容身石壁滑側足雲雷此不已艱險路更蹋普天無川梁欲濟願水縮因悲中林士未脱衆魚腹舉頭向蒼天安得騎鴻鵠

沉鬱頓挫字字生造無一浮響集中此等自是少陵本色

浦起龍曰雕鎪刻深仿像飛動遂為昌黎石鼎聯句等詩及宋元以來體物律古之祖

悲陳陶

孟冬十郡良家子血作陳陶澤中水野曠天清無戰聲四萬義軍同日死羣胡歸來血洗箭仍唱胡歌飲都市都人迴面向北啼日夜更望官軍至

何焯曰至字一韻獨用

悲青坂

我軍青坂在東門天寒飲馬太白窟黃頭奚兒日向西
數騎彎弓敢馳突山雪河冰野蕭颼青是烽煙白人骨
焉得附書與我軍忍待明年莫倉卒

房琯用兵殷浩之流耳當時乘輿未定賊勢方張琯志大才踈倉卒致敗向非唐德在人則宗社危矣琯之罪豈可逭哉雖肅宗疑之中人促之致敗不為無因亦不能為之解也甫受琯之知敝之於後而兩詩紀事沉痛切骨是謂史筆

葛常之曰陳陶詩志房琯之敗也張無盡狐憤吟云房琯未相日所談皆皋夔一朝陳陶下覆沒十萬師中原已紛潰老杜尚嗟咨蓋為琯罷相時杜上疏力救而發也

唐書至德元載十月房琯自請討賊分軍為三南軍自宜壽入中軍自武功入北軍自奉天入琯自將中軍為先鋒辛丑北軍中軍遇賊于陳濤斜接戰敗績癸卯琯自以南軍戰又敗時琯效古法用車戰賊順風縱火焚之人畜大亂官軍死傷者四萬餘人

哀江頭

少陵野老吞聲哭春日潛行曲江曲江頭宮殿鎖千門
細柳新蒲為誰綠憶昔霓旌下南苑苑中萬物生顏色
昭陽殿裏第一人同輦隨君侍君側輦前才人帶弓箭
白馬嚼齧黃金勒翻身向天仰射雲一箭正墜雙飛翼
明眸皓齒今何在血污遊魂歸不得清渭東流劍閣深

去住彼此無消息人生有情淚霑臆江水江花豈終極
黃昏胡騎塵滿城欲往城南忘南北

潛身避寇觸目傷懷雖從樂遊追敘而俯仰悲傷純是忠愛之情憂戚之志所謂對此茫茫百端交集何暇計及風刺乎敘亂離處全以唱嘆出之不用實敘筆力之高真不可及若白氏長恨歌乃因長恨傳而追敘其事委曲悽斷自成一家正不得沾沾比勘也

蘇轍曰杜哀江頭詩予愛其詞氣若百金戰馬注坡蓦

澗如履平地得詩人之遺法如樂天詩詞甚工然拙於紀事寸步不遺猶恐失之所以望老杜之藩籬而不及也

哀王孫

長安城頭頭白烏夜飛延秋門上呼又向人家啄大屋屋底達官走避胡金鞭斷折九馬死骨肉不得同馳驅腰下寶玦青珊瑚可憐王孫泣路隅問之不肯道姓名但道困苦乞為奴已經百日竄荊棘身上無有完肌膚

高帝子孫盡隆準龍種自與常人殊豺狼在邑龍在野王孫善保千金軀不敢長語臨交衢且為王孫立斯須昨夜東風吹血腥東來橐駝滿舊都朔方健兒好身手昔何勇鋭今何愚竊聞天子已傳位聖德北服南單于花門剺面請雪恥慎勿出口他人狙哀哉王孫慎勿疎五陵佳氣無時無

劉會孟曰起如童謡省却敘事篇内忠臣之盛心倉卒之隱語備盡情態

仇兆鼇曰明皇平韋后之難身致太平開元之際幾於貞觀盛時及天寶末不惟生民塗炭而妻子亦且不免讀江頭王孫二詩至今猶慘然在目孟子云茍能充之足以保四海不能充之不足以保妻子即一人之身而治亂興亡之故昭然矣

大雲寺贊公房

心在水精域衣霑春雨時洞門盡徐步深院果幽期到扉開復閉撞鐘齋及兹醍醐長發性飲食過扶衰把臂

有多日開懷無媿辭黄鸝度結構紫鴿下罘罳愚意會所適花邊行自遲湯休起我病微笑索題詩

燈影照無睡心清聞妙香夜深殿突兀風動金鋃鐺天黑閉春院地清棲暗芳玉繩迴斷絶鐵鳳森翶翔梵放時出寺鐘殘仍殷牀明朝在沃野苦見塵沙黄

聲調穩愜雅近選體鍾惺以為排律謬矣

蘇端薛復筵簡薛華醉歌

文章有神交有道端復得之名譽早愛客滿堂盡豪翰

開筵上日思芳草安得健步移遠梅亂插繁花向晴昊千里猶殘舊冰雪百壺且試開懷抱垂老惡聞戰鼓悲急觴為緩憂心擣少年努力縱談笑看我形容已枯槁坐中薛華善醉歌歌辭自作風格老近來海內為長句汝與山東李白好何劉沈謝力未工才兼鮑照愁絕倒諸生頗盡新知樂萬事終傷不自保氣酣日落西風來願吹野水添金杯如澠之酒常快意亦知窮愁安在哉忽憶雨時秋井塌古人白骨生青苔如何不飲令心哀

詞氣朴老脉絡井然末幅縱筆排宕畢居徑住亦別有

計東曰太白長句其源出於鮑照故此詩云然公嘗以俊逸鮑參軍稱太白正稱其長句也

晦日尋崔戢李封

朝光入甕牖尸寢驚敞裘起行視天宇春氣漸和柔興來不暇懶今晨梳我頭出門無所待徒步覺自由杖藜復恣意免值公與侯晚定崔李交會心真罕儔每過得酒傾二宅可淹留喜結仁里歡況因令節求李生園欲荒舊竹頗修修引客看掃除隨時成獻酬崔侯初筵色已畏空尊愁未知天下士至性有此不草牙既青出蠶聲亦暖遊思見農器陳何當甲兵休上古葛天民不貽黃屋憂至今阮籍等熟醉為身謀威鳳高其翔長鯨吞九州地軸為之翻百川皆亂流當歌欲一放淚下恐莫收濁醪有妙理庶用慰沉浮

御選唐宋詩醇卷九

欽定四庫全書

集部

御選唐宋詩醇　卷十

詳校官山東道御史臣温常綬

臣紀昀覆勘

總校官編修臣朱鈐

校對官編修臣李鎔

謄録監生臣王家杞

欽定四庫全書

御選唐宋詩醇卷十

襄陽杜甫詩二

喜晴

皇天久不雨既雨晴亦佳出郭眺西郊肅肅春增華青熒陵陂麥窈窕桃李花春夏各有實我饑豈無涯干戈雖横放慘澹闘龍蛇甘澤不猶愈且耕今未賖丈夫則帶甲婦女終在家力難及黍稷得種菜與麻千載商山芝往者東門瓜其人骨已朽此道誰疵瑕英賢遇轗軻遠引蟠泥沙顧慙昧所適回首白日斜漢陰有鹿門滄海有靈查焉能學衆口咄咄空咨嗟

既雨晴亦佳與雨過蘇端詩久旱雲亦好皆自胸臆中流出氣息亦近陶令

述懷一首

去年潼關破妻子隔絶久今夏草木長脱身得西走麻鞋見天子衣袖露兩肘朝廷愍生還親故傷老醜涕淚

授拾遺流離主恩厚柴門雖得去未忍即開口寄書問三川不知家在否比聞同罹禍殺戮到雞狗山中漏茅屋誰復依户牖摧頹蒼松根地冷骨未朽幾人全性命盡室豈相偶嶔岑猛虎場鬱結回我首自寄一封書今已十月後反畏消息來寸心亦何有漢運初中興生平老耽酒沈思歡會處恐作窮獨叟

申涵光曰無一語空閑只平平説去有聲有淚真三百篇嫡派

李因篤曰北征如萬山之松中蔚煙霞此詩如數尺之竹勢參雲漢

唐書本傳天子入蜀甫避走三川肅宗立自鄜州羸服欲奔行在為賊所得至德二載亡走鳳翔謁上拜左拾遺時所在寇奪甫家寓鄜彌年艱窶孺弱至餓死因許甫自往省視從還京師

送樊二十三侍御赴漢中判官

威弧不能弦自爾無寧歲川谷血横流豺狼沸相噬天子從北來長驅振凋敝頓兵岐梁下却跨沙漠裔二京陷未收四極我得制蕭索漢水清緬通淮湖税使者紛星散王綱尚旒綴南伯從事賢君行立談際坐知七曜歷手畫三軍勢冰雪淨聰明雷霆走精鋭幕府輟諫官朝廷無此例至尊方旰食仗爾布嘉惠補闕暮徵入柱史晨征憩正當艱難時實藉長久計回風吹獨樹白日照執袂慟哭蒼煙根山門萬重閉居人莽牢落遊子方迢遞裴回悲生離局促老一世陶唐歌遺民後漢更列

帝恨無匡復資聊欲從此逝

送從弟亞赴安西判官

南風作秋聲殺氣薄炎熾盛夏鷹隼擊時危異人至令弟草中來蒼然請論事詔書引上殿奮舌動天意兵法五十家爾腹為篋笥應對如轉丸疏通略文字經綸皆新語足以正神器宗廟尚為灰君臣俱下淚崆峒地無軸青海天軒輕西極最瘡痍連山暗烽燧帝曰大布衣藉卿佐元帥坐看清流沙所以子奉使歸當再前席適

遠非歷試須存武威郡為晝長久利孤峯石戴驛快馬金纏轡黄羊飫不羶蘆酒多還醉踴躍常人情慘澹苦士志安邊敵何有反正計始遂吾聞駕鼓車不合用騏驥龍吟回其頭夾輔待所致

二詩一時所作匡齊深衷寓於翰墨激切沈摯他人無此格力

彭衙行

憶昔避賊初北走經險艱夜深彭衙道月照白水山盡

室久徒步逢人多厚顏參差谷鳥吟不見遊子還癡女饑餃我啼畏虎狼聞懷中掩其口反側聲愈嗔小兒強解事故索苦李餐一旬半雷雨泥濘相牽攀既無禦雨備徑滑衣又寒有時經契闊竟日數里間野果充餱糧卑枝成屋椽早行石上水暮宿天邊煙少留周家窪欲出蘆子關故人有孫宰高義薄曾雲延客已曛黑張燈啟重門煖湯濯我足翦紙招我魂從此出妻孥相視涕闌干衆雛爛熳睡喚起霑盤飧誓將與夫子永結為弟昆遂空所坐堂安居奉我歡誰肯艱難際豁達露心肝別來歲月周胡羯仍構患何當有翅翎飛去墮爾前

通篇追叙瑣屑盡致神似漢魏

北征

皇帝二載秋閏八月初吉杜子將北征蒼茫問家室維時遭艱虞朝野少暇日顧慙恩私被詔許歸蓬蓽拜辭詣闕下怵惕久未出雖乏諫諍姿恐君有遺失君誠中興主經緯固密勿東胡反未已臣甫憤所切揮涕戀行

在道途猶恍惚乾坤含瘡痍憂虞何時畢靡靡踰阡陌人煙眇蕭瑟所遇多被傷呻吟更流血回首鳳翔縣旌旗晚明滅前登寒山重屢得飲馬窟邠郊入地底涇水中蕩潏猛虎立我前蒼崖吼時裂菊垂今秋花石戴古車轍青雲動高興幽事亦可悅山果多瑣細羅生雜橡栗或紅如丹砂或黑如點漆雨露之所濡甘苦齊結實緬思桃源内益歎身世拙坡陀望鄜畤巖谷互出沒我行已水濱我僕猶木末鴟鳥鳴黄桑野鼠拱亂穴夜深經

戰場寒月照白骨潼關百萬師往者散何卒遂令半秦民殘害為異物況我墮胡塵及歸盡華髮經年至茅屋妻子衣百結慟哭松聲回悲泉共幽咽平生所嬌兒顏色白勝雪見爺背面啼垢膩脚不韈牀前兩小女補綻才過膝海圖坼波濤舊繡移曲折天吳及紫鳳顛倒在短褐老夫情懷惡嘔泄臥數日那無囊中帛救汝寒凜慄粉黛亦解苞衾裯稍羅列瘦妻面復光癡女頭自櫛學母無不為曉妝隨手抹移時施朱鉛狼藉畫眉闊生

還對童稚似欲忘飢渴問事競挽鬚誰能即嗔喝翻思在賊愁甘受雜亂聒新歸且慰意生理焉能說至尊尚蒙塵幾日休練卒仰觀天色改坐覺祆氣豁陰風西北來慘澹隨回鶻其王願助順其俗善馳突送兵五千人驅馬一萬匹此輩少為貴四方服勇決所用皆鷹騰破敵過箭疾聖心頗虛佇時議氣欲奪伊洛指掌收西京不足拔官軍請深入蓄銳伺俱發此舉開青徐旋瞻略恒碣昊天積霜露正氣有肅殺禍轉亡胡歲勢成擒胡月胡命其能久皇綱未宜絕憶昨狼狽初事與古先別姦臣竟葅醢同惡隨蕩析不聞夏殷衰中自誅褒妲周漢獲再興宣光果明哲桓桓陳將軍仗鉞奮忠烈微爾人盡非于今國猶活淒涼大同殿寂寞白獸闥都人望翠華佳氣向金闕園陵固有神掃灑數不缺煌煌太宗業樹立甚宏達

以排天斡地之力行為詞比事之法具備萬物橫絕太空前無古人後無來者自有五言不得不以此為大文

字也問家室者事之主憤艱虞者意之主以皇帝起太宗結戀行在望匡復言有倫脊忠愛見矣道途感觸抵家悲喜瑣瑣細細靡不具陳極窮苦之情絕不衰餒嚴羽謂李杜之詩如金鳷擘海香象渡河下視郊島輩有類蟲吟草間者豈不然哉憶昨一段立言有體若元禮雖有活國之功終傷人臣之義甫但稱其忠烈而行誅之權歸諸明皇尤為得體中唐以下惟李商隱西郊等作有此風力特知之者少耳

蘇軾曰北征詩識君臣大體忠義之氣與秋色爭高可貴也

范温曰孫莘老嘗謂老杜北征詩勝退之南山詩王平甫以為南山勝北征終不能相服時山谷尚少乃曰若論工巧則北征不及南山若書一代之事與國風雅頌相為表裏則北征不可無而南山雖不作未害也二公之論遂定

王嗣奭曰南山北征體不相蒙南山琢鏤湊砌詰屈

奇怪創體傑出不可無一不可有二北征固是雅調古來詞人多用之如韓之赴江陵寄三學士等作庶可與之雁行也

李因篤曰其才則海涵地負其力則排山倒岳有極尊嚴處有極瑣細處繁則如千門萬戸之象簡則有急弦促柱之悲元河南謂其具一代興亡與風雅頌相表裏可謂知言

得舍弟消息

風吹紫荆樹色與春庭暮花落辭故枝風回返無處骨肉恩書重漂泊難相遇猶有淚成河經天復東注

劉會孟曰苦心怨調使人淒然

玉華宫

溪回松風長蒼鼠竄古瓦不知何王殿遺構絶壁下陰房鬼火青壊道哀湍瀉萬籟真笙竽秋色正蕭灑美人爲黄土况乃粉黛假當時侍金輿故物獨石馬憂來藉草坐浩歌淚盈把冉冉征途間誰是長年者

吳昌祺曰即古詩所遇無故物之意

洪邁曰張文潛在兖郊何大圭往謁之見其吟哦老杜玉華宫詩不絶口大圭請其故曰此章乃風雅鼓吹未易為子言大圭曰先生所賦何必減此曰平生極力摹寫僅有一篇稍似之然未可同日語遂誦其離黄州詩曰扁舟發孤城揮手謝送者山回地勢卷天豁江面寫中流望赤壁石脚插水下昏昏烟霧嶺歷歷漁樵舍居夷實三載鄰里通假借別之豈無情

老淚為一灑蔦工起鳴舷輕櫓健于馬聊爲過江宿寂寂樊山夜此其音響節奏固似之矣

九成宮

蒼山入百里崖斷如杵舊曾宮憑風回岌嶪土囊口立神扶棟梁鑿翠開戶牖其陽產靈芝其陰宿牛斗紛披長松倒揭𡾊怪石走哀猨啼一聲客淚迸林藪荒哉隋家帝製此今頹朽向使國不亡焉爲巨唐有雖無新增修尚置官居守巡非瑤水遠迹是雕牆後我行屬時危仰望嗟歎久天王守太白駐馬更搔首

李因篤曰興亡在目託諷獨深

浦起龍曰九成玉華用意各別一爲隋代所建故明誌來歷有借秦為喻之意一為國初所作故不忍斥言有黍離行邁之思

羌村

崢嶸赤雲西日脚下平地柴門鳥雀噪歸客千里至妻孥怪我在驚定還拭淚世亂遭飄蕩生還偶然遂鄰人

滿牆頭感歎亦歔欷夜闌更秉燭相對如夢寐

真語流露不假雕飾而情文並至

王慎中曰詩凡三首第一首尤絕一字一句鏤出肺腸而婉轉周至躍然目前又若尋常人所欲道者真國風之義

仇兆鰲曰司空曙詩乍見翻疑夢相悲各問年是用杜句陳後山詩可知不是夢忽忽心未穩是翻杜語

洗兵馬

中興諸將收山東捷書日報清晝同河廣傳聞一葦過胡危命在破竹中祇殘鄴城不日得獨任朔方無限功京師皆騎汗血馬回紇餵肉葡萄宮已喜皇威清海岱常思仙仗過崆峒三年笛裏關山月萬國兵前草木風成王功大心轉小郭相謀深古來少司徒清鑒懸明鏡尚書氣與秋天杳二三豪俊為時出整頓乾坤濟時了東走無復憶鱸魚南飛覺有安巢鳥青春復隨冠冕入紫禁正耐煙花繞鶴禁通宵鳳輦備雞鳴問寢龍樓曉

攀龍附鳳勢莫當天下盡化為侯王汝等豈知蒙帝力
時來不得誇身强關中既留蕭丞相幕下復用張子房
張公一生江海客身長九尺鬚眉蒼徵起適遇風雲會
扶顛始知籌策良青袍白馬更何有後漢今周喜再昌
寸地尺天皆入貢奇祥異瑞爭來送不知何國致白環
復道諸山得銀甕隱士休歌紫芝曲詞人解撰河清頌
田家望望惜雨乾布穀處處催春種淇上健兒歸莫嬾
城南思婦愁多夢安得壯士挽天河淨洗甲兵長不用

平仄相間對偶整齊王李高岑上及唐初聲調如是乃
杜集七古之整麗可法者至於此詩之作自是河北屢
捷賊勢大蹙特為工麗之章用志欣幸中間略有寄意
全無譏諷而論者以為直刺肅宗步步文致殊傷子美
之志昔人謂甫詩一飯不忘君遂穿鑿附會欲令篇無
虛設可謂不善說詩

唐汝詢曰有典有則雄渾瀾大足為唐雅

朱鶴齡曰中興大業全在將相得人前曰獨任朔方
無限功中曰幕下復用張子房此是一詩眼目使當
時能專任子儀終用張鎬則洗兵不用旦夕可期矣
若元肅父子之間公爾時不應遽加譏切也

浦起龍曰此篇是初唐四家體貌同而骨自異令人
好以亂頭粗服優孟少陵而於四家之清詞麗句妄
加嗤點不知少陵固嘗為之曾不貶損其氣格也

留花門

花門天驕子飽肉氣勇決高秋馬肥健挾矢射漢月自

古以為患詩人厭薄伐修德使其來羈縻固不絕胡為
傾國至出入暗金闕中原有驅除隱忍用此物公主歌
黄鵠君王指白日連雲屯左輔百里見積雪長戟烏休
飛哀笳曙幽咽田家最恐懼麥倒桑枝折沙苑臨清渭
泉香草豐潔渡河不用船千騎常撇烈胡塵踰太行雜種
抵京室花門既須留原野轉蕭瑟

張溍曰經國之計憂深慮遠豈尋常韻體

李鄠縣丈人胡馬行

丈人駿馬名胡騮前年避胡過金牛回鞭却走見天子
朝飲漢水暮靈州自矜胡騮奇絶代乘出千人萬人愛
一聞說盡急難材轉益愁向駑駘輩頭上鋭耳批秋竹
脚下高蹄削寒玉始知神龍别有種不比俗馬空多肉
洛陽大道時再清累日喜得俱東行鳳臆龍鬐未易識
側身注目長風生

義鶻

陰崖有蒼鷹養子黑柏顛白蛇登其巢吞噬恣朝餐雄

飛遠求食雌者鳴辛酸力强不可制黄口無半存其父
從西歸翻身入長煙斯須領健鶻痛憤寄所宣斗上捩
孤影噭哮來九天修鱗脱遠枝巨顙折老拳高空得蹭
蹬短草辭蜿蜒折尾能一掉飽腸皆已穿生雖滅衆雛
死亦垂千年物情有報復快意貴目前兹實鷙鳥最急
難心炯然功成失所往用舍何其賢近經潏水湄此事
樵夫傳飄蕭覺素髮凜欲衝儒冠人生許與分只在顧
眄間聊為義鶻行用激壯士肝

評此詩者以史記戰鉅鹿刺秦王擬之筆墨真覺相似至云功成失所往用舍何其賢直目此鶻為魯仲連輩人矣或欲删此下數句尤有餘味

王嗣奭曰借端發議時露作者品格性情

畫鶻行

高堂見生鶻颯爽動秋骨初驚無拘攣何得立突兀乃
知畫師妙功刮造化窟寫作神俊姿充君眼中物烏鵲
滿樛枝軒然恐其出側腦看青霄寧為衆禽没長翮如

刀劍人寰可超越乾坤空崢嶸粉墨且蕭瑟緬思雲沙
際自有煙霧質吾今意何傷顧步獨紆鬱

刻意寫生筆力起伏頓挫譬之書家幾於入木三分

瘦馬行

東郊瘦馬使我傷骨骼硉兀如堵墻絆之欲動轉欹側
此豈有意仍騰驤細看六印帶官字衆道三軍遺路旁
皮乾剥落雜泥滓毛暗蕭條連雪霜去歲奔波逐餘寇
驊騮不慣不得將士卒多騎内廐馬惆悵恐是病乘黄

當時歷塊誤一蹶委棄非汝能周防見人慘澹若哀訴失主錯莫無晶光天寒遠放雁為伴日暮不收烏啄瘡誰家且養願終惠更試明年春草長

藹然仁者之言正不必有寄託

新安吏

客行新安道喧呼聞點兵借問新安吏縣小更無丁府帖昨夜下次選中男行中男絶短小何以守王城肥男有母送瘦男獨伶俜白水暮東流青山猶哭聲莫自使眼枯收汝淚縱橫眼枯即見骨天地終無情我軍取相州日夕望其平豈意賊難料歸軍星散營就糧近故壘練卒依舊京掘壕不到水牧馬役亦輕況乃王師順撫養甚分明送行勿泣血僕射如父兄

張綖曰此等詩不專是刺蓋兵者凶器聖人不得已而用之故可已而不已者則刺之不得已而用者則慰之哀之若兵車行前後出塞之類皆刺也若新安吏之類則慰也石壕吏之類則哀也然天子有道守

在四夷則所以慰哀之者是亦刺也

朱鶴齡曰此下六詩乃乾元二年自東都回華州時經歷道途有感而作

通鑑乾元二年九節度之師潰於相州郭子儀以朔方軍斷河陽橋保東京築南北兩城守之

潼關吏

士卒何草草築城潼關道大城鐵不如小城萬丈餘借問潼關吏修關還備胡要我下馬行為我指山隅連雲列戰格飛鳥不能踰胡來但自守豈復憂西都丈人視要處窄狹容單車艱難奮長戟萬古用一夫哀哉桃林戰百萬化為魚請囑防關將慎勿學哥舒

以叙述為議論漢魏每有此格連雲句以下皆吏答詞以末為答吏者非也

石壕吏

暮投石壕村有吏夜捉人老翁踰墻走老婦出門看吏呼一何怒婦啼一何苦聽婦前致詞三男鄴城戍一男

附書至二男新戰死存者且偷生死者長已矣室中更無人惟有乳下孫有孫母未去出入無完帬老嫗力雖衰請從吏夜歸急應河陽役猶得備晨炊夜久語聲絶如聞泣幽咽天明登前途獨與老翁别

李因篤曰響悲意苦最近漢魏

新婚别

兎絲附蓬麻引蔓故不長嫁女與征夫不如棄路旁結髮為妻子席不煖君牀暮婚晨告别無乃太忽忙君行

雖不遠守邊赴河陽妾身未分明何以拜姑嫜父母養我時日夜令我藏生女有所歸雞狗亦得將君今往死地沈痛迫中腸誓欲隨君去形勢反蒼黃勿為新婚念努力事戎行婦人在軍中兵氣恐不揚自嗟貧家女久致羅襦裳羅襦不復施對君洗紅妝仰視百鳥飛大小必雙翔人事多錯迕與君永相望

讀東山之四章曰其新孔嘉其舊如之何曲盡人情如此此王者之以人道使人也暮婚晨别民之不幸非上之過耶然而發乎情止乎禮義甫之立言與風雅何以異哉

真德秀曰先王之政新有婚期不役政此詩所怨盡其常分而能不忘禮義

羅大經曰國風豈無膏沐誰適為容蓋古之婦人夫不在家則不為容飾此遠嫌防微之意也杜詩云羅襦不復施對君洗紅妝尤可悲矣國風之後唯杜陵不可及者此類是也

朱鶴齡曰陳琳飲馬長城窟行設為問答此三吏三别諸篇所自來也而新婚一章敘室家離别之情及夫婦始終之分全祖樂府遺意沈痛更為過之

垂老别

四郊未寧靜垂老不得安子孫陣亡盡焉用身獨完投杖出門去同行為辛酸幸有牙齒存所悲骨髓乾男兒既介冑長揖别上官老妻卧路啼歲暮衣裳單孰知是死别且復傷其寒此去必不歸還聞勸加餐土門壁甚

堅杏園度亦難勢異鄴城下縱死時猶寛人生有離合豈擇衰盛端憶昔少壯日遲回竟長歎萬國盡征戍烽火被岡巒積屍草木腥流血川原丹何鄉為樂土安敢尚盤桓棄絶蓬室居塌然摧肺肝

王粲七哀實此詩之權輿古詩十五從軍征一首則無家别所自出也

胡夏客曰新安石壕新婚垂老諸詩述軍興之調發寫民情之怨哀詳矣然作者之意又不止此國家不

幸多事猶幸有繕兵中興之主上能用其民下能應其命至殺身棄家不顧以成一時恢復之功故娓娓言之義合風雅不為誹謗耳

無家别

寂寞天寶後園廬但蒿藜我里百餘家世亂各東西存者無消息死者為塵泥賤子因陣敗歸來尋舊蹊久行見空巷日瘦氣慘悽但對狐與狸豎毛怒我啼四鄰何所有一二老寡妻宿鳥戀本枝安辭且窮棲方春獨荷鋤日暮還灌畦縣吏知我至召令習鼓鞞雖從本州役内顧無所攜近行止一身遠去終轉迷家鄉既盪盡遠近理亦齊永痛長病母五年委溝谿生我不得力終身兩酸嘶人生無家别何以為烝黎

漢魏樂府因事立言言與事比有風詩遺意後人轉相彷效文勝而情隱矣甫以馳騁今古之才奮乎前人窠臼之外隨所感觸作為詩歌新安吏諸篇上繼風雅陟岵鴇羽之怨苕華草黄之哀殆不是過非漢魏所得有

也記曰亡國之音哀以思其民困故曰音之起由人心而生自然以發音之至也安史之亂唐之不亡幸耳相州一潰河陽危迫驅民從役勢不得已然其困亦極矣甫於行役所經傷心慘目上憫國難下痛民窮加以所遇不偶懷抱抑欝程形賦音幾於一字一淚覺千古不可磨滅使孔子删詩當在變雅之列豈復區區字句之間聲調之末與他人較工拙哉

范温曰建安詩辯而不華質而不偶風調高雅格力

適壯得風雅騷人之氣骨最為近古者也唐諸詩人高者學陶謝下者學徐庾惟老杜大白退之皆學建安晚乃各自變成一家如老杜崆峒小麥熟人生不相見新安石壕潼關吏新婚垂老無家別夏日夏夜嘆皆全體作建安語今集第一第二卷中頗多退之亦多此體但頗自加新奇太白多建安句法而罕全篇多雜以鮑明遠體前輩皆留意于此近來學者遂不講爾

王嗣奭曰目擊成詩遂下千年之淚一一刻畫宛至同工異曲隨物賦形真造化手也

遣興三首

下馬古戰場四顧但茫然風悲浮雲去黃葉墜我前朽骨穴螻蟻又為蔓草纏故老行歎息今人尚開邊漢虜互勝負封疆不常全安得廉恥將三軍同晏眠（廉恥一作廉頗）

高秋登塞山南望馬邑州降虜東擊胡壯健盡不留穹廬莽牢落上有行雲愁老弱哭道路願聞甲兵休鄴中事反覆死人積如邱諸將已茅土載驅誰與謀

豐年孰云遲甘澤不在早耕田秋雨足禾黍已映道春苗九月交顏色同日老勸汝衡門士勿悲尚枯槁時來展材力先後無醜好但訝鹿皮翁忘機對芳草

適文壯節抑揚哀怨遠之源於小雅近亦比肩子建抗行嗣宗豐年一篇比興微婉足以息競躁而慰晚達士大夫不可不知此意

申涵光曰杜云諸將已茅土載驅誰與謀高適亦云豈無安邊策諸將已承恩皆言恩寵太過將驕不可用也

黃希曰諸將不指李郭如封朔方大將軍孫守亮等九人為異姓王李商臣等十三人為同姓王是也

幽人

孤雲亦羣遊神物有所歸麟鳳在赤霄何當一來儀往與惠荀輩中年滄州期天高無消息棄我忽若遺內懼非道流幽人見瑕疵洪濤隱語笑鼓枻蓬萊池崔嵬扶

桑日照耀珊瑚枝風帆倚翠蓋暮把東皇衣咽漱元和津所思煙霞微知名未足稱局促商山芝五湖復浩蕩歲暮有餘悲

憶舊懷人之作一起高古極似郭景純游仙格力論者遂以為游仙之詞真皮相也或以為寓意闕庭戀戀君父又以幽人采芝為指李泌云者亦太穿鑿詩自分明未嘗自謂行所無事以解之斯得其指

佳人

絕代有佳人幽居在空谷自云良家子零落依草木關中昔喪敗兄弟遭殺戮官高何足論不得收骨肉世情惡衰歇萬事隨轉燭夫壻輕薄兒新人已如玉合昏尚知時鴛鴦不獨宿但見新人笑那聞舊人哭在山泉水清出山泉水濁侍婢賣珠回牽蘿補茅屋摘花不插髮采柏動盈掬天寒翠袖薄日暮倚修竹

劉會孟曰字字矜到

仇兆鰲曰天寶亂後當是實有是人故形容曲至舊謂托詞而作恐非是楊億詩獨自憑闌干衣襟生暮寒本此末句而低昂自見彼何以不服杜耶

浦起龍曰在山二句可謂真士之心化人之舌建安而下無此語也只以寫景作結脫盡色相

赤谷西崦人家

躋險不自喧出郊已清目溪回日氣暖徑轉山田熟鳥雀依茅茨藩籬帶松菊如行武陵暮欲問桃花宿

西枝村尋置草堂地夜宿贊公土室

天寒鳥已歸月出人更靜土室延白光松門耿疎影躋攀倦日短語樂寄夜永明燃林中薪暗汲石底井大師京國舊德業天機秉從來支許遊興趣江湖迥數奇謫關塞道廣存箕潁何知戎馬間復接塵事屏幽尋豈一路遠色有諸嶺晨光稍曚曨更越西南頂

起語亦陶謝之遺

夢李白二首

死别已吞聲生别常惻惻江南瘴癘地逐客無消息故人入我夢明我常相憶恐非平生魂路遠不可測魂來楓葉青魂返關塞黑君今在羅網何以有羽翼落月滿屋梁猶疑照顔色水深波浪闊無使蛟龍得

浮雲終日行遊子久不至三夜頻夢君情親見君意告歸常局促苦道來不易江湖多風波舟楫恐失墜出門搔白首若負平生志冠蓋滿京華斯人獨顦顇孰云網恢恢將老身反累千秋萬歲名寂寞身後事

沈痛之音發於至情情之至者文亦至友誼如此當與出師陳情二表並讀非僅招魂大招之遺韻也落月屋梁千秋絶調楊慎以夢中魂魄猶言是覺後精神尚未回一語此之未為知言

仇兆鼇曰千古交情此為獨至首篇云逐客無消息故有路遠之憂水深之慮次篇云情親見君意故寫局促之情憔悴之態皆章法照應也

何焯曰此詩之作當太白繫獄時

遣興

蟄龍三冬卧老鶴萬里心昔時賢俊人未遇猶視今嵇康不得死孔明有知音又如壠底松用舍在所尋大哉霜雪幹歲久為枯林

昔者龐德公未曾入州府襄陽耆舊間處士節獨苦豈無濟時策終竟畏羅罟林茂鳥有歸水深魚知聚舉家依鹿門劉表焉得取

用世之志保身之哲具見於此此所謂以意為主以文

傳意者林茂二句雖用龐公語然其指自是孟子民之歸仁士願立朝之義而用筆跌宕彌覺深遠

浦起龍曰嗣宗詠懷太冲詠史延年五君詠公蓋兼而用之

遣興

朔風飄胡雁慘澹帶砂礫長林何蕭蕭秋草萋更碧北里富薰天高樓夜吹笛馬知南鄰客九月猶絺綌

漆有用而割膏以明自煎蘭摧白露下桂折秋風前府

中羅舊尹沙道尚依然赫赫蕭京兆今為時所憐

朱鶴齡曰蔡夢弼注引干兢大唐傳天寶三年因蕭京兆炅奏於要路築甬道載沙實之屬於朝堂此詩蕭京兆承上沙道言之其為炅發無疑

猛虎憑其威往往遭急縛雷吼徒咆哮枝撐已在脚忽看皮寢處無復睛閃爍人有甚於斯足以勸元惡

古來權要讀此能不膽落

錢謙益曰此蓋指吉溫之流溫常云若遇知己南山

白額虎不足縛也故公借以為喻

前出塞九首

戚戚去故里悠悠赴交河公家有程期亡命嬰禍羅君已富土境開邊一何多棄絶父母恩吞聲行負戈

浦起龍曰前出塞刺開邊也物衆地大有侈心焉公所為諷也已富而又開邊乃九首寓諷本旨在首章拈破結語黯然

出門日已遠不受徒旅欺骨肉恩豈斷男兒死無時走馬脫轡頭手中挑青絲捷下萬仞岡俯身試搴旗

磨刀嗚咽水水赤刃傷手欲輕腸斷聲心緒亂已久丈夫誓許國憤惋復何有功名圖騏驎戰骨當速朽

王嗣奭曰前四句化用隴頭歌極鑪錘之妙

送徒既有長遠戍亦有身生死向前去不勞吏怒嗔路逢相識人附書與六親哀哉兩决絶不復同苦辛

吳昌祺曰甚於慟哭

迢迢萬餘里領我赴三軍軍中異苦樂主將寧盡聞隔

河見胡騎倏忽數百羣我始為奴僕幾時樹功勳

古之良將與士卒同甘苦無不恤其下者至其賞功則雖微必錄其有異能者擢以不次士所以悅也此篇曲寫人情故杜臆以論兵邁古風為此老自道

李因篤曰結語有深味想古之却聘者與此同悲

挽弓當挽強用箭當用長射人先射馬擒賊先擒王殺人亦有限列國自有疆苟能制侵陵豈在多殺傷

黃生曰明皇不恤其民而遠慕秦漢此詩託諷良深

驅馬天雨雪軍行入高山逕危抱寒石指落曾冰閒已
去漢月遠何時築城還浮雲暮南征可望不可攀
單于寇我壘百里風塵昏雄劒四五動彼軍為我奔擄
其名王歸繫頸授轅門潛身備行列一勝何足論
從軍十年餘能無分寸功衆人貴苟得欲語羞雷同中
原有鬬爭況在狄與戎丈夫四方志安可辭固窮

九首皆代從軍者之詞指事深切以沈鬱寫其哀怨者
親履行間所不能自道者可使天雨粟鬼夜哭矣讀東

山江漢諸詩風雅既變斯為極焉以視王粲從軍五首
其靡靡不足道後五篇視此稍縱而格力如一其所緣
起者殊也

吳昌祺曰掃絶依傍獨有千古無意不深無筆不健
于鱗謂杜五古不合漢魏烏知其盡脫窠舊而異軌
齊驅耶

後出塞五首

男兒生世閒及壯當封侯戰伐有功業焉能守舊丘召
募赴薊門軍動不可留千金買馬鞭百金裝刀頭閭里
送我行親戚擁道周斑白居上列酒酣進庶羞少年别
有贈含笑看吳鉤

朝進東門營暮上河陽橋落日照大旗馬鳴風蕭蕭平
沙列萬幕部伍各見招中天懸明月令嚴夜寂寥悲笳數
聲動壯士慘不驕借問大將誰恐是霍嫖姚

許顗曰詩有力量如弓之鬬力未挽時不知其難也
及其挽之力不極處分寸不可強若出塞云落日照

大旗馬鳴風蕭蕭悲笳數聲動壯士慘不驕又八哀
詩汝陽讓帝子諸句此等力量不容他人到

吳昌祺曰詩如寶刀出匣寒光逼人

古人重守邊今人重高勳豈知英雄主出師亘長雲六
合已一家四夷且孤軍遂使貔虎士奮身勇所聞拔劍
擊大荒日收胡馬羣誓開元冥壯持以奉吾君

獻凱日繼踵兩蕃靜無虞漁陽豪俠地擊鼓吹笙竽雲
帆轉遼海粳稻來東吳越羅與楚練照耀輿臺軀主將

位益崇氣驕凌上都邊人不敢議議者死路衢

張綖曰左傳兵猶火也不戢自焚前四章著明皇黷武不戢過寵邊將啟其驕恣輕上之心末則直著祿山之叛以見明皇自焚之禍也

我本良家子出師亦多門將驕益愁思身貴不足論躍馬二十年恐辜明主恩坐見幽州騎長驅河洛昏中夜間道歸故里但空村惡名幸脫免窮老無兒孫

劉克莊曰前後出塞筆力高古可與十九首並傳

范梈曰前後出塞皆傑作有古樂府之聲而理勝

周珽曰諸作如將百萬軍實之惜之又能風雨使之真射潮之力沒羽之技

錢謙益曰前出塞為徵秦隴之兵赴交河而作後出塞為徵東都之兵赴薊門而作前則明皇窮兵開邊故以從軍之苦樂言之後則祿山逆節既萌幽燕騷動而人主不悟卒有陷沒之禍

萬丈潭

青溪合冥寞神物有顯晦龍依積水蟠窟壓萬丈內踴步凌垠堮側身下烟靄前臨洪濤寬却立蒼石大山危一徑盡崖絶兩壁對削成根虛無倒影垂澹瀞黑如灣澴底清見光炯碎孤雲倒來深飛鳥不在外高蘿成帷幄寒木累旌旆遠川曲通流嵌竇潛洩瀨造幽無人境發興自我輩告歸遺恨多將老斯遊最閑藏修鱗蟄出入巨石礙何事暑天過快意風雨會

刻意模範視鮑謝山水諸詩鑱削過之

楊德周曰刻劃之中元氣渾淪窈冥之內光怪迸發

兩當縣吳十侍御江上宅

寒城朝烟澹山谷落葉赤陰風千里來吹汝江上宅鶡鶏號枉渚日色傍阡陌借問持斧翁幾年長沙客哀哀失木狖矯矯避弓翮亦知故鄉樂未敢思宿昔昔在鳳翔都共通金閨籍天子猶蒙塵東郊暗長戟兵家忌間諜此輩常接跡臺中領舉劾君必慎剖析不忍殺無辜所以分白黑上官權許與失意見遷斥仲尼甘旅人向

子識損益朝廷非不知閉口休歎息余時忝諍臣丹陛實咫尺相看受狼狽至死難塞責行邁心多違出門無與適於公負明義惆悵頭更白

直起老到若從昔日叙起轉筆定拖沓矣不忍殺無辜所以分白黑凜如秋霜皎然明白末乃引咎於己寄慨獨深

申涵光曰摩詰云知禰不能薦羞稱獻納臣兩公心事如青天白日化人便多回護矣

發秦州

我衰更嬾拙生事不自謀無食問樂土無衣思南州漢源十月交天氣涼如秋草木未黃落况聞山水幽栗亭名更佳下有良田疇充腸多薯蕷崖蜜亦易求密竹復冬筍清池可方舟雖傷旅寓遠庶遂平生遊此邦俯要衝實恐人事稠應接非本性登臨未銷憂谿谷無異石塞田始微收豈復慰老夫惆然難久留日色隱孤戍烏啼滿城頭中宵驅車去飲馬寒塘流磊落星月高蒼茫雲霧浮大哉乾坤内吾道長悠悠

朱熹曰觀杜詩初年甚精細晚年橫逸不可當如自秦州入蜀諸詩分明如畫乃其少作也

王嗣奭曰此詩難於作結大哉乾坤内吾道長悠悠亦近亦遠收得恰好與飄蕩雲天澗同意

鐵堂峽

山風吹遊子縹緲乘險絶硤形藏堂隍壁色立積鐵徑摩穹蒼蟠石與厚地裂修纖無垠竹嵌空太始雪威遲

哀壑底徒旅慘不悅水寒長冰橫我馬骨正折生涯抵弧矢盗賊殊未滅飄蓬踰三年迴首肝肺熱

鹽井

鹵中草木白青者官鹽烟官作既有程煮鹽烟在川汲井歲搰搰出車日連連自公斗三百轉致斛六千君子慎止足小人苦喧闐我何良嘆嗟物理固自然

鹽筴之利筦之在官乃所以止民之爭俾得流通以足食而已其留之在民者未嘗不厚天寶以來鹽價猶賤

自第五琦革立法增直而十錢者為三百七十官取多則民食貴而趨利者喧闐益甚止足之戒宜有慨乎言之

寒硤

行邁日悄悄山谷勢多端雲門轉絶岸積阻霾天寒寒硤不可度我實衣裳單況當仲冬交泝沿增波瀾野人尋烟語行子傍水餐此生免荷殳未敢辭路難

劉會孟曰悲傷忠厚得詩人之正

法鏡寺

身危適他州勉强終勞苦神傷山行深愁破崖寺古嬋娟碧蘚淨蕭摵寒籜聚回回山根水冉冉松上雨洩雲蒙清晨初日翳復吐朱甍半光炯戶牖粲可數拄策忘前期出蘿已亭午冥冥子規叫微徑不復取

張溍曰諸詩結皆寓意感慨此獨以實景收是用筆能變處

青陽峽

塞外苦厭山南行道彌惡岡巒相經亘雲水氣參錯林迴硤角來天窄壁面削磎西五里石奮怒向我落仰看日車側俯恐坤軸弱魑魅嘯有風霜霰浩漠漠昨憶踰隴坂高秋視吳岳東笑蓮華卑北知崆峒薄超然侔壯觀已謂殷寥廓突兀猶趂人及茲歎冥冥

力鑿險艱彼地山川非此不稱後人刻意摹之過於險怪非杜之過也

龍門鎮

細泉兼輕冰沮洳棧道濕不辭辛苦行迫此短景急石門雪雲隘古鎮峰巒集旌竿暮慘澹風水白刃澀胡馬屯城皐防虞此何及嗟爾遠戍人山寒夜中泣

黄淳耀曰時東京為史思明所據故龍門鎮兵有石門之守然此地與成皐遠不相及而防戍於此亦何為哉

石龕

熊羆咆我東虎豹號我西我後鬼長嘯我前狨又啼天寒昏無日山遠道路迷驅車石龕下仲冬見虹蜺伐竹者誰子悲歌上雲梯為官採美箭五歲供梁齊苦云直簳盡無以充提携奈何漁陽騎颯颯驚蒸黎

中涵光曰起勢奇崛若安放在中間即常語耳

御選唐宋詩醇卷十

欽定四庫全書

集部

御選唐宋詩醇卷十一

詳校官山東道御史臣温常綬

總校官編修臣朱鈐
校對官編修臣李鎔
謄錄監生臣王家杞

御選唐宋詩醇卷十一

襄陽杜甫詩三

乾元中寓居同谷縣作歌七首

有客有客字子美白頭亂髮垂過耳歲拾橡栗隨狙公天寒日暮山谷裏中原無書歸不得手脚凍皴皮肉死嗚呼一歌兮歌已哀悲風為我從天來

舊唐書時穀食踴貴甫寓居成州同谷縣自負薪拾梠兒女餓殍者數人

長鑱長鑱白木柄我生託子以為命黄獨無苗山雪盛短衣數挽不掩脛此時與子空歸來男呻女吟四壁静嗚呼二歌兮歌始放隣里為我色惆悵

仇兆鰲曰山谷云陳藏器本草載黄獨遇霜雪枯無苗蓋蹲鴟之類蔡夢弼引別注云黄獨歲饑土人掘以充糧公詩屢用黄精不必作黄獨安公詩若太平寺泉眼及杖人山皆為引年而發此歌則為救饑而言主黄獨為是

有弟有弟在遠方三人各瘦何人强生别展轉不相見胡塵暗天道路長東飛駕鵝後鶖鶬安得送我置汝旁嗚呼三歌兮歌三發汝歸何處收兄骨

趙傁曰公四弟曰穎觀豐占各散在他郡惟占從公入蜀

有妹有妹在鍾離良人早歿諸孤癡長淮浪高蛟龍怒十年不見來何遲扁舟欲往箭滿眼杳杳南國多旌旗嗚呼四歌兮歌四奏林猿為我啼清晝

朱鶴齡曰猿多夜啼今啼清晝極言其悲也解作竹林穿鑿難信

四山多風溪水急寒雨颯颯枯樹濕黄蒿古城雲不開白狐跳梁黄狐立我生何為在窮谷中夜起坐萬感集嗚呼五歌兮歌正長魂招不來歸故鄉

仇兆鰲曰此歌忽然變調寫得山昏水惡雨驟風狂荒城晝暝野狐羣嘯頓覺空谷孤危萬感交迸招魂於生前收骨於死後見存亡總不能自必矣

南有龍兮在山湫古木巃嵸枝相樛木葉黄落龍正蟄
蝮蛇東來水上遊我行怪此安敢出拔劍欲斬且復休
嗚呼六歌兮歌思遲溪壑為我迴春姿

王道俊曰前後六章皆自叙流離之感不應此章獨
譏時事蓋詠同谷萬丈潭之龍也郭知達引趙注云
此詩南有龍喻明皇在南内東坡必無是言

男兒生不成名身已老三年饑走荒山道長安卿相多
少年富貴應須致身早山中儒生舊相識但話宿昔傷
懷抱嗚呼七歌兮悄終曲仰視皇天白日速

慷慨悲歌足以裂山石而立海水殆所謂自鑄離騷者
史遷云人勞苦倦極未嘗不呼天也疾痛慘怛未嘗不
呼父母也甫之遇為何如哉流離困頓轉徙山谷仰天
一呼萬感交集而筆之奇氣之豪又足以發其所感淋
漓頓挫自成音節自古及今不可有二朱祁云莫肯念
亂小雅怨自然流泣袁安愁此之謂矣歌中思及弟妹
字字至情南有龍一篇感時憫亂實有寓意若謂為
明皇而作則不免牽合耳

李廌曰太白遠別離蜀道難與子美同谷七歌風騷
極致不在屈宋之下

胡應麟曰杜七歌亦倣張衡四愁然七歌奇崛雄深
四愁和平婉麗漢唐短歌各為絶唱所謂異曲同工

王嗣奭曰七歌創作原不倣離騷而哀實過之讀離
騷未必墮淚而讀此不能終篇則以節短而聲促也

仇兆鰲曰七歌結語皆本蔡琰胡笳曲

水會渡

山行有常程中夜尚未安微月沒已久崖傾路何難大
江動我前洶若溟渤寬篙師暗理楫歌笑輕波瀾霜濃
木石滑風急手足寒入舟已千憂陟巘仍萬盤迴眺積
水外始知衆星乾遠遊令人瘦衰病慙加餐

仇兆鰲曰曹孟德詩星漢燦爛若出其裏與杜句可
參看

飛仙閣

土門山行窄微徑緣秋豪棧雲闌干峻梯石結構牢萬壑欹疎林積陰帶奔濤寒日外淡泊長風中怒號歘鞍在地底始覺所歷高往來雜坐卧人馬同疲勞浮生有定分饑飽豈可逃歎息謂妻子我何隨汝曹

龍門閣

清江下龍門絶壁無尺土長風駕高浪浩浩自太古危途中縈盤仰望垂綫縷滑石欹誰鑿浮梁裊相拄目眩隕雜花頭風吹過雨百年不敢料一墜那得取飽聞經

瞿塘足見度大庾終身歷艱險恐懼從此數

石櫃閣

季冬日已長山晚半天赤蜀道多早花江間饒奇石石櫃曾波上臨虛蕩高壁清暉回羣鷗暝色帶遠客羈棲負幽意感歎向絶跡信甘孱懦嬰不獨凍餒迫優遊謝康樂放浪陶彭澤吾衰未自安謝爾性所適

暝色帶遠客造語入妙光禄坂行云暝色無人獨歸客雋致減矣

桔柏渡

青冥寒江渡駕竹為長橋竿濕烟漠漠江永風蕭蕭連笮動嫋娜征衣颯飄飄急流鴇鷁散絶岸黿鼉驕西轅自兹異東逝不可要高通荆門路闊會滄海潮孤光隱顧盻遊子悵寂寥無以洗心胸前登但山椒

劍門

惟天有設險劍門天下壯連山抱西南石角皆北向兩崖崇墉倚刻畫城郭狀一夫怒臨關百萬未可傍珠玉

走中原岷峨氣悽愴三皇五帝前雞犬各相放後王尚柔遠職貢道已喪至今英雄人高視見霸王并吞與割據極力不相讓吾將罪真宰意欲鏟疊嶂恐此復偶然臨風默惆悵

危時之慮與劍閣銘固自有異若李商隱井絡一首乃用銘意者

江盈科曰少陵秦州以後詩突兀宏肆迥異昔作非有意換格蜀中山水自是挺特奇崛獨能象景傳神

使人讀之山川歷落居然在眼所謂春蠶結繭隨物肖形乃為真詩人真手筆也

胡夏客曰劍門詩因劍閣銘而成但銘詞出以莊嚴此詩尤加雄肆用古而能勝於古人方稱作家

朱鶴齡曰蜀為財賦所出自明皇臨幸供億不貲民力盡矣民力盡而寇盜乘之晉李特流人之禍可為明鑒此詩故有岷峨悽愴與英雄割據之慮也

成都府

翳翳桑榆日照我征衣裳我行山川異忽在天一方但逢新人民未卜見故鄉大江東流去游子去日長曾城填華屋季冬樹木蒼喧然名都會吹簫間笙簧信美無與適側身望川梁鳥雀夜各歸中原杳茫茫初月出不高衆星尚爭光自古有羇旅我何苦哀傷

語意多本古人較遂中諸作雖氣度少舒而憂思未嘗忘也初月兩語上承中原一句王應麟以謂肅宗初立盜賊未息最為得解蓋至此身事少定不覺念及朝廷

甫豈須臾忘君者哉

石犀行

君不見秦時蜀太守刻石立作三犀牛自古雖有厭勝法天生江水向東流蜀人矜誇一千載泛溢不近張儀樓今年灌口損戶口此事或恐為神羞終藉隄防出衆力高擁木石當清秋先王作法皆正道詭怪何得參人謀嗟爾三犀不經濟缺訛只與長川逝但見元氣常調和自免洪濤恣凋瘵安得壯士提天綱再平水土犀奔茫

斥不經之談歸之正道筆力傑界不落言筌視石笋行尤為擅勝

題壁畫馬歌　原注韋偃畫

韋侯別我有所適知我憐君畫無敵戲拈禿筆掃驊騮欻見騏驎出東壁一匹齕草一匹嘶坐看千里當霜蹄時危安得真致此與人同生亦同死

此然健筆轉出命意乃詩人之旨

戲題畫山水圖歌 原注王宰畫宰丹青絶倫

十日畫一水五日畫一石能事不受相促迫王宰始肯留真跡壯哉崑崙方壺圖挂君高堂之素壁巴陵洞庭日本東赤岸水與銀河通中有雲氣隨飛龍舟人漁子入浦漵山木盡亞洪濤風尤工遠勢古莫比咫尺應須論萬里焉得并州快剪刀剪取吳松半江水

無名氏西清詩話曰梁蕭文奐善畫於扇上圖山水咫尺之內便覺萬里為遙老杜云尤工遠勢古莫比

咫尺應須論萬里作贊似非用事如男兒既介胄長揖別上官用介胄之士不拜婦人在軍中兵氣恐不揚用軍中豈有女子乎皆用其事而隱其語

題李尊師松樹障子歌

老夫清晨梳白頭元都道士來相訪握髮呼兒延入戶手提新畫青松障障子松林靜杳冥憑軒忽若無丹青陰崖却承霜雪幹偃蓋反走虬龍形老夫平生好奇古對此興與精靈聚已知仙客意相親更覺良工心獨苦松下丈人巾屨同偶坐似是商山翁悵望聊歌紫芝曲時危慘澹來悲風

戲為雙松圖歌 原注韋偃

天下幾人畫古松畢宏已老韋偃少絶筆長風起纖末滿堂動色嗟神妙兩株慘裂苔蘚皮屈鐵交錯迴高枝白催朽骨龍虎死黑入太陰雷雨垂松根胡僧憩寂寞龐眉皓首無住著偏袒右肩露雙脚葉裏松子僧前落

韋侯韋侯數相見我有一匹好東絹重之不減錦繡段已令拂拭光凌亂請公放筆為直幹

題畫諸篇刻意冥搜積思獨造與太白觀粉圖山水諸篇並駕齊驅遂為此體之祖至於思業高奇絶幽鑿險則杜老又似稍優者蓋其詣力所近更覺良工心獨苦也

沈德潛曰突兀起不妨平接如堂上不合生楓樹下云聞君掃却赤縣圖是也平調起必警語接此詩是也學者於此求之思過半矣

病柏

有柏生崇岡童童狀車蓋偃蹇龍虎姿主當風雲會神明依正直故老多再拜豈知千年根中路顔色壞出非不得地蟠據亦高大歲寒忽無憑日夜柯葉改丹鳳領九雛哀鳴翔其外鴟鴞志意滿養子穿穴內客從何鄉來佇立久吁怪靜求元精理浩蕩難倚賴

託諭之言可垂鑒戒

葉夢得曰此詩爲明皇而作

病橘

羣橘少生意雖多亦奚爲惜哉結實小酸澀如棠梨剖之盡蠹蝕采掇爽其宜紛然不適口豈只存其皮蕭蕭半死葉未忍別故枝元冬霜雪積況乃迴風吹嘗聞蓬萊殿羅列瀟湘姿此物歲不稔玉食失光輝寇盜尚憑陵當君減膳時汝病是天意吾諗罪有司憶昔南海使奔騰獻荔支百馬死山谷到今耆舊悲

因病橘而回憶荔枝婉轉言之多少慨歎

枯棕

蜀門多棕櫚高者十八九其皮割剝甚雖衆亦易朽徒布如雲葉青黃歲寒後交橫集斧斤凋喪先蒲柳傷時苦軍乏一物官盡取嗟爾江漢人生成復何有有同枯棕木使我沈嘆久死者即已休生者何自守啾啾黃雀啅側見寒蓬走念爾形影乾摧殘沒藜莠

仇兆鰲曰詩中詠物之作有就本題作結者此章是也有借客意作結者病橘枯柟是也可悟詩家擒縱之法

枯柟

楩柟枯崢嶸鄉黨皆莫記不知幾百歲慘慘無生意上枝摩皇天下根蟠厚地巨圍雷霆拆萬孔蟲蟻萃凍雨落流膠衝風奪佳氣白鵠遂不來天雞爲愁思猶含棟梁具無復霄漢志良工古昔少識者出涕淚種榆水中央成長何容易截承金露盤裊裊不自畏

四詩皆託物起興風人之嗣音也

葉夢得曰此詩當是為房次律而作

浦起龍曰四詩寄託遙深歛鋒鍔為之力追古作者

戲作花卿歌

成都猛將有花卿學語小兒知姓名用如快鶻風火生見賊唯多身始輕綿州副使著柘黃我卿掃除即日平子璋髑髏血模糊手提擲還崔大夫李侯重有此節度人道我卿絶世無既稱絶世無天子何不喚取守京都

淑筆婉轉自如所謂意愜關飛動者不獨子璋一句凜

凜有生色也

唐書上元二年四月梓州刺史段子璋反襲東川節度使李奐於綿州自稱梁王五月成都尹崔光遠率將花敬定攻拔綿州斬子璋

柟樹為風雨所拔歎

倚江柟樹草堂前故老相傳二百年誅茅卜居總為此五月髣髴聞寒蟬東南飄風動地至江翻石走流雲氣幹排雷雨猶力爭根斷泉源豈天意滄波老樹性所愛浦上童童一青蓋野客頻留懼雪霜行人不過聽竽籟虎倒龍顛委榛棘淚痕血點垂胸臆我有新詩何處吟草堂自此無顏色

勢取矯勵意主樸真

茅屋為秋風所破歌

八月秋高風怒號卷我屋上三重茅茅飛度江灑江郊高者掛罥長林梢下者飄轉沉塘坳南村羣童欺我老無力忍能對面為盜賊公然抱茅入竹去脣焦口燥呼不得歸來倚杖自歎息

俄頃風定雲墨色秋天漠漠向昏黑布衾多年冷似鐵驕兒惡臥踏裏裂床床屋漏無乾處雨脚如麻未斷絶自經喪亂少睡眠長夜沾濕何由徹安得廣廈千萬間大庇天下寒士俱歡顏風雨不動安如山嗚呼何時眼前突兀見此屋吾廬獨破受凍死亦足

極無聊事以直寫見筆力入後大波軒然而起疊筆作收如龍掉尾非僅見此老胸懷若無此意則詩亦可不作

朱鶴齡曰白樂天云安得布裘長萬丈與君都蓋洛陽城同此意

天邉行

天邉老人歸未得日暮東臨大江哭隴右河源不種田胡騎羌兵入巴蜀洪濤滔天風拔木前飛禿鶖後鴻鵠九度附書向洛陽十年骨肉無消息

苦戰行

苦戰身死馬將軍自云伏波之子孫干戈未定失壯士使我歎恨傷精魂去年江南討狂賊臨江把臂難再得别時孤雲今不飛時獨看雲淚橫臆

情濫乎詞音長節短

述古

赤驥頓長纓非無萬里姿悲鳴淚至地為問馭者誰鳳凰從東來何意復高飛竹花不結實念子忍朝飢古時君臣合可以物理推賢人識定分進退固其宜

唐汝詢曰驥無良馭則跪萬里之能鳳無竹實則高飛而不下君臣相合之義當以此理推之賢者固知所自守而用人者可不加之意乎

市人日中集於利競錐刀置膏烈火上哀哀自煎熬農人望歲稔相率除蓬蒿所務穀為本邪贏無乃勞舜舉十六相身尊道何高秦時任商鞅法令如牛毛

比賦相兼名論不朽蘓軾以末四句為稷契輩人語信有其意

朱鶴齡曰是時第五琦劉晏皆以宰相領度支鹽鐵使榷税四出利析錐刀故言為治之道在乎惇本抑末舉良相以任之不當用興利之臣以滋民偽也

觀打魚歌

綿州江水之東津魴魚鱍鱍色勝銀漁人漾舟沉大網截江一擁數百鱗衆魚常才盡却棄赤鯉騰出如有神潛龍無聲老蛟怒回風颯颯吹沙塵饔子左右揮霜刀鱠飛金盤白雪高徐州禿尾不足憶漢陰槎頭遠遁逃魴魚肥美知第一既飽歡娛亦蕭瑟君不見朝來割素鬐咫尺波濤永相失

又觀打魚

蒼江漁子清晨集設網提綱萬魚急能者操舟疾若風撐突波濤挺叉入小魚脫漏不可記半死半生猶戢戢大魚傷損皆垂頭屈強泥沙有時立東津觀魚已再來主人罷鱠還傾盃日暮蛟龍改窟穴山根鱣鮪隨雲雷干戈兵革鬬未止鳳凰麒麟安在哉吾徒胡為縱此樂暴殄天物聖所哀

指事言情詞意簡遠如龍門之桐百尺無枝又如萬石洪鐘不作細響此所以為大家

仇兆鰲曰從竭澤而漁處寫出慘酷可憐之狀具見愛物仁心

黄生曰前詩寓感此詩寓規體物既精命意復遠

越王樓歌

綿州州府何磊落顯慶年中越王作孤城西北起高樓碧瓦朱甍照城郭樓下長江百丈清山頭落日半輪明君王舊跡今人賞轉見千秋萬古情

泠泠雅調或謂倣王子安滕王閣而風致小遜非也

冬到金華山觀因得故拾遺陳公學堂遺跡

涪右衆山内金華紫崔嵬上有蔚藍天垂光抱瓊臺繫舟接絶壁杖策窮縈回四顧俯層巔淡然川谷開雪嶺日色死霜鴻有餘哀焚香玉女跪霧裏仙人來陳公讀書堂石柱仄青苔悲風為我起激烈傷雄才

通泉驛南去通泉縣十五里山水作

溪行衣自濕亭午氣始散冬溫蚊蚋在人遠鳧鴨亂登頓生曾陰欹傾出高岸驛樓衰柳側縣郭輕煙畔一川

何綺麗盡目窮壯觀山色遠寂寞江光夕滋漫傷時愧孔父去國同王粲我生苦飄零所歷有嗟嘆

眼前景色寫出自有佳致

過郭代公故宅

豪俊初未遇其跡或脫略代公尉通泉放意何自若及夫登袞冕直氣森噴薄磊落見異人豈伊常情度定策神龍後宮中翕清廓俄頃辨尊親指揮存顧託羣公有慚色王室無削弱迴出名臣上丹青照臺閣我行得遺

跡池館皆疏鑿壯公臨事斷顧步涕橫落高咏寶劍篇神
交付冥漠

仇兆鰲曰俄頃辨尊親推其决幾之明壯公臨事斷服其應
變之敏二語能寫出代公身分荀彧之失身誤於不能辨
陳賓之僨事失於不能斷杜詩論人必具特識推此可見

短歌行 原注贈王郎司直

王郎酒酣拔劍斫地歌莫哀我能拔爾抑塞磊落之奇
才豫樟翻風白日動鯨魚跋浪滄溟開且脫佩劍休徘
徊西得諸侯棹錦水欲向何門趿珠履仲宣樓頭春色

深青眼高歌望吾子眼中之人吾老矣

劉會孟曰豪氣激人堂堂復堂堂

盧世㴶曰突兀橫絕跌宕悲涼

桃竹杖引

江心蟠石生桃竹蒼波噴浸尺度足斬根削皮如紫玉
江妃水仙惜不得梓潼使君開一束滿堂賓客皆歎息
憐我老病贈兩莖出入爪甲鏗有聲老夫復欲東南征

乘濤鼓泄白帝城路幽必為鬼神奪拔劍或與蛟龍爭
重為告曰杖兮杖兮爾之生也甚正直慎勿見水踴躍
變化為龍使我不得爾之扶持滅跡於君山湖上之青
峰噫風塵澒洞兮豺虎咬人忽失雙杖吾將何從

奇變酷似太白老杜真乃無所不有

朱鶴齡曰此詩蓋借竹杖以規諷章留後也既以踴
躍為龍戒之又以忽失雙杖危之其微旨可見

仇兆鰲曰宋之問駱體詩有嵩山天門歌杜詩此篇

徊西得諸侯棹錦水欲向何門趿珠履仲宣樓頭春色
深青眼高歌望吾子眼中之人吾老矣

劉會孟曰豪氣激人堂堂復堂堂

盧世㴶曰突兀橫絕跌宕悲涼

桃竹杖引

江心蟠石生桃竹蒼波噴浸尺度足斬根削皮如紫玉
江妃水仙惜不得梓潼使君開一束滿堂賓客皆歎息
憐我老病贈兩莖出入爪甲鏗有聲老夫復欲東南征

乘濤鼓泄白帝城路幽必爲鬼神奪拔劒或與蛟龍爭重爲告曰杖兮杖分爾之生也甚正直慎勿見水踴躍變化爲龍使我不得爾之扶持滅跡於君山湖上之青峰噫風塵澒洞兮豺虎咬人忽失雙杖吾將何從

> 奇變酷似太白老杜真乃無所不有

> 朱鶴齡曰此詩蓋借竹杖以規諷章留後也既以踴躍爲龍戒之又以忽失雙杖危之其微旨可見
> 仇兆鰲曰宋之問驄馬詩有嵩山天門歌杜詩此篇所自出然杜之靈奇卻勝於宋之雋麗

韋諷錄事宅觀曹將軍畫馬圖

國初已來畫鞍馬神妙獨數江都王將軍得名三十載人間又見真乘黃曾貌先帝照夜白龍池十日飛霹靂內府殷紅馬腦盤婕妤傳詔才人索盤賜將軍拜舞歸輕紈細綺相追飛貴戚權門得筆跡始覺屏障生光輝昔日太宗拳毛騧近時郭家師子花今之畫圖有二馬復令識者久歎嗟此皆騎戰一敵萬縞素漠漠開風沙其餘七匹亦殊絕迥若寒空動烟雪霜蹄蹴踏長楸間馬官廝養森成列可憐九馬爭神駿顧視清高氣深穩借問苦心愛者誰後有韋諷前支遁憶昔巡幸新豐宮翠華拂天來向東騰驤磊落三萬匹皆與此圖筋骨同自從獻寶朝河宗無復射蛟江水中君不見金粟堆前松柏裏龍媒去盡鳥呼風

> 蒼莽歷落中法律深細前從照夜白敘入即伏末段感慨中間錯綜九馬文勢跌宕可謂毫髮無遺憾波瀾獨老成矣七古至於老杜浩浩落落獨往獨來神龍在霄連蜷變化不可方物天馬行空脫去羈靮足以橫睨一世獨有千古東坡書韓幹牧馬圖猶非其匹況他人乎

丹青引 原注贈曹將軍霸

將軍魏武之子孫於今爲庶爲清門英雄割據雖已矣文彩風流猶尚存學書初學衛夫人但恨無過王右軍丹青不知老將至富貴於我如浮雲開元之中常引見承恩數上南薰殿凌煙功臣少顏色將軍下筆開生面良相頭上進賢冠猛將腰間大羽箭褒公鄂公毛髮動

英姿颯爽來酣戰先帝天馬玉花驄畫工如山貌不同
是日牽來赤墀下迥立閶闔生長風詔謂將軍拂絹素
意匠慘淡經營中斯須九重真龍出一洗萬古凡馬空
玉花却在御榻上榻上庭前屹相向至尊含笑催賜金
圉人太僕皆惆悵弟子韓幹早入室亦能畫馬窮殊相
幹惟畫肉不畫骨忍使驊騮氣凋喪將軍畫善蓋有神
必逢佳士亦寫真即今飄泊干戈際屢貌尋常行路人
途窮反遭俗眼白世上未有如公貧但看古來盛名下

終日坎壈纏其身

起筆老橫開元之中以下叙昔日之遇正為末段反照丹青之妙見贈言之義明矣通篇瀏灕頓挫節奏之妙於斯為極

許顗曰老杜丹青引一洗萬古凡馬空東坡觀吳道子畫壁詩筆所未到氣已吞二公之詩足以當之

沈德潛曰畫人畫馬賓主相形縱橫跌蕩此種篇法得之於心應之於手有化工而無人力莫能贊歎其妙

發閬中

前有毒蛇後猛虎溪行盡日無村塢江風蕭蕭雲拂地
山木慘慘天欲雨女病妻憂歸意速秋花錦石誰復數
別家三月一得書避地何時免愁苦

寄韓諫議

今我不樂思岳陽身欲奮飛病在牀美人娟娟隔秋水
濯足洞庭望八荒鴻飛冥冥日月白青楓葉赤天雨霜

玉京羣帝集北斗或騎麒麟翳鳳凰芙蓉旌旗煙霧樂
影動倒景搖瀟湘星宮之君醉瓊漿羽人稀少不在旁
時聞昨者赤松子恐是漢代韓張良昔隨劉氏定長安
帷幄未改神慘傷國家成敗吾豈敢色難腥腐餐風香
周南留滯古所惜南極老人應壽昌美人胡為隔秋水
焉得置之貢玉堂

黃生曰錢謙益謂此詩欲韓貢李泌於玉堂者其說近鑿公蓋與韓有舊故作此寄之按史記索隱注云

子房本韓之公族故曰漢代韓張良所指本自明白

浦起龍曰原本楚騷亦近太白

憶昔

憶昔開元全盛日小邑猶藏萬家室稻米流脂粟米白公私倉廩俱豐實九州道路無豺虎遠行不勞吉日出齊紈魯縞車班班男耕女桑不相失宮中聖人奏雲門天下朋友皆膠漆百餘年間未災變叔孫禮樂蕭何律豈聞一絹直萬錢有田種穀今流血洛陽宮殿燒焚盡宗

廟新除狐兎穴傷心不忍問耆舊復恐初從亂離說小臣魯鈍無所能朝廷記識蒙祿秩周宣中興望我皇灑血江漢身衰疾

居然變雅治亂相形極其沉痛

王嗣奭曰百餘年間二句蓋言法度之存亡關乎國家之理亂先叙此二語隨用豈聞二字轉下如快馬驀澗何等筆力

仇兆鰲曰明皇當豐亨豫大時忽盈虛消息之理致開元變為天寶流禍兩朝而亂猶未已此詩於理亂興亡之故反覆痛陳蓋亟望代宗撥亂反治復見開元之盛哉

冬狩行 原注時梓州刺使章彝兼侍御史留後東川

君不見東川節度兵馬雄校獵亦似觀成功夜發猛士三千人清晨合圍步驟同禽獸已斃十七八殺聲落日迴蒼穹幕前生致九青兕駱駝巋巍垂元熊東西南北百里間髣髴蹴踏寒山空有鳥名鸜鵒力不能高飛逐走蓬肉味不足登鼎俎何為見羈虞羅中春蒐冬狩侯得同使君五馬一馬驄況今攝行大將權號令頗有前賢風飄然時危一老翁十年厭見旌旗紅喜君士卒甚整

肅為我迴轡擒西戎草中狐兎盡何益天子不在咸陽宮朝廷雖無幽王禍得不哀痛塵再蒙嗚呼得不哀痛塵再蒙

大義凜然及今誦之如見其壯顏毅色

申涵光曰草中狐兎盡何益二句即賈生不獵猛敵而獵禽獸意

王洙曰代宗在陜詔徵天下兵時程元振用事無一人應詔者故章末感激言之

别唐十五誠因寄禮部賈侍郎

九載一相逢百年能幾何復為萬里别送子山之阿白鶴久同林潛魚本同河未知棲集期衰老强高歌歌罷兩悽惻六龍忽蹉跎相視髮浩白况難駐羲和胡星墜燕地漢將仍橫戈蕭條四海內人少豺虎多少人真莫投多虎信所過飢有易子食獸猶畏虞羅子負經濟才天門鬱嵯峨飄颻適東周來往若崩波南宫吾故人白馬金盤陀雄筆映千古見賢心靡他念子善師事歲寒守舊柯為吾謝賈公病肺卧江沱

梅堯臣曰飢有易子食二語含蓄甚深殆不可模倣

閬山歌

閬州城東靈山白閬州城北玉臺碧松浮欲盡不盡雲江動將崩未崩石那知根無鬼神會已覺氣與嵩華敵中原格鬬且未歸應結茅齋看青壁

閬水歌

嘉陵江色何所似石黛碧玉相因依正憐日破浪花出更復春從沙際歸巴童蕩槳欹側過水雞銜魚來去飛閬中勝事可腸斷閬州城南天下稀

二詩著語奇秀覺空翠撲人沖襟相照

草堂

昔我去草堂蠻夷塞成都今我歸草堂成都適無虞請陳初亂時反覆乃須臾大將赴朝廷羣小起異圖中宵斬白馬盟歃氣已麤西取邛南兵北斷劍閣隅布衣數十人亦擁專城居其勢不兩大始聞蕃漢殊西卒却倒戈賊臣互相誅焉知肘腋禍自及梟獍徒義士皆痛憤

紀綱亂相踰一國實三公萬人欲為魚唱和作威福孰肯辨無辜眼前列杻械背後吹笙竽談笑行殺戮濺血滿長衢到今用鉞地風雨聞號呼鬼妾與鬼馬色悲充爾娛國家法令在此又足驚吁嗟子且奔走三年望東吳弧矢暗江海難為遊五湖不忍竟舍此復來薙榛蕪入門四松在步屧萬竹疎舊犬喜我歸低徊入衣裾鄰舍喜我歸沽酒攜胡蘆大官喜我來遣騎問所須城郭喜我來賓客隘村墟天下尚未寧健兒勝腐儒飄颻風

塵際何地置老夫於時見疣贅骨髓幸未枯飲啄媿殘生食微不敢餘

記離亂事可補史氏之闕

錢謙益曰寶應元年四月嚴武入朝七月劍南西川節度使徐知道反八月伏誅公攜家避亂往梓州廣德二年武鎮劍南公復還成都草堂此詩云大將赴朝廷羣小起異圖謂武入朝而知道反也北斷劍閣隅謂知道以兵守要害武不得出也賊臣互相誅謂知道為其下李忠厚所殺也

太子張舍人遺織成褥段

客從西北來遺我翠織成開緘風濤湧中有掉尾鯨逶迤羅水族瑣細不足名客云充君褥承君終宴榮空堂魑魅走高枕形神清領客珍重意顧我非公卿留之懼不祥施之混柴荊服飾定尊卑大哉萬古程今我一賤老裋褐更無營煌煌珠宮物寢處禍所嬰歎息當路子干戈尚縱橫掌握有權柄衣馬自肥輕李鼎死岐陽實以驕貴盈來瑱賜自盡氣豪直阻兵皆聞黃金多坐見悔吝生奈何田舍翁受此厚貺情錦鯨卷還客始覺心和平振我麤席塵媿客茹藜羹

因小見大殊有關於典制足以正人心而厚風俗

錢謙益曰史稱嚴武累年在蜀肆志逞欲恣行猛政窮極奢靡賞賜無度公在武幕下作此諷諭至舉李鼎來瑱以深戒之朋友責善之道也不然辭一織成之遺而侈談殺身自盡之禍無病而呻豈詩人之意乎

杜鵑

西川有杜鵑東川無杜鵑涪萬無杜鵑雲安有杜鵑我昔遊錦城結廬錦水邊有竹一頃餘喬木上參天杜鵑暮春至哀哀叫其間我見常再拜重是古帝魂生子百鳥巢百鳥不敢嗔仍為餧其子禮若奉至尊鴻雁及羔羊有禮太古前行飛與跪乳識序如知恩聖賢古法則付與後世傳君看禽鳥情猶解事杜鵑今忽暮春間值我

病經年身病不能拜淚下如迸泉

古調微辭集中題凡再見知其寄慨者深矣其集外一篇則僞也至於發端四語不關詩之工拙謂必如是乃合樂府亦固哉之論

王士祿曰興觀羣怨讀此慨然有得

客堂

憶昨離少城而今異楚蜀舍舟復深山窅窕一林麓棲泊雲安縣消中内相毒舊疾廿載來衰年得無足死爲

殊方鬼頭白免短促老馬終望雲南鴈意在北別家長兒女欲起慚筋力客堂敘節改具物對羈束石暄蕨芽紫渚秀蘆笋綠巴鶯紛未稀徼麥早向熟悠悠日動江漠漠春辭木臺郎選才俊自顧亦已極前輩聲名人埋沒何所得居然綰章紱受性本幽獨平生憩息地必種數竿竹事業只濁醪營葺但草屋上公有記者累奏資薄祿主憂豈濟時身遠彌曠職循文廟筭正獻可天衢直尚想趨朝廷毫髮裨社稷形骸今若是進退委行色

水閣朝霽奉簡嚴雲安

東城抱春岑江閣鄰石面崔嵬晨雲白朝旭射芳甸雨檻卧花叢風床展書卷鉤簾宿鷺起丸藥流鶯囀呼婢取酒壺續兒誦文選晚交嚴明府矧此數相見

選體青山捫蝨坐黃鳥抱書眠極力追擬去之彌遠

蔡天啟曰荆公每稱老杜鉤簾宿鷺起丸藥流鶯囀以為用意高妙五字模楷

蠶穀行

天下郡國向萬城無有一城無甲兵焉得鑄甲作農器一寸荒田牛得耕牛盡耕蠶亦成不勞烈士淚滂沱男穀女絲行復歌

有概乎其言之

古柏行

孔明廟前有老柏柯如青銅根如石霜皮溜雨四十圍黛色參天二千尺君臣已與時際會樹木猶爲人愛惜雲來氣接巫峽長月出寒通雪山白憶昨路遶錦亭東

先主武侯同閟宫崔嵬枝榦郊原古窈窕丹青户牖空落落盤踞雖得地冥冥孤高多烈風扶持自是神明力正直原因造化功大厦如傾要梁棟萬牛迴首邱山重不露文章世已驚未辭翦伐誰能送苦心豈免容螻蟻香葉終經宿鸞鳳志士幽人莫怨嗟古來材大難爲用

情深文明眼空筆老千載而下如聞太息之聲

王嗣奭曰公生平極賛孔明蓋竊比之意孔明才大而不盡其用公嘗自比稷契而人莫之用故篇終結

出才大難用此作詩本旨發興於古柏者也

李因篤曰武侯柏自不得作一細語如太史公用尚書爲本紀厚重乃爾

縛雞行

小奴縛雞向市賣雞被縛急相喧爭家中厭雞食蟲蟻不知雞賣還遭烹蟲雞於人何厚薄吾叱奴人解其縛雞蟲得失無了時注目寒江倚山閣

齊物之旨

師厚曰天下利害當權輕重除害則勞民愛民則養害與其養害孰若勞民與其惜蟲孰若執雞此論聖人不易天下亦無難處之事始知浮屠法不可治世

蔡正孫曰步里客談云古人作詩斷句輒旁入他意最爲警策如老杜云雞蟲得失無了時注目寒江倚山閣是也黄魯直作水仙花詩坐對真成被花惱出門一笑大江横亦是此意

牽牛織女

牽牛出河西織女處其東萬古永相望七夕誰見同神光意難候此事終蒙朧颯然精靈合何必秋遂通亭亭新粧立龍駕具曾空世人亦爲爾祈請走兒童稱家隨豐儉白屋達公宫膳夫翊堂殿鳴玉淒房櫳曝衣遍天下曳月揚微風蛛絲小人態曲綴瓜果中初筵裛重露日出甘所終嗟汝未嫁女秉心鬱忡忡防身動如律竭力機杼中雖無姑舅事敢昧織作功明明君臣契咫尺或未容義無棄禮法恩始夫婦恭小大有佳期戒之在

至公方圓苟齟齬丈夫多英雄

借題發議正而不腐起處作疑詞李商隱七夕詩所自出也

張綖曰易言物不可以苟合故借牛女無私會之事以興男女無苟合之道又因男女無苟合之道以比君臣無苟合之義觸類旁通高古嚴正可見古作詩者之意

殿中楊監見示張旭草書圖

斯人已云亡草聖秘難得及茲煩見示滿目一淒惻悲風生微綃萬里起古色鏘鏘鳴玉動落落羣松直連山蟠其間溟漲與筆力有練實先書臨池真盡墨俊拔為之主暮年思轉極未知張王後誰並百代則嗚呼東吳精逸氣感清識楊公拂篋笥舒卷忘寝食念昔揮毫端不獨觀酒德

形容草書奇語獨造

錢謙益曰李頎贈張顛詩云皓首窮草隸時稱太湖精

課伐木 并序

課隸人伯夷辛秀信行等入谷斬陰木人日四根止維條伊枚正直挺然晨征暮返委積庭內我有藩籬是缺是補載伐篠簜伊仗支持則旅次於小安山有虎知禁若恃爪牙之利必昏黑摚突夔人屋壁列樹白菊鏝為墻實以竹示式遏為與虎近混淪乎無良賓客憂害馬之徒苟活為幸可嘿息已作詩示宗武

誦

長夏無所為客居課奴僕清晨飯其腹持斧入白谷青冥曾巔後十里斬陰木人肩四根已亭午下山麓尚聞丁丁聲功課日各足蒼皮成委積素節相照燭藉汝跨小籬當仗若虛竹空荒咆熊羆乳獸待人肉不示知禁情豈惟干戈哭城中賢府主處貴如白屋蕭蕭理體淨蜂蠆不敢毒虎穴連里閭隄防舊風俗泊舟滄江岸久客慎所觸舍西崖嶠壯雷雨蔚含蓄墻宇資屢修衰年

怯幽獨爾曹輕執熱為我忍煩促秋光近青岑季月當泛菊報之以微寒共給酒一斛

槐葉冷淘

青青高槐葉采掇付中廚新麪來近市汁滓宛相俱入鼎資過熟加餐愁欲無碧鮮俱照箸香飯兼苞蘆經齒冷於雪勸人投此珠願隨金騕褭走置錦屠蘇路遠思恐泥興深終不渝獻芹則小小薦藻明區區萬里露寒殿開冰清玉壺君王納涼晚此味亦時須

隨事徵其忠欵所謂一飯不忘君者信然

朱子語錄曰文字好用經語亦一病東坡寫此詩至路遠思恐泥云此不足為法

行官張望補稻畦水歸

東屯大江北百頃平若案六月青稻多千畦碧泉亂插秧適云已引溜加溉灌更僕往方塘決渠當斷岸公私各地著浸潤無天旱主守問家臣分明見溪畔芊芊炯翠羽剡剡生銀漢鷗鳥鏡裏來關山雪邊看秋菰成黑米精鑿傳白粲玉粒足晨炊紅鮮任霞散終然添旅食作苦期壯觀遺穗及衆多我倉戒滋蔓

黄生曰杜田園諸詩覺有傲睨陶公之色其氣力沈雄骨格蒼勁本色自不可掩

上後園山脚

朱夏熱所嬰清旭步北林小園背高岡挽葛上崎崟曠望延駐目飄颻散疎襟潛鱗恨水壯去翼依雲深勿謂地無疆劣於山有陰石榞遍天下水陸兼浮沉自我登

隴首十年經碧岑劍門來巫峽薄倚浩至今故園暗戎馬骨肉失追尋時危無消息老去多歸心志士惜白日久客藉黄金敢為蘇門嘯庶作梁父吟

驅豎子摘蒼耳

杜田曰榞音原木名皮可食或云善本止是石原

江上秋已分林中瘴猶劇畦丁告勞苦無以供日夕蓬莠獨不焦野蔬暗泉石卷耳況療風童兒且時摘侵星驅之去爛熳任遠適放筐亭午際洗剝相蒙冪登牀半生

熟下筯還小益加點爪難鬭依稀橘奴跡亂世誅求急
黎民糠籺窄飽食復何心荒哉膏粱客富家厨肉臭戰
地骸骨白寄語惡少年黄金且休擲

仇兆鰲曰膏粱徒飽而黎民苦飢傷在居人富家食
肉而戰場暴骨傷及征夫此嘆物力之宜惜也

秋行官張望督促東渚耗稻向畢清晨遣女奴阿
稽豎子阿段往問

東渚雨今足佇聞粳稻香上天無偏頗蒲稗各自長人

情見非類田家常其荒功夫競搰搰除草置岸旁穀者
命之本客居安可忘青春具所務勤墾免亂戕吳牛力
容易並驅動莫當豐苗亦已穊雲水照方塘有生固蔓
延静一資隄防督領不無人提攜頗在綱荆揚風土暖
肅肅候微霜尚恐主守疎用心未甚臧清朝遣婢僕寄
語踰崇岡西成聚必散不獨陵我倉豈要仁里譽感此
亂世忙北風吹蒹葭蟋蟀近中堂荏苒百工休鬱紆遲
暮傷

御選唐宋詩醇卷十一

欽定四庫全書

御選唐宋詩醇卷十二

襄陽杜甫詩四

雨

空山中宵陰微冷先枕席廻風起清曙萬象萋已碧落落出岫雲渾渾倚天石日假何道行雨含長江白連檣荆州船有士荷矛戟南防草鎮慘露濕赴遠役羣盜下辟山總戎備强敵水深雲光廓鳴櫓各有適漁艇息悠悠夷歌負樵客留滯一老翁書時記朝夕

王嗣奭曰公憂旱詩云上天鑠金石羣盜亂豺虎今雖得雨而復憂盜上一章憂楚之盜故怨遠客難行此章憂峽中之盜故憐士卒勞役

又上後園山脚

昔我遊山東憶戲東嶽陽窮秋立日觀矯首望八荒朱崖著毫髮碧海吹衣裳蓐收困用事玄冥蔚强梁逝水自朝宗鎮名各其方平原獨憔悴農力廢耕桑非關風露凋曾是戍役傷於時國用富足以守邊疆朝廷任猛將遠奪戎虜場到今事反覆故老淚萬行龜蒙不復見況乃懷舊鄉肺萎屬久戰骨出熱中腸憂來杖匣劍更上林北岡瘴毒猿鳥落峽乾南日黄秋風亦已起江漢始如湯登高欲有往蕩析川無梁哀彼遠征人去家死路旁不及祖父塋纍纍塚相當

劉會孟曰情緒凋遠收拾悲慟

種萵苣 并序

既雨已秋堂下理小畦隔種一兩席許萵苣向二旬矣而苣不甲坼獨野莧青青傷時君子或晚得微禄轗軻不進因作此詩

陰陽一錯亂驕蹇不復理枯旱於其中炎方慘如燬植物半蹉跎嘉生將已矣雲雷歘奔命師伯集所使指麾赤白日澒洞青光起雨聲先已風散足盡西靡山泉落滄江霹靂猶在耳終朝紆颯沓信宿罷瀟灑堂下可以畦呼童對經始苣兮蔬之常隨事藝其子破塊數席間荷鋤功易止兩旬不甲坼空惜埋泥滓野莧迷汝來

宗生實於此此輩豈無秋亦蒙寒露委翻然出地速滋蔓户庭毀因知邪干正掩抑至沒齒賢良雖得祿守道不封己擁塞敗芝蘭衆多盛荆杞中園陷蕭艾老圃永為恥登於白玉盤藉以如霞綺莧也無所施胡顏入筐篚

以上諸篇皆羇旅無聊中即景遣懷紀細事寫憂心而已然規模既大波瀾自遠每一篇中莫不俯仰今昔推通物理言近而指則遠語質而思則深論者所云不作

諸家細碎詩也劉勰云人稟七情應物斯感感物吟志莫非自然此之諸篇殆亦自然流露者矣故能藏風韻於荒涼寓高華於懇朴若儲王田家詩但寫情景當别有位置不可與此並論

高元之曰自古工詩者未嘗無興也覩物有感則有興令之作詩以興近乎訕也故不敢作而詩之一義廢矣杜甫旹詩皆興小人盛而掩抑君子也高適題處士園云耕地桑柘間地肥菜常熟為問葵藿資何如廟堂內則近乎訕矣作詩者知興之與訕異始可與言詩

浦起龍曰當與菁莪蓼伯諸詩並讀入知好前後出塞三吏三别等篇不知好此種彼為漢魏之後勁此為風雅之希聲

八哀詩 并序

傷時盜賊未息興起王公李公歎舊懷賢終於張相國八公前後存沒遂不詮次焉

贈司空王公思禮

司空出東夷童稚刷勁翮追隨燕薊兒頴鋭物不隔服事哥舒翰意無流沙磧未甚拔行間犬戎大充斥短小精悍姿屹然强寇敵貫穿百萬衆出入由咫尺馬鞍懸將首甲外控鳴鏑洗劍青海水刻銘天山石九曲非外蓄其王轉深壁飛兎不近駕鷙鳥資遠擊曉達兵家流飽聞春秋癖胸襟日沉靜肅肅自有適潼關初潰散萬乘猶辟易偏裨無所施元帥見手格太子入朔

方至尊狩梁益胡馬纏伊洛中原氣甚逆肅宗登寶位塞望勢敦迫公時徒步至請罪將厚責際會清河公間道傳玉冊天王拜跪畢讜議果冰釋翠華卷飛雪熊虎亘阡陌屯兵鳳凰山帳殿涇渭闢金城賊咽喉詔鎮雄所搤禁暴清無雙爽氣春淅瀝巷有從公歌野多青青麥及夫哭廟後復領太原役恐懼祿位高悵望王土窄不得見清時嗚呼就窀穸永繫五湖舟悲甚田橫客千秋汾晉間事與雲水白昔觀文苑傳豈述廉藺績嗟嗟

鄧大夫士卒終倒戟

故司徒李公光弼

司徒天寶末北收晉陽甲胡騎攻吾城愁寂意不愜人安若泰山薊北斷右脅朔方氣乃蘇黎首見帝業二宮泣西郊九廟起頹壓未散河陽卒思明偽臣妾復自碣石來火焚乾坤獵高視笑祿山公又大獻捷異王冊崇勲小敵信所怯擁兵鎮河汴千里初妥帖青蠅紛營營風雨秋一葉內省未入朝死淚終映睫大屋去高棟長城埽遺堞平生白羽扇零落蛟龍匣雅望與英姿惻愴槐里接三軍晦光彩烈士痛稠疊直筆在史臣將來洗箱篋吾思哭孤冢南紀阻歸楫扶顛永蕭條未濟失利涉疲苶竟何人洒涕巴東峽

王李名將實為起興所由李功業尤隆二篇氣魄沉摯最為精彩

劉克莊曰語極悲壯其形容臨淮憂讒畏譏不敢入朝之意獨見分曉

贈左僕射鄭國公嚴公武

鄭公瑚璉器華岳金天晶昔在童子日已聞老成名嶷然大賢後復見秀骨清開口取將相小心事友生閱書百紙盡落筆四座驚歷職匪父任嫉邪常力爭漢儀尚整肅胡騎忽縱橫飛傳自河隴逢人問公卿不知萬乘出雪涕風悲鳴受詞劍閣道謁帝蕭關城寂寞雲臺仗飄飄沙塞旌江山少使者笳鼓凝皇情壯士血相視忠臣氣不平密論貞觀體揮發岐陽征感激動四極聯

翩收二京西郊牛酒再原廟丹青明匡汲俄寵辱衛霍
竟哀榮四登會府地三掌華陽兵京兆空柳色尚書無
履聲羣烏自朝夕白馬休横行諸葛蜀人愛文翁儒化
成公來雪山重公去雪山輕記室得何遜韜鈐延子荆
四郊失壁壘虛館開逢迎堂上指圖畫軍中吹玉笙豈
無成都酒憂國只細傾時觀錦水釣問俗終相并意待
犬戎滅人藏紅粟盈以兹報主願庶或裨世程炯炯一
心在沉沉二豎嬰顏回竟短折賈誼徒忠貞飛旐出江

漢孤舟轉荆衡虛無馬融笛悵望龍驤塋空餘老賓
客身上愧簪纓

嚴武鎮蜀雖多不法然在蜀而蜀安去蜀而蜀危以其去來為輕重則道其實也且武於甫最為知己故極寫其忠勤大畧諸將詩云軍令分明數舉杯亦同此意

贈太子太師汝陽郡王璡

汝陽讓帝子眉宇真天人虬鬚似太宗色映塞外春往
者開元中主恩視遇頻出入獨非時禮異見羣臣愛其
謹潔極倍此骨肉親從容聽朝後或在風雪晨忽思格
猛獸苑囿騰清塵羽旗動若一萬馬肅駪駪詔王來射
雁拜命已挺身箭出飛鞚内上又回翠麟翻然紫塞翮
下拂明月輪胡人雖獲多天笑不為新王每中一物手
自與金銀袖中諫獵書扣馬久上陳竟無銜橜虞聖聰
矧多仁官免供給費水有在藻鱗匪唯帝老大皆是王
忠勤晚年務置醴門引申白賓道大容無能永懷侍芳
茵好學尚貞烈義形必霑巾揮翰綺繡揚篇什若有神

川廣不可泝墓久狐兎鄰宛彼漢中郡文雅見天倫何
以開我悲泛舟俱遠津溫溫昔風味少壯已書紳舊遊
易磨滅衰謝增酸辛

贈秘書監江夏李公邕

長嘯宇宙間高才日陵替古人不可見前輩復誰繼憶
昔李公存詞林有根柢聲華當健筆灑落富清製風流
散金石追琢山岳鋭情窮造化理學貫天人際干謁走
其門碑版照四裔各滿深望還森然起凡例蕭蕭白楊

路洞徹寶珠惠龍宮塔廟湧浩劫浮雲衛宗儒俎豆事
故吏去思計聘賻已皆虛跂涉曾不泥向來映當時豈
獨勸後世豐屋珊瑚鈎騏驎織成罽紫騮隨劍几義取
無虛歲分宅脫驂間感激懷未濟衆歸賙給美擺落多
藏鏹獨步四十年風聽九皐唳嗚呼江夏姿竟掩宣尼
袂往者武后朝引用多寵嬖否臧太常議面折二張勢
衰俗凜生風排蕩秋旻霽忠貞負冤恨宮闕深旒綴放
逐早聯翩低垂困炎厲日斜鵩鳥入魂斷蒼梧帝榮枯

走不暇星駕無安稅幾分漢廷竹風擁文侯篲終悲洛
陽獄事近小臣敝禍階初負謗易力何深嚌伊昔臨淄
亭酒酣托末契重敘東都別朝陰改軒砌論文到崔蘇
指盡流水逝近伏盈川雄未甘特進麗是非張相國相
扼一危脆争名古豈然關鍵飈不閉例及吾家詩曠懷
掃氛翳慷慨嗣真作咨嗟玉山桂鍾律儼高懸鯤鯨噴
迢遞坡陁青州血蕪沒汶陽瘞哀贈竟蕭條恩波延揭
厲子孫存如綫舊客舟凝滯君臣尚論兵將帥接燕薊
朗咏六公篇憂來豁蒙蔽

仇兆鰲曰各章以序事成文部署森嚴純似班史惟此章感慨激昂排蕩變化直追龍門之筆細按其前後段落又未嘗不脉絡整齊也

故秘書少監武功蘇公源明

武功少也孤徒步客徐兖讀書東岳中十載考墳典時
下萊蕪郭忍飢浮雲巘負米晚為身每食臉必泫夜字
照熱薪垢衣生碧蘚庶以勤苦志報茲劬勞顯學蔚醇

儒姿文包舊史善灑落辭幽人歸來潛京輦射君東堂
策宗匠集精選制可題未乾乙科已大闡文章日自負
吏祿亦累踐晨趨閶闔內足踏宿昔趼一麾出守還黃
屋朔風卷不暇陪八駿虜庭悲所遣平生滿樽酒斷此
朋知展憂憤病二秋有恨石可轉肅宗復社稷得無逆
順辨范曄顧其兒李斯憶黃犬秘書茂松意溟漲本末
淺青熒芙蓉劍犀兜豈獨剸反為後輩褻予實苦懷緬
煌煌齋房芝事絶萬手搴垂之俟來者正始徵勸勉不

要懸黄金胡爲投乳贙結交三十載吾與誰遊衍滎陽
復冥寞罪罟已横罥嗚呼子逝日始泰則終蹇長安米
萬錢凋喪盡餘喘戰伐何當解歸帆阻清沔尚纏漳水
疾永負蒿里餞

故著作郎貶台州司戶滎陽鄭公虔

鶢鶋至魯門不識鐘鼓饗孔翠望赤霄愁思雕籠養滎
陽冠衆儒早聞名 公賞地崇士大夫況乃氣精爽 原注往者公在疾蘇許公頲位尊望重素未相識早愛才名躬自枉問後結忘年之契遂爲嘉之 天然生知

姿學立游夏上神農極闕漏黄石愧師長藥纂西極名
原注公著薈蕞等諸書之外又撰胡本草七卷 兵流指諸掌貫穿無遺恨薈蕞
何技癢圭臬星經奥蟲篆册青廣子雲窺未遍方朔諧
太枉神翰顧不一體變鍾兼兩丈傳天下口大字猶在
牓昔獻書畫圖新詩亦俱往滄洲動玉陛寡鶴誤一饗
三絶自御題四方尤所仰嗜酒益疎放彈琴視天壤形
骸實土木親近唯几杖未曽寄官曹突兀倚書幌晩就
芸香閣胡塵昏坱莽反覆歸聖朝點染無滌盪老蒙

台州掾泛泛浙江槳履穿四明雪飢拾楢溪橡空聞紫
芝歌不見杏壇丈天長眺東南秋色餘魍魎别離慘至
今斑白徒懷曩春深秦山秀葉墜清渭朗劇談王公門
野税林下鞅操紙終夕酣時物集遐想詞場竟疎闊平
昔濫吹獎百年見存没牢落吾安放蕭條阮咸在出處
同世網他日訪江樓含悽述飄蕩 原注著作與今秘書監鄭君審篇翰齊價謫江陵故有阮咸江樓之句

王士正曰百年存見没牢落吾安放十字悲甚

故右僕射相國張公九齡

相國生南紀金璞無留礦仙鶴下人間獨立霜毛整矯
然江海思復與雲路永寂寞想土階未遑等箕潁上君
白玉堂倚君金華省碣石歲峥嶸天地日蛙黽退食吟
大庭何心記榛梗骨驚畏曩哲鬒變負人境雖蒙換
蟬冠右地恧多幸敢忘二疏歸痛迫蘇耽井紫綬映暮
年荆州謝所領庾公興不淺黄霸鎮每靜賔客引調同
諷詠在務屏詩罷地有餘篇終語清省一陽發陰管淑

氣含公昺乃知君子心用才文章境散帙起翠螭倚薄
巫廬並綺麗元暉擁牋誄任昉騁自我一家則未缺隻
字警千秋滄海南名繫朱鳥影歸老守故林戀闕悄延
頸波濤良史筆蕪絕大庾嶺向時禮數隔制作難上請
再讀徐孺碑猶思理烱艇

子美八哀自是鉅篇然以韻語作敘述情緒既繁筆墨不無利鈍大家之文正如黃河之水滔滔莽莽魚龍砂石與流俱下非如沼沚之觀清泠可喜而已論此詩者

譽之或過其實毀之或損其真惟盧世㴶曰八哀詩未免傷煩傷冗然詩家之元氣在焉杜詩之體統存焉不可遺亦不容選斯言得之

劉克莊曰八哀詩崔德符謂可以表裏雅頌中古作者莫及韓子蒼謂其筆力變化當與太史公諸贊方駕惟葉石林謂長篇最難晉魏以前無過十韻常使人以意逆志初不以敘事顛倒為工此八篇本非集中高作而世多尊稱不敢置議其病盖傷於多如李邕蘇源明篇中多累句芟去方為盡善余謂韓比此於史公紀傳固不易之論至於石林之評累句謂長篇者亦不可不知

寫懷

勞生共乾坤何處異風俗冉冉自趨競行行見羈束無
貴賤不悲無富貧亦足萬古一骸骨鄰家遞歌哭鄙夫
到巫峽三歲如轉燭全命甘留滯忘情任榮辱朝班及
暮齒日給還脫粟編蓬石城東採藥山北谷用心霜雪

間不必條蔓綠非關故安排曾是順幽獨達士如弦直
小人似鉤曲曲直我不知負暄候樵牧

貌古心遠見道之言非關矯語

觀公孫大娘弟子舞劒器行 并序

大歷二年十月十九日夔府別駕元持宅見臨潁李十二娘舞劒器壯其蔚跂問其所師曰余公孫大娘弟子也開元三載余尚童穉記於郾城觀公孫氏舞劒器渾脫瀏灕頓挫獨出冠時自高頭宜春梨園二

伎坊内人洎外供奉曉是舞者聖文神武皇帝初公孫一人而已玉貌錦衣况余白首今兹弟子亦非盛顔既辨其由來知波瀾莫二撫事慷慨聊為劒器行往者吳人張旭善草書書帖數常於鄴縣見公孫大娘舞西河劒器自此草書長進豪蕩感激即公孫可知矣

昔有佳人公孫氏一舞劒器動四方觀者如山色沮喪天地為之久低昂㸌如羿射九日落矯如羣帝驂龍翔

來如雷霆收震怒罷如江海凝清光絳脣珠袖兩寂寞况有弟子傳芬芳臨潁美人在白帝妙舞此曲神揚揚與余問答既有以感時撫事增惋傷先帝侍女八千人公孫劒器初第一五十年間似反掌風塵澒洞昏王室梨園子弟散如烟女樂餘姿映寒日金粟堆南木已拱瞿唐石城草蕭瑟玳筵急管曲復終樂極哀來月東出老夫不知其所往足繭荒山轉愁疾

前如山之嶙峋後如海之波瀾前半極其濃至後半感嘆音響一何悲絃急知柱促也

劉克莊曰此篇與琵琶行一如壯士軒昂赴敵場一如兒女恩怨相爾汝

王嗣奭曰此見舞劍器而傷往事全是為開元天寶五十年間治亂興衰而發

王士正曰陳暘樂書云樂府諸曲自古不用犯聲自則天末年劍器入渾脫為犯聲之始劍器宫調渾脫商調以臣犯君故為犯聲又唐多用解曲如柘枝用

渾脫解之類觀此則劍器渾脫各為舞曲之名今又誤讀杜序以渾脫瀏灕頓挫六字為句文字中往往連綴用之可笑也

同元使君舂陵行 并序

覽道州元使君結舂陵行兼賊退後示官吏作二首志之曰當天子分憂之地效漢宫良吏之目今盜賊未息知民疾苦得結輩十數公落落然參錯天下為邦伯萬物吐氣天下少安可得矣不意復見比興體

制微婉頓挫之詞感而有詩增諸卷軸簡知我者不
必寄元
遭亂髮盡白轉衰病相嬰沉綿盜賊際狼狽江漢行歎
時樂力薄為客羸瘵成吾人詩家秀博采世上名粲粲
元道州前聖畏後生觀乎舂陵作歘見俊哲情復覽賊
退篇結也實國楨賈誼昔流慟匡衡常引經道州憂黎
庶詞氣浩才橫兩章對秋月一字偕華星致君唐虞際
純樸憶大庭何時降璽書用爾為丹青獄訟永衰息豈

唯偃甲兵悽惻念誅求薄斂近休明乃知正人意不苟
飛長纓涼飈振南岳之子寵若驚色沮金印大輿舍滄
浪清我多長卿病日夕思朝廷肺枯渴太甚漂泊公孫
城呼兒具紙筆隱几臨軒楹作詩呻吟內墨淡字欹傾
感彼危苦詞庶幾知者聽
悃愊無華之吏日計不足歲計有餘不肖者橫征暴斂
掊削元氣為民蟊賊古之賢君所以惓惓於良二千石
也甫此篇所謂干預教化之尤者元結二詩仁者之言
可以並垂不朽
元結舂陵行序云癸卯歲漫叟授道州刺史道州舊
四萬餘戶經賊已來不滿四千大半不勝賦稅到官
未五十日承諸使徵求符牒二百餘封皆曰失其限
者罪至貶削於戲若悉應其命則州縣破亂刺史欲
焉逃罪若不應命又即獲罪戾必不免也吾將守官
靜以安人待罪而已此州是舂陵故地故作舂陵行
以達下情詩曰軍國多所須切責在有司有司臨郡

縣刑法竟欲施供給豈不憂徵斂又可悲州小經亂
亡遺人實困疲大鄉無十家大族命單羸朝飡是草
根暮食乃樹皮出言氣欲絕意速行步遲追呼尚不
忍況乃鞭扑之郵亭傳急符來往迹相追更無寬大
恩但有迫促期欲令鬻兒女言發恐亂隨悉使索其
家而又無資資聽彼道路言怨傷誰復知去冬山賊
來殺奪幾無遺所願見王官撫養以惠慈奈何重驅
逐不使存活為安人天子命符節吾所持州縣忽亂

亡得罪復是誰通緩違詔令蒙責固所宜前賢重守分恐以禍福移亦云貴守官不愛能適時顧唯孱弱者正直當不虧何人採國風吾欲獻此辭又賊退示官吏序云癸卯歲西原賊入道州殺掠幾盡而去明年賊又攻永破邵不犯此州邊鄙而退豈力能制敵蓋蒙其傷憐而已諸使何為忍苦徵斂故作詩一篇以示官吏詩曰昔歲逢太平山林二十年泉源在庭户洞壑當門前井税有常期日晏猶得眠忽然遭世

變數歲親戎旃今來典斯郡山夷又紛然城小賊不屠人貧傷可憐是以陷鄰境此州獨見全使臣將王命豈不如賊焉今彼徵斂者迫之如火煎誰能絶人命以作時世賢思欲委符節引竿自刺船將家求魚麥窮老江湖邊

李潮八分小篆歌

蒼頡鳥跡既茫昧字體變化如浮雲陳倉石鼓又已訛大小二篆生八分秦有李斯漢蔡邕中間作者寂不聞嶧山之碑野火焚棗木傳刻肥失真苦縣光和尚骨立書貴瘦硬方通神惜哉李蔡不復得吾甥李潮下筆親尚書韓擇木騎曹蔡有鄰開元已來數八分潮也奄有二子成三人況潮小篆逼秦相快劍長戟森相向八分一字直百金蛟龍盤拏肉屈強吳郡張顛誇草書草書非古空雄壯豈如吾甥不流宕丞相中郎丈人行巴東逢李潮逾月求我歌我今衰老才力薄潮乎潮乎奈汝何

論書皆中肯綮坡老云杜陵評書貴瘦硬此論未公吾不憑特借作跌宕耳非遂不許其論也詩亦瘦硬無比

聽楊氏歌

佳人絶代歌獨立發皓齒滿堂慘不樂響下清虛裏江城帶素月況乃清夜起老大悲暮年壯士淚如水玉盃久寂寞金管迷宮徵勿云聽者疲愚智心盡死古來傑出士豈待一知己吾聞昔秦青傾側天下耳

荆南兵馬使太常卿趙公大食刀歌

太常樓船聲嗷嘈問兵刮寇趨下牢牧出令奔飛百艘猛蛟突獸紛騰逃白帝寒城駐錦袍元冬示我胡國刀壯士短衣頭虎毛憑軒拔鞘天為高翻風轉日木怒號冰翼雪淡傷哀猱鐫錯碧甖鸊鵜膏鋩鍔已瑩虛秋濤鬼物撇捩辭坑壕蒼水使者捫赤條龍伯國人罷釣鰲芮公迴首顏色勞分閫救世用賢豪趙公玉立高歌起攬環結佩相終始萬歲持之護天子得君亂絲與君理蜀江如線如針水荆岑彈丸心未已賊臣惡子休干紀

魑魅魍魎徒為耳妖腰亂領敢欣喜用之不高亦不庳不似長劒須天倚吁嗟光祿英雄弭大食寶刀聊可比丹青宛轉麒麟裏光芒六合無泥滓

王嗣奭曰此燕歌行變體布局既新鍊詞特異所謂驚人之作

王兵馬使二角鷹

悲臺蕭颯石巃嵸哀壑杈枒浩呼洶中有萬里之長江迴風滔日孤光動角鷹翻倒壯士臂將軍玉帳軒勇氣二鷹猛腦條徐墜目如愁胡視天地杉雞竹兎不自惜溪虎野羊俱辟易鞲上鋒稜十二翮將軍勇鋭與之敵將軍樹勳起安西崑崙虞泉入馬蹄白羽曾肉三狻猊敢決豈不與之齊荆南芮公得將軍亦如角鷹下翔雲惡鳥飛飛啄金屋安得爾輩開其羣驅出六合梟鸞分

以賦鷹者賦人賓主離合幾於魚龍百變眩人心目此與前篇皆擺脱恒蹊體格音節蒼然入古

沈德潛曰起四句不著鷹一字然如有角鷹飛於目前入手須如此著墨

狄明府

梁公曾孫我姨弟不見十年官濟濟大賢之後竟陵遲浩蕩古今同一體比看叔伯四十人有才無命百僚底今者兄弟一百人幾人卓絶秉周禮在汝更用文章為長兄白眉復天啓汝門請從曾翁說太后當朝多巧詆狄公執政在末年濁河終不汚清濟國嗣初將付諸武公獨廷諍守丹陛禁中決冊請房陵前朝長老皆流涕

太宗社稷一朝正漢官威儀重昭洗時危始識不世才
誰謂荼苦甘如薺汝曹又宜列土食身使門戶多旌棨
胡為漂泊岷漢間干謁王侯頗歷抵況乃山高水有波
秋風蕭蕭露泥泥虎之飢下巉嵒蛟之横出清泚早歸
來黄土泥衣眼易眯

浦起龍曰舊說此詩俱以憐狄漂零為解今觀篇尾一段乃與昌黎送董邵南序同意蓋博濟必不得志於朝而歴干藩鎮者時河北方多擅命意頗不喜其

徃也

秋風二首

秋風淅淅吹巫山上牢下牢修水關吳檣楚柂牽百丈
暖向神都寒未還要路何日罷長戟戰自青羌連百蠻
中巴不曾消息好暝傳戍鼓長雲間

秋風淅淅吹我衣東流之外西日微天清小城擣練急
石古細路行人稀不知明月為誰好早晚孤帆他夜歸
會將白髮倚庭樹故園池臺今是非

洗馬言愁淒然可聽

虎牙行

秋風欻吸吹南國天地慘慘無顏色洞庭揚波江漢迴
虎牙銅柱皆傾側巫峽陰岑朔漠氣峰巒窈窕谿谷黒
杜鵑不來猿狖寒山鬼幽憂雪霜逼楚老長嗟憶炎瘴
三尺角弓兩斛力壁立石城横塞起金錯旌竿滿雲直
漁陽突騎獵青邱犬戎鏁甲聞丹極八荒十年防盜賊
征戍誅求寡妻哭遠客中宵淚霑臆

後苦寒行二首

南紀巫廬瘴不絕太古以來無尺雪蠻夷長老怨苦寒
崑崙天關凍應折元猿口噤不能嘯白鵠翅垂眼流血
安得春泥補地裂

晚來江門失大木猛風中夜吹白屋天兵斬斷青海戎
殺氣南行動地軸不爾苦寒何太酷巴東之峽生凌凘
彼蒼回斡人得知

節短勢險别成格調

張溍曰命意用筆善於轉换

夜歸

夜來歸來衝虎過山黑家中已眠卧傍見北斗向江低仰看明星當空大庭前把燭嗔兩炬峽口驚猿聞一箇白頭老罷舞復歌杖藜不睡誰能那

醉為馬墜諸公攜酒相看

甫也諸侯老賓客罷酒酣歌拓金戟騎馬忽憶少年時散蹄迸落瞿塘石白帝城門水雲外低身直下八千尺

粉堞電轉紫遊韁東得平岡出天壁江村野堂争入眼垂鞭嚲鞚凌紫陌向來皓首驚萬人自倚紅顔能騎射安知決臆追風足朱汗驂驔猶噴玉不虞一蹶終損傷人生快意多所辱職當憂戚伏衾枕况乃遲暮加煩促朋知來問腆我顔杖藜强起依僮僕語盡還成開口笑提攜别掃清谿曲酒肉如山又一時初筵哀絲動豪竹共指西日不相貸喧呼且覆盃中渌何必走馬來為問君不見嵇康養生遭殺戮

前有聲色後饒情致一叙一解老氣無比

大覺高僧蘭若 原注和尚去冬往湖南

巫山不見廬山遠松林蘭若秋風晚一老猶鳴日暮鐘諸僧尚乞齋時飯香鑪峯色隱晴湖種杏仙家近白榆飛錫去年啼邑子獻花何日許門徒

風調清迥頗似摩詰

宿青溪驛奉懷張員外十五兄之緒

漾舟千山内日入泊枉渚我生本飄飄今復在何許石

根青楓林猿鳥聚儔侶月明游子静畏虎不得語中夜懷友朋乾坤此深阻浩蕩前後間佳期付荆楚

黄生曰此詩在杜集已為輕秀之作較諸唐賢猶見氣骨

憶昔行

憶昔北尋小有洞洪河怒濤過輕舸辛勤不見華蓋君艮岑青輝慘么麽千崖無人萬壑静三步回頭五步坐秋山眼冷魂未歸仙賞心違淚交墮弟子誰依白茅室

盧老獨啟青銅鎖巾拂香餘擣藥塵階除灰死燒丹火元圃滄洲莽空闊金節羽衣飄婀娜落日初霞閃餘映倏忽東西無不可松風磵水聲合時青兕黃熊啼向我徒然咨嗟無遺迹至今夢想仍猶左秘訣隱文須内教晚歲何功使願果更討衡陽董鍊師南浮早鼓瀟湘柂

魏將軍歌

將軍昔著從事衫鐵馬馳突重兩銜被堅執銳畧西極崑崙月窟東嶄巖君門羽林萬猛士惡若哮虎子所監

五年起家列霜戟一日過海収風帆平生流輩徒蠢蠢長安少年氣欲盡魏侯骨聳精爽緊華嶽峰尖見秋隼星躔寳校金盤陀夜騎天駟超大河欃槍熒惑不敢動翠蕤雲旓相蕩摩吾為子起歌都護酒闌插劒肝膽露鈎陳蒼蒼風元武萬歲千秋奉明主臨江節士安足數

精緊廉悍自是子美盛年之作

仇兆鰲曰前用八句轉韻中間各四句轉末則三句兩句疊韻益歌中音調取其繁聲促節也

北風

北風破南極朱鳳日威垂洞庭秋欲雪鴻雁將安歸十年殺氣盛六合人烟稀吾慕漢初老時清猶茹芝

白鳧行

君不見黃鵠高於五尺童化為白鳧似老翁故畦遺穗已蕩盡天寒歲暮波濤中鱗介腥羶素不食終日忍饑西復東魯門鶢鶋亦蹭蹬聞道如今猶避風

託寄悱惻

董斯張曰魯門爰居隱然有不饗太牢不樂鐘鼓之

態此老倔彊百折不回

醉歌行贈公安顏少府請顧八題壁

神仙中人不易得顏氏之子才孤標天馬長鳴待駕馭秋鷹整翮當雲霄君不見東吳顧文學君不見西漢杜陵老詩家筆勢君不嫌詞翰升堂為君掃是日霜風凍七澤烏蠻落照銜赤壁酒酣耳熱忘頭白感君意氣無所惜一為歌行歌主客

偶然酬應必挾奇氣而出隨筆所至皆臻妙境

夜聞觱篥

夜聞觱篥滄江上衰年側耳情所嚮鄰舟一聽多感傷
塞曲三更欻悲壯積雪飛霜此夜寒孤燈急管復風湍
君知天地干戈滿不見江湖行路難

發劉郎浦

挂帆早發劉郎浦疾風颯颯昏亭午舟中無日不沙塵
岸上空村盡豺虎十日北風風未迴客行歲晚晚相催

白頭厭伴漁人宿黄帽青鞋歸去來

別董頲

窮冬急風水逆浪開帆難士子甘旨闕不知道里寒有
求彼樂土南適小長安別我舟檝去覺君衣裳單素聞
趙公節兼盡賓主歡已結門廬望無令霜雪殘老夫纜
亦解脫粟朝未餐飄蕩兵甲際幾時懐抱寛漢陽頽寧
靜峴首試考槃當念著白帽采薇青雲端

情意稠疊深得贈言之義

送顧八分文學適洪吉州

中郎石經後八分蓋憔悴顧侯運鑪錘筆力破餘地昔
在開元中韓蔡同贔屭元宗妙其書是以數子至御札
早流傳揄揚非造次三人並入直恩澤各不二顧於韓
蔡内辨眼工小字分日示諸王鈎深法更秘文學與我
遊蕭疎外聲利追隨二十載浩蕩長安醉高歌卿相宅
文翰飛省寺視我揚馬閒白首不相棄驊騮入窮巷必
脫黄金轡一論朋友難遲暮敢失墜古來事反覆相見

橫涕泗嚮者玉珂人誰是青雲器才盡傷形體病渴汗
官位故舊獨依然時危話顛躓我甘多病老子負憂世
志胡為困衣食顔色少稱遂遠作辛苦行順從衆多意
舟檝無根蔕蛟鼉好為祟況兼水賊繁特戒風飇駛崩
騰戎馬際往往殺長吏子干東諸侯勸勉防縱恣邦以
民為本魚餧費香餌請哀瘡痍深告訴皇華使使臣精
所擇進德知歷試惻隱誅求情固應賢愚異烈士惡苟
得俊傑思自致贈子猛虎行出郊載酸鼻

振筆直書縱橫歷落行乎其所當行止乎其所不得不止詩境至此亦從心不踰矩時也

王嗣奭曰全篇無一字虛飾可以知其相與之情而愛民之真懇規友之直諒又兩見之矣

遣遇

磬折辭主人開帆駕洪濤春水滿南國朱崖雲日高舟子廢寢食飄風爭所操我行匪利涉謝爾從者勞石間采蕨女鬻菜輸官曹丈夫死百役暮返空村號聞見事略同刻剝及錐刀貴人豈不仁視汝如莠蒿索錢多門戶喪亂紛嗷嗷奈何黠吏徒漁奪成逋逃自喜遂生理花時甘縕袍

解憂

減米散同舟路難思共濟向來雲濤盤衆力亦不細呀坑瞥眼過飛櫓本無蔕得失瞬息間致遠宜恐泥百慮視安危分明曩賢計茲理庶可廣拳拳斯勿替

出險思懼真更事之言

宿鑿石浦

早宿賓從勞仲春江山麗飄風過無時舟檝敢不繫回塘澹暮色日沒衆星嘒缺月殊未生青燈死分翳窮途多俊異亂世少恩惠鄙夫亦放蕩草草頻卒歲斯文憂患餘聖哲垂象繫

過津口

南岳自茲近湘流東逝深和風引桂楫春日漲雲岑回首過津口而多楓樹林白魚困密網黃鳥喧嘉音物微限通塞惻隱仁者心甕餘不盡酒膝有無聲琴聖賢兩寂寞眇眇獨開襟

紀行諸詩一片老境有如天降時雨山川出雲木葉盡脫石氣自青視入蜀詩別一境界蓋渾用力之迹而臻於化矣

次空靈岸

沄沄逆素浪落落展清眺幸有舟檝遲得盡所歷妙空靈霞石峻楓栝隱奔峭青春猶無私白日亦偏照可使

營吾居終焉託長嘯毒瘴未足憂兵戈滿邊徼嚮者留
遺恨耻爲達人誚迴帆覬賞延佳處領其要

宿花石戍

午辭空靈岑夕得花石戍岸疏開闢水木雜今古樹地
蒸南風盛春熱西日暮四序本平分氣候何迴互茫茫
天造間理亂豈恒數繫舟盤藤輪策杖古樵路罷人不
在村野圃泉自注柴扉雖蕪沒農器尚牢固山東殘逆
氣吳楚守王度誰能扣君門下令減征賦

體兼鮑謝義入風詩

望嶽

南嶽配朱鳥秩禮自百王歘吸領地靈鴻洞半炎方邦
家用祀典在德非馨香巡守何寂寥有虞今則亡洎吾
隘世網行邁越瀟湘渴日絶壁出漾舟清光旁祝融五
峰尊峰峰次低昂紫蓋獨不朝爭長業相望恭聞魏夫
人羣仙夾翱翔有時五峰氣散風如飛霜牽迫限修途
未暇杖崇岡歸來覬命駕沐浴休玉堂三歎問府主曷
以贊我皇牲璧忍衰俗神其思降祥

岱華二詩筆意峭拔各極其變此則另闢一格出以典
重以明德惟馨之意勗勵守土尤有立言之旨非徒得
郊壇登歌氣象

沈德潛曰靈光縹緲氣象蕭穆漢人練時日帝臨諸
章是此詩原本

岳麓山道林二寺行

玉泉之南麓山殊道林林壑爭盤紆寺門高開洞庭野

殿脚插入赤沙湖五月寒風冷佛骨六時天樂朝香爐
地靈步步雪山草僧寶人人滄海珠塔劫宮牆壯麗敵
香廚松道清涼俱蓮花交響共命鳥金牓雙迴三足烏
方丈涉海費時節元圃尋河知有無暮年且喜經行近
春日兼蒙暄暖扶飄然斑白身奚適傍此烟霞茅可誅
桃源人家易制度橘洲田土仍膏腴潭府邑中甚淳古
太守庭内不喧呼昔遭衰世皆晦迹今幸樂國養微軀
依止老宿亦未晚富貴功名焉足圖久爲野客尋幽慣

細學何顒免興孤一重一掩吾肺腑山鳥山花吾友于宋公放逐曾題壁物色分留與老夫

悱比綿麗

王嗣奭曰全篇一氣抒寫如珠走盤

歲晏行

歲云暮矣多北風瀟湘洞庭白雪中漁父天寒網罟凍莫徭射雁鳴桑弓去年米貴闕軍食今年米賤大傷農高馬達官厭酒肉此輩杼軸茅茨空楚人重魚不重鳥

汝休枉殺南飛鴻況聞處處鬻男女割慈忍愛還租庸往日用錢捉私鑄今許鉛錫和青銅刻泥為之最易得好惡不合長相蒙萬國城頭吹畫角此曲哀怨何時終

聲哀厲而彌長其氣之老正在參錯中

追酬故高蜀州人日見寄 并序

開文書帙中檢所遺忘因得故高常侍適往居在成都時高任蜀州刺史人日相憶見寄詩淚灑行間讀終篇末自枉詩已十餘年莫記存歿又六七年矣老病懷舊生意可知今海內忘形故人獨漢中王瑀與昭州敬使君超先在愛而不見情見乎辭大歷五年正月二十一日卻追酬高公此作因寄王及敬弟

自蒙蜀州人日作不意清詩久零落今晨散帙眼忽開迸淚幽吟事如昨嗚呼壯士多慷慨合沓高名動寥廓歎我悽悽求友篇感時鬱鬱匡君略錦里春光空爛熳瑤墀侍臣已冥寞瀟湘水國傍黿鼉鄠杜秋天失鵰鶚

東西南北更誰論白首扁舟病獨存遙拱北辰纏寇盜欲傾東海洗乾坤邊塞西蕃最充斥衣冠南渡多崩奔鼓瑟至今悲帝子曳裾何處覓王門文章曹植波瀾闊服食劉安德業尊長笛誰能亂愁思昭州詞翰與招魂

蘇大侍御訪江浦賦八韻紀異 并序

蘇大侍御渙靜者也旅於江側凡是不交州府之客人事都絕久矣肩輿江浦忽訪老夫舟檝而已茶酒內余請誦近詩肯吟數首才力素壯詞句動人接對

明日憶其湧思雷出書蓖几杖之外殷殷留金石聲
賦八韻記異亦見老夫傾倒於蘇至矣
龐公不浪出蘇氏今有之再聞誦新作突過黃初詩乾
坤幾反覆楊馬宜同時今晨清鏡中勝食齋房芝余髮
喜却變白間生黑絲昨夜舟火滅湘娥簾外悲百靈未
敢散風破寒江遲

結語奇妙耐人百味

仇兆鰲曰詩止七韻而題云八韻用韻取耦不取奇
也

孫光憲曰渙有變律詩十九首上廣帥李公唐人謂
渙詩長於諷刺得陳拾遺一鱗半甲後以作亂伏誅

題衡山縣文宣王廟新學堂呈陸宰

旄頭彗紫微無復俎豆事金甲相排蕩青衿一憔悴嗚
呼已十年儒服弊於地征夫不遑息學者淪素志我行
洞庭野欻得文翁肆侁侁胄子行若舞風雩至周室宜
中興孔門未應棄是以資雅才渙然立新意衡山雖小
邑首唱恢大義因見縣尹心根源舊宮闕講堂非曩構
大屋加塗墍下可容百人牆隅亦深邃何必三千徒始
壓戎馬氣林木在庭户密幹疊蒼翠有井朱夏時轆轤凍
階戺耳聞讀書聲殺伐災髣髴故國延歸望衰顏減愁
思南紀改波瀾西河共風味采詩倦跋涉載筆尚可紀
高歌激宇宙凡百愼失墜

何焯曰感慨頓挫自成有韻之文

御選唐宋詩醇卷十二

欽定四庫全書

集部

御選唐宋詩醇　卷十三 十四

詳校官山東道御史臣温常綬

總校官編修臣朱鈐

校對官中書臣柴模

謄録監生臣梅用調

欽定四庫全書

御選唐宋詩醇卷十三

襄陽杜甫詩五

冬日洛城北謁元元皇帝廟 原注廟有吳道子畫五聖圖

配極元都閟憑虛禁籞長守祧嚴具禮掌節鎮非常碧瓦初寒外金莖一氣旁山河扶繡户日月近雕梁仙李盤根大猗蘭奕葉光世家遺舊史道德付今王畫手看前輩吳生遠擅場森羅移地軸妙絶動宫墻五聖聯龍衮千官列雁行冕旒俱秀發旌旆盡飛揚翠柏深留景紅梨迥得霜風筝吹玉柱露井凍銀牀身退卑周室經傳拱漢皇谷神如不死養拙更何鄉

鉅麗冠冕得頌揚之體擬諸清廟明堂其氣象似之唐人崇祀老子事屬不經貽譏千古甫為當時之臣推崇固應如此其典重中帶飄逸精工中有排宕則大手異人處也

陳師道曰敘述功德反覆申意事核而理長

李因篤曰此篇乃公開手長律鳳羽初舒九苞煥采宜其雄視一代也

浦起龍曰典重高華據事直書不參議論純是頌體錢箋語語指斥意非不善也但學者不善會之偏於譏刺一邊看去則失之遠矣

唐書高宗乾封元年幸亳州詣老君廟追尊為元元皇帝開元二十九年制兩京諸州各置廟天寶元年置廟於天寧坊東都於積善坊臨淄舊邸二年改為太清宮東都曰太微宮

投贈哥舒開府翰二十韻

今代麒麟閣何人第一功君王自神武駕馭必英雄開府當朝傑論兵邁古風先鋒百勝在略地兩隅空青海無傳箭天山早挂弓廉頗仍走敵魏絳已和戎每惜河湟棄新兼節制通智謀垂睿想出入冠諸公日月低秦樹乾坤繞漢宮胡人愁逐北宛馬又從東受命邊沙遠歸來御席同軒墀曾寵鶴畋獵舊非熊茅土加名數山河誓始終策行遺戰伐契合動昭融勲業青冥上交親氣槩中未為朱履客已見白頭翁壯節初題柱生涯獨轉蓬幾年春草歇今日暮途窮軍事留孫楚行間識呂蒙防身一長劍將欲倚崆峒

胡應麟曰排律沈宋二氏藻贍精工太白右丞明秀高爽然皆不過十韻且體在繩墨之中調非畦逕之外惟杜陵大篇鉅什雄偉神奇如謁先主廟贈哥舒等作闔闢馳驟如飛龍行雲鱗鬣爪甲自中矩度又如淮陰用兵百萬掌握變化無方雖時有險樸無害大家

上韋左相二十韻

鳳歷軒轅紀龍飛四十春八荒開壽域一氣轉洪鈞霖雨思賢佐丹青憶老臣應圖求駿馬驚代得麒麟沙汰江河濁調和鼎鼐新韋賢初相漢范叔已歸秦盛業今如此傳經固絕倫豫樟深出地滄海闊無津北斗司喉舌東方領搢紳持衡留藻鑑聽履上星辰獨步才超古

餘波德照隣聰明過管輅尺牘倒陳遵豈是池中物由來席上珍廟堂知至理風俗盡還淳才傑俱登用愚蒙但隠淪長卿多病久子夏索居頻回首驅流俗生涯似衆人巫咸不可問鄒魯莫容身感激時將晚蒼茫興有神為公歌此曲涕淚在衣巾

沈德潛曰從朝廷用人説起與前篇同是高屋建瓴之法

奉贈太常張卿二十韻

方丈三韓外崑崙萬國西建標天地闊詣絶古今迷氣得神仙迴恩承雨露低相門清議衆儒術大名齊軒冕羅天闕琳琅識介珪伶官詩必誦夔樂典猶稽健筆凌鸚鵡銛鋒瑩鷿鵜友于皆挺拔公望各端倪通籍踰青瑣亨衢照紫泥靈虬傳夕箭歸馬散霜蹄能事聞重譯嘉謨及遠黎弼諧方一展班序更何躋適越空顛躓遊梁竟慘悽謬知終畫虎微分是醯雞萍泛無休日桃陰想舊蹊吹噓人所羨騰躍事仍睽碧海真難涉青雲不可梯顧深慙鍛錬才小辱提攜檻束哀猿叫枝驚夜鵲棲幾時陪羽獵應指釣璜溪

投贈詩皆工於發端此篇尤有氣象當是贈張垍者垍以尚主置宅禁中故假神仙之象以誦美之錢謙益引妙實真符之説謂中含諷刺不免穿鑿且與甫贈詩望薦之意不合

奉贈鮮于京兆二十韻

王國稱多士賢良復幾人異才應間出爽氣必殊倫始

見張京兆宜居漢近臣驊騮開道路鵰鶚離風塵侯伯知何等文章實致身奮飛超等級容易失沈淪脱略磻溪釣操持郢匠斤雲霄今已逼台袞更誰親鳳穴雛皆好龍門客又新義聲紛感激敗績自逡巡途遠欲何向天高難重陳學詩猶孺子鄉賦念嘉賓不得同晁錯吁嗟後郄詵計疎疑翰墨時過憶松筠獻納紆皇眷中間謁紫宸且隨諸彦集方覬薄才伸破膽遭前政陰謀獨秉鈞微生霑忌刻萬事益酸辛交合丹青地恩傾雨露

辰有儒愁餓死早晚報平津

甫之應詔而被黜獻賦而仍置皆李林甫為之相臣以進賢為職知人為務唐以詩賦取士而杜甫白衣古人所以感士不遇也陰謀忌刻寫出林甫奸狀彼讀駱賓王檄而曰宰相安得失此人者猶當媿之

錢謙益曰此詩與顔魯公鮮于神道碑叙次畧同顔記節度劍南抜吐蕃摩彌城而不載南詔之役公詩美其文章義激而不及其武畧古人不輕諛人若此

王士禄曰計踈疑翰墨時過憶松筠語有餘味

贈特進汝陽王二十韻

特進羣公表天人夙德升霜蹄千里駿風翮九霄鵬服禮求毫髮惟忠忘寝興聖情常有眷朝退若無憑仙醴來浮蟻奇毛或賜鷹清關塵不雜中使日相乗晩節嬉遊簡平居孝義稱自多親棣蕚誰敢問山陵學業醇儒富辭華哲匠能筆飛鸞聳立章罷鳳騫騰精理通談笑忘形向友朋寸長堪繾綣一諾豈驕矜已忝歸曹植何知對李膺招要恩屢至崇重力難勝披霧初歡夕高秋爽氣澄樽罍臨極浦鳧雁宿張燈花月窮游宴炎天避鬱蒸硯寒金井水簷動玉壺氷瓢飲惟三逕巖棲在百層且持蠡測海況挹酒如澠鴻寶寧全秘丹梯庶可凌淮王門有客終不媿孫登

胡應麟曰贈汝陽哥舒李白韋見素等作格調精嚴體骨匀稱每讀一篇無論其人履歴咸若指掌且形神意氣踴躍毫楮如周昉寫生太史序傳逼奪化工

而杜從容聲律間尤為難事真古今絶詣也

鄭駙馬宅宴洞中

主家陰洞細烟霧留客夏簟清琅玕春酒盃濃琥珀薄水漿椀碧瑪瑙寒悞疑茅堂過江麓已入風磴霾雲端自是秦樓壓鄭谷時聞雜佩聲珊珊

拗體全用古調亦覺過苦正喜其蒼秀

仇兆鰲曰領聯叙事濃麗腹聯寫景蕭踈

重題鄭氏東亭

華亭入翠微秋日亂清暉崩石欹山樹清漣曳水衣紫鱗衝岸躍蒼隼護巢歸向晚尋征路殘雲傍馬飛

題張氏隱居

春山無伴獨相求伐木丁丁山更幽澗道餘寒歷冰雪石門斜日到林邱不貪夜識金銀氣遠害朝看麋鹿遊乘興杳然迷出處對君疑是泛虛舟

善寫幽居之致旨趣俱遠固不得以涉理路落言筌議之

天寶初南曹小司寇舅於我太夫人堂下累土為山一匱盈尺以代彼朽木承諸焚香瓷甌甌甚安矣旁植慈竹蓋茲數峰嶔岑嬋娟宛有塵外致乃不知興之所至而作是詩

一匱功盈尺三峰意出羣望中疑在野幽處欲生雲慈竹春陰覆香爐曉勢分惟南將獻壽佳氣日氛氳

李因篤曰三四承上虛狀二句體極生動

龍門

龍門橫野斷驛樹出城來氣色皇居近金銀佛寺開往還時屢改川水日悠哉相閱征途上生涯盡幾回

奉寄河南韋尹丈人 原注甫敝廬在偃師承韋公頻有訪問故有下句

有客傳河尹逢人問孔融青囊仍隱逸章甫尚西東鼎食分門戶詞場繼國風尊榮瞻地絕疎放憶途窮濁酒尋陶令丹砂訪葛洪江湖漂短褐霜雪滿飛蓬牢落乾坤大周流道術空謬慙知薊子真怯笑楊雄盤錯神明懼謳歌德義豐尸鄉餘土室難說祝雞翁

與任城許主簿遊南池

秋水通溝洫城隅進小船晚涼看洗馬森木亂鳴蟬菱熟經時雨蒲荒八月天晨朝降白露遙憶舊青氊

仇兆鰲曰公詩善記時節此詩晨朝降白露明日白露節也他詩露從今夜白今日白露節也

登兗州城樓

東郡趨庭日南樓縱目初浮雲連海岱平野入青徐孤嶂秦碑在荒城魯殿餘從來多古意臨眺獨躊躕

安雅安帖杜律中最近人者故後人多摹此派

李夢陽曰疊景者意必二濶大者半必細此最律詩三昧如浮雲連海岱平野入青徐孤嶂秦碑在荒城魯殿餘前景寓目後景感懷也如詔從三殿去碑到百蠻開野館穠花發春帆細雨來前半闊大後半工細也唐法律甚嚴惟杜變化莫測亦惟杜

趙汸曰公祖審言登襄陽城詩云旅客三秋至層城四望開楚山横地出漢水接天廻冠蓋非新里章華

只舊臺習池風景異歸路滿塵埃公此詩實本於其祖

對酒書懐走邀許十一簿公

東岳雲峰起溶溶滿太虛震雷翻幕鷰驟雨落河魚座對賢人酒門聽長者車相邀愧泥濘騎馬到堦除

王士禄曰驟雨落河魚亦是即目妙境

已上人茅齋

已公茅屋下可以賦新詩枕簟入林僻茶瓜留客遲江蓮搖白羽天棘蔓青絲空忝許詢輩難酬支遁詞

房兵曹胡馬詩

胡馬大宛名鋒稜瘦骨成竹批雙耳峻風入四蹄輕所向無空闊真堪託死生驍騰有如此萬里可横行

孤情迥出健思潛搜相其氣骨亦可横行萬里此與畫鷹二篇真文家所謂沈著痛快者

趙汸曰咏物詩戒粘皮帶骨此詩矯健豪縱飛行萬里之勢如在目中所謂索之於牝牡驪黄之外者區

區模寫體貼以為咏物何足語此

李因篤曰五六如咏良友大將此所謂沈雄

畫鷹

素練風霜起蒼鷹畫作殊攫身思狡兎側目似愁胡絛鏇光堪擿軒楹勢可呼何當擊凡鳥毛血灑平蕪

王士禄曰命意精警句句不脫畫字

朱鶴齡曰起句與縞素漠漠開風沙義同末因畫鷹而思真者之搏擊則進鵰賦意也

仇兆鰲曰每咏一物必以全副精神入之故老筆蒼
勁中時見靈氣飛舞

過宋員外之問舊莊 原注 員外季弟執金吾見知于代故有下句

宋公舊池館零落守陽阿枉道祗從入吟詩許更過淹
留問耆老寂寞向山河更識將軍樹悲風日暮多

夜宴左氏莊

風林纖月落衣露淨琴張暗水流花徑春星帶草堂檢
書燒燭短看劍引杯長詩罷聞吳詠扁舟意不忘

寫景穠至結意亦遠杜律如此種氣骨有餘不乏風韻
雖雅近王孟尤為盛唐高步

顧宸曰一章之中樂事皆具而時地景物重疊鋪叙
却渾然不見痕迹

黄生曰夜景有月易佳無月難佳三四句無月時寫
景語更精切

送蔡希曾都尉還隴右因寄高三十五書記 原注 時哥舒入奏勒蔡子先歸

蔡子勇成癖彎弓西射胡健兒寧鬭死壯士恥為儒官
是先鋒得材緣挑戰須身輕一鳥過槍急萬人呼雲幕
隨開府春城赴上都馬頭金匼匝駝背錦糢糊咫尺雲
山路歸飛青海隅上公猶寵錫突將且前驅漢使黄河
遠涼州白麥枯因君問消息好在阮元瑜

杜牧詩射鵰都尉萬人敵黑矟將軍一鳥輕雖本此詩
然語意天然遜子美遠矣

歐陽修曰陳舍人從易偶得杜集舊本文多脫誤送

蔡都尉詩身輕一鳥其下脫一字陳公與數客各用
一字補之或云疾或云落或云下莫能定後得一善
本乃是過字陳歎服以為雖一字諸君亦不能到也

春日憶李白

白也詩無敵飄然思不羣清新庾開府俊逸鮑參軍渭
北春天樹江東日暮雲何時一尊酒重與細論文

李杜交誼於白集中論之詳矣此詩傳會尤多所謂以
小人之心度君子之腹甫無是也頸聯遂為懷人粉本

情景雙關一何藴藉

朱鶴齡曰公與太白皆學六朝前以李侯佳句比之陰鏗此又比之庾鮑蓋舉生平所最慕者以相方也王安石謂少陵於李白僅比以庾鮑陰鏗則又下矣或遂以細論文譏其才踈此真瞽說公詩云頗學陰何苦用心又云庾信文章老更成公之推服諸家甚至則其推服太白為何如哉

贈陳二補闕

世儒多汩沒夫子獨聲名獻納開東觀君王問長卿阜雕寒始急天馬老能行自到青冥裏休看白髮生

寄高三十五書記

歎息高生老新詩日又多美名人不及佳句法如何主將收才子崆峒足凱歌聞君已朱紱且得慰蹉跎

詩必有法古今通義子美最深於法嚴羽云少陵詩法如孫吳太白詩法如李廣是也

送裴二虯作尉永嘉

孤嶼亭何處天涯水氣中故人官就此絕境興誰同隱吏逢梅福遊山憶謝公扁舟吾已就把釣待秋風

浦起龍曰起用倒勢如凌虛御風而來

贈田九判官

崆峒使節上青霄河隴降王款聖朝宛馬總肥春苜蓿將軍只數漢嫖姚陳留阮瑀誰爭長京兆田郎早見招麾下賴君才並入獨能無意向漁樵

風格遒上所謂神理縱橫而準繩最密此種體製惟老

杜擅長詩本望田薦己故宛馬句以比為賦微領此意五六語勢如轉丸珠仇兆鰲謂阮瑀為指高適不為無見不徒送蔡都尉詩以阮比高也

贈獻納使起居田舍人

獻納司存雨露邊地分清切任才賢舍人退食收封事宮女開函近御筵曉漏追趨青瑣闥晴窻點檢白雲篇揚雄更有河東賦唯待吹噓送上天

陪鄭廣文遊何將軍山林十首

不識南塘路今知第五橋名園依緑水野竹上青霄谷口舊相得濠梁同見招平生為幽興未惜馬蹄遥

古人紀游之作佇興而言興盡而止故有餘味而無長語此詩多至十首蓋游宴既久情景迭見故乃綜括始終分攄懷抱絶去羈束而自成阡陌若不經營而自有條理所謂言之不足故長言之反復咏嘆以寄其情者也十首中風致蕭疎氣體深穏元亮之冲太冲之逸康樂之清明遠之俊㝡而有之至其章法次序則大家結

構評者頗能言之

王嗣奭曰起句是十首起法末拈幽興為十首之綱

百頃風潭上千章夏木清卑枝低結子接葉暗巢鸎鮮鯽銀絲鱠香芹碧澗羮翻疑柂樓底晚飯越中行

蔡寛夫曰卑枝一聯乃叠韻對如樂天户大嫌甜酒才高笑小詩要因其語意偶合輙成就之不以是為工也

萬里戎王子何年别月支異花開絶域滋蔓匝清池漢使徒空到神農竟不知露翻兼雨打開拆日離披

王士禄曰十首中宕此一首最見章法

旁舍連高竹疎籬帶晚花碾渦深没馬藤蔓曲藏虵詞賦工無益山林跡未賒盡捻書籍賣來問爾東家

剩水滄江破殘山碣石開緑垂風折笋紅綻雨肥梅銀甲彈箏用金魚換酒來興移無灑掃隨意坐莓苔

王嗣奭曰散漫寫去無起束呼應另是一格亦緣十首自有大起結此首如中聯也

風磴吹陰雪雲門吼瀑泉酒醒思卧簟衣冷欲裝綿野老來看客河魚不取錢只疑淳朴處自有一山川

棘樹寒雲色茵蔯春藕香脆添生菜美陰益食單涼野鶴清晨出山精白日藏石林蟠水府百里獨蒼蒼

浦起龍曰野鶴一聯刻意生色

憶過楊柳渚走馬定昆池醉把青荷葉狂遺白接䍦刺船思郢客解水乞吳兒坐對秦山晚江湖興頗隨

林上書連屋階前樹拂雲將軍不好武稚子總能文醒

酒微風入聽詩靜夜分絺衣挂蘿薜涼月白紛紛
幽意忽不愜歸期無柰何出門流水注迴首白雲多自
笑燈前舞誰憐醉後歌衹因與朋好風雨亦來過
趙汸曰凡一題而賦數首者須首尾布置有起有結
每章各有主意無繁複不倫之失乃是家數觀此十
章及後五章可見
王嗣奭曰合觀十首分明一篇游記有首有尾中間
或賦景或寫情經緯錯綜曲折變化用正用奇不可

方物
李因篤曰末章是十首結語老氣横空直使後五首
可接

重過何氏五首

問訊東橋竹將軍有報書倒衣還命駕高枕乃吾廬花
妥鶯捎蝶溪喧獺趁魚重來休沐地真作野人居
五首皆著意重過其大致疎落不復次第鋪叙正所以
別於前游此亦詩家之微指也盧元昌以野人居三字
為諷當時第舍之侈又或以前第九首此第四首為諷
明皇黷武將帥好兵前第三首為刺明皇任蕃將寵祿
山無端牽引破碎支離黄庭堅謂棄其大旨於所遇林
泉人物草木魚蟲以為物物皆有所託如世間商度隱
語者則子美之詩委地矣讀甫詩者當以為戒
山雨樽仍在沙沉榻未移犬迎曾宿客鴉護落巢兒雲
薄翠微寺天清皇子陂向來幽興極步屧過東籬
李因篤曰五六宕開惟大家有此筆力

落日平臺上春風啜茗時石欄斜點筆桐葉坐題詩翡
翠鳴衣桁蜻蜓立釣絲自今幽興熟來往亦無期
首篇五六及翡翠二句穠至中别有幽趣不減蟬噪林
逾靜鳥鳴山更幽也
頗怪朝參懶應耽野趣長雨抛金鎖甲苔臥綠沉槍手
自移蒲柳家纔足稻粱看君用幽意白日到羲皇
到此應常宿相留可判年蹉跎暮容色悵望好林泉何
日霑微祿歸山買薄田斯遊恐不遂把酒意茫然

冬日有懷李白

寂寞書齋裏終朝獨爾思更尋嘉樹傳不忘角弓詩短褐風霜入還丹日月遲未因乘興去空有鹿門期

與亦有梁宋游相期拾瑤草正相照應

贈翰林張四學士

翰林逼華蓋鯨力破滄溟天上張公子宮中漢客星賦詩拾翠殿佐酒望雲亭紫誥仍兼綰黃麻似六經内分金帶赤恩與荔枝青無復隨高鳳空餘泣聚螢此生任

春草垂老獨漂萍儻憶山陽會悲歌在一聽

前幅工麗

送張二十參軍赴蜀州因呈楊五侍御

好去張公子通家別恨添兩行秦樹直萬點蜀山尖御史新驄馬參軍舊紫髯皇華吾善處於汝定無嫌

陪諸貴公子丈八溝攜妓納涼晚際遇雨二首

落日放船好輕風生浪遲竹深留客處荷淨納涼時公子調氷水佳人雪藕絲片雲頭上黑應是雨催詩

雨來霑席上風急打船頭越女紅裙濕燕姬翠黛愁纜侵堤柳繫幔卷浪花浮歸路翻蕭颯陂塘五月秋

結皆入勝次作尤有逸致

贈高式顏

昔別是何處相逢皆老夫故人還寂寞削跡共艱虞自失論文友空知賣酒壚平生飛動意見爾不能無

深情高調起句中無限蒼涼

王士正曰篇中論文友指高適適卒於永泰元年此

詩當在改元之後

故武衛將軍挽歌三首

嚴警當寒夜前軍落大星壯夫思敢決哀詔惜精靈王者今無戰書生已勒銘封侯意疎闊編簡為誰青

劉會孟曰詞意上下含蓄有美有恨

舞劒過人絕鳴弓射獸能銛鋒行愜順猛噬失蹻騰赤羽千夫膳黃河十月氷橫行沙漠外神速至今稱

李因篤曰詩意沈雄悲壯足慰鬼雄此篇尤有生造

之力

哀挽青門去新阡絳水遥路人紛雨泣天意颯風飈部曲精仍鋭匈奴氣不驕無由覩雄略大樹日蕭蕭

官定後戲贈 原注時免河西尉為右衛率府兵曹

不作河西尉淒涼為折腰老夫怕趨走率府且逍遥耽酒須微祿狂歌託聖朝故山歸興盡迴首向風飈

九日藍田崔氏莊

老去悲秋強自寬興來今日盡君歡羞將短髮還吹帽

笑倩旁人為正冠藍水遠從千澗落玉山高並兩峰寒明年此會知誰健醉把茱萸子細看

意頗類唐筆則老健頸聯撐拄自是截斷衆流之句

劉禹錫曰詩中用茱萸字者凡三人杜子美云醉把茱萸子細看王右丞云遍插茱萸少一人朱倣云學他年少插茱萸更三君所用子美為優

陳師道曰頷聯文雅曠達不減昔人故謂詩非力學可致正須胸中度世耳

崔氏東山草堂

愛汝玉山草堂靜高秋爽氣相鮮新有時自發鐘磬響落日更見漁樵人盤剝白鴉谷口栗飯煮青泥坊底芹何為西莊王給事柴門空閉鎖松筠

甫集特多拗律然其聲調自有一定之法如此詩及西岳崚嶒竦處尊錦官城西生事微㩳垣竹埤梧十尋城尖徑仄旌旆愁諸篇以古調入律所謂蒼莽歷落中自成音節者然此及西岳篇收入律調為正法如後二篇

八句全拗又拗體之變格不易學也若并不識七古聲調而以語拗體難矣他如澗道餘寒歷氷雪傳語風光共流轉及映堦碧草自春色九江日落醒何處諸聯乃單拗雙拗正法宋人胡仔謂平仄固有定體衆共守之然不若時用變體如兵之出奇變化無窮以驚世駭目王世懋則疑為變風變雅皆怳惚之語耳

王嗣奭曰藍田詩悲壯東山詩渾成不煩繩削自有蕭散之致

對雪

戰哭多新鬼愁吟獨老翁亂雲低薄暮急雪舞迴風瓢棄樽無綠爐存火似紅數州消息斷愁坐正書空

月夜

今夜鄜州月閨中只獨看遥憐小兒女未解憶長安香霧雲鬟濕清輝玉臂寒何時倚虛幌雙照淚痕乾

王士正曰不言思兒女情在言外

浦起龍曰悲婉微至

黃鶴曰天寶十五載八月公自鄜州赴行在為賊所得時身在長安家在鄜州故作是詩

遣興

驥子好男兒前年學語時問知人客姓誦得老夫詩世亂憐渠小家貧仰母慈鹿門攜不遂雁足繫難期天地軍麾滿山河戰角悲儻歸免相失見日敢辭遲

王嗣奭曰愛隔情深語寬心急

春望

國破山河在城春草木深感時花濺淚恨別鳥驚心烽火連三月家書抵萬金白頭搔更短渾欲不勝簪

司馬光曰古人為詩貴於意在言外使人思而得之近世惟杜子美最得詩人之體如此詩言山河在明無餘物矣草木深明無人矣花鳥平時可娛之物見之而泣聞之而悲則時可知矣他皆類此不可徧舉

憶幼子

驥子春猶隔鶯歌煖正繁别離驚節換聰慧與誰論澗水空山道柴門老樹村憶渠愁只睡炙背俯晴軒

喜達行在所三首

西憶岐陽信無人遂却迴眼穿當落日心死著寒灰霧樹行相引蓮峰望忽開所親驚老瘦辛苦賊中來

李因篤曰抗賊高節而以老瘦辛苦四字檃括之所謂蘊藉也

愁思胡笳夕淒涼漢苑春生還今日事間道暫時人司隸章初覩南陽氣已新喜心翻倒極嗚咽淚霑巾

劉會孟曰問道暫時人五字可傷即云旦暮人耳暫時更警

死去憑誰報歸來始自憐猶瞻太白雪喜遇武功天影靜千官裏心蘇七校前今朝漢社稷新數中興年

肺腑流露不假雕飾論甫者謂其一飯不忘君況斯時情景乎所以寫欣喜處語極悲痛性情所至妙不自尋覯其真摯如此其生平大節可知矣

趙汸曰題曰喜達行在所而詩多追說脫身歸順間關跋涉之情狀所謂痛定思痛適於在痛時也

得家書

去憑遊客寄來為附家書今日知消息他鄉且舊居熊兒幸無恙驥子最憐渠臨老羇孤極傷時會合疎二毛趨帳殿一命待鸞輿北闕妖氛滿西郊白露初涼風新過雁秋雨欲生魚農事空山裏眷言終荷鋤

入後清逸脩然意遠

奉贈嚴八閣老

扈聖登黃閣明公獨妙年蛟龍得雲雨鵰鶚在秋天客禮容疏放官曹可接聯新詩句句好應任老夫傳

奉送郭中丞兼太僕卿充隴右節度使三十韻 英乂

詔發西山將秋屯隴右兵淒涼餘部曲爗赫舊家聲鵰鶚乘時去驊騮顧主鳴艱難須上策容易即前程斜日當軒蓋高風卷旆旌松悲天水冷沙亂雪山清和虜猶懷惠防邊不敢驚古來於異域鎮靜示專征燕薊奔封豕周秦觸駭鯨中原何慘黷餘孽尚縱橫箭入昭陽殿

笳吟細柳營內人紅袖泣王子白衣行宸極祅星動園陵殺氣平空餘金椀出無復繐帷輕毀廟天飛雨焚宮火徹明罘罳朝共落榆桷夜同傾三月師逾整羣胡勢就烹瘡痍親接戰勇決冠垂成妙譽期元宰殊恩且列卿幾時迴節鉞戮力掃欃槍圭竇三千士雲梯七十城恥非齊說客秖似魯諸生通籍微班忝周行獨坐榮隨肩趨漏刻短髮寄簪纓徑欲依劉表還疑厭禰衡漸衰那此別忍淚獨含情廢邑狐狸語空村虎豹爭人頻墜

塗炭公豈忘精誠元帥調新律前軍壓舊京安邊仍扈從莫作後功名

言有倫脊義歸忠愛昔謝安論毛詩以訏謨定命遠猷辰告為佳語此類篇章有其意矣

王嗣奭曰本送郭之隴右而語意輕外重內疊疊而談正以感激中丞使知急也後云幾時回節鉞又云安邊仍扈從蓋深以討賊大事望之矣

送楊六判官使西蕃

送遠秋風落西征海氣寒帝京氛祲滿人世別離難絕域遙懷怒和親願結歡勅書憐贊普兵甲望長安宣命前程急惟良待士寬子雲清自守今日起為官垂淚方投筆傷時即據鞍儒衣山鳥怪漢節野童看邊酒排金盞夷歌捧玉盤草輕蕃馬健雪重拂廬乾慎爾參籌畫從茲正羽翰歸來權可取九萬一朝摶

仇兆鰲曰羅大經云子雲清自守今日起為官假雲對日兩句一意按元白劉賓客輩汝洛唱和集九日

送人清秋方落帽子夏正離羣假對之工本於杜句

朱鶴齡曰舊唐書云至德元載吐蕃遣使和親願助國討賊二載三月遣給事中南巨川報命楊蓋贊巨川以行

月

天上秋期近人間月影清入河蟾不沒擣藥兔長生只益丹心苦能添白髮明干戈知滿地休照國西營

晚行口號

三川不可到歸路晚山稠落雁浮寒水饑烏集戍樓市朝今日異喪亂幾時休遠媿梁江總還家尚黑頭

盧元昌曰有春燕巢於林木之感

行次昭陵

舊俗疲庸主羣雄問獨夫讖歸龍鳳質威定虎狼都天屬尊堯典神功協禹謨風雲隨絕足日月繼高衢文物多師古朝廷半老儒直詞寧戮辱賢路不崎嶇往者災猶降蒼生喘未蘇指麾安率土盪滌撫洪鑪壯士悲陵

邑幽人拜鼎湖玉衣晨自舉鐵馬汗常趨松柏瞻虚殿
塵沙立暝途寂寥開國日流恨滿山隅
氣象嵬峩規模宏遠華茂典重之中有沉雄悲壯之概陸游所云清廟生民伯仲間也貞觀之治三代以後所僅見其行政用人納諫進賢亦非後代所及文物四句能舉其要不特此也明皇勵精為治開元政化上媲太宗不能持盈保泰任用宵小蔽塞聰明以致天寶禍亂向非太宗之靈則唐室墟矣流離之餘徘徊瞻眺撫時

傷往流恨山隅想開國之盛而所以致亂之故隱然言外深廣無端波瀾萬狀今古詩人絶無倫比甫祭房相文云培塿滿地崑崙無羣可取以評此詩
許顗曰文物多師古四句見太宗智勇英特武定天下而能如此最盛德也
錢謙益曰班固東都賦往者王莽作逆以下序建武克命之事幾二百言此詩櫽括以二十言
沈德潛曰玉衣二句猶騷所云神之來兮夾兩旗言神靈陟降也

重經昭陵

草昧英雄起謳歌歷數歸風塵三尺劍社稷一戎衣翼亮貞文德丕承戢武威聖圖天廣大宗祀日光輝陵寢盤空曲熊羆守翠微再窺松柏路還見五雲飛
渾舉贊頌義無不包與前篇皆可直追三頌
何景明曰用經史入詩絶不見斧鑿痕使他人道之未免拙滯

鍾惺曰陵廟之作典古悲涼説功業無竹帛氣説神靈無松杉氣
張遠曰末句即五陵佳氣無時無之意

喜聞官軍已臨賊寇二十韻

胡虜潛京縣官軍擁賊壕鼎魚猶假息穴蟻欲何逃帳殿羅元冕轅門照白袍秦山當警蹕漢苑入旌旗路失羊腸險雲横雉尾高五原空壁壘八水散風濤今日看天意遊魂貸爾曹乞降那更得尚詐莫徒勞元帥歸龍

種司空握豹韜前軍蘇武節左將呂虔刀兵氣回飛鳥威聲沒巨鼇戈鋋開雪色弓矢尚秋毫天步艱方盡時和運更遭誰云遺毒螫已是沃腥臊睿想丹墀近神行羽衛牢花門騰絶漠拓羯渡臨洮此輩感恩至羸俘何足操鋒先衣染血騎突劍吹毛喜覺都城動悲憐子女號家家賣釵釧只待獻春醪

壯浪豪邁寫得喜字意出可作討賊檄文亦可作報捷露布

王嗣奭曰字字犀利句句雄壯真是筆掃千軍者

唐書至德二載九月丁亥廣平王俶將朔方等軍及回紇西域之衆十五萬發鳳翔壬寅至長安城西與賊將安守忠戰於香積寺北賊大敗張通儒走陝郡大軍入京師甲辰捷書至鳳翔

收京

生意甘衰白天涯正寂寥忽聞哀痛詔又下聖明朝羽翼懷商老文思憶帝堯叨逢罪已日霑灑望青霄汗馬收宮闕春城鏟賊壕賞應歌杕杜歸及薦櫻桃雜虜橫戈數功臣甲第高萬方頻送喜無乃聖躬勞

一喜一痛忠愛之誠藹然而見此始收兩京之作錢謙益語語文致喜為傅會而不覺其以後釋前為大謬也

御選唐宋詩醇卷十三

欽定四庫全書

御選唐宋詩醇卷十四

襄陽杜甫詩六

臘日

臘日常年暖尚遥今年臘日凍全消侵陵雪色還萱草

漏洩春光有柳條縱酒欲謀良夜醉還家初散紫宸朝

口脂面藥隨恩澤翠管銀罌下九霄

趙大綱曰唐以大寒後辰日為臘

紫宸殿退朝口號

户外昭容紫袖垂雙瞻御座引朝儀香飄合殿春風轉

花覆千官淑景移晝漏希聞高閣報天顔有喜近臣知

宫中每出歸東省會送夔龍集鳳池

可備唐朝典故詩亦委蛇有風度

劉會孟曰從容富麗六句有意外意

曲江二首

一片花飛減却春風飄萬點正愁人且看欲盡花經眼

莫厭傷多酒入脣江上小堂巢翡翠苑邊高塚卧麒麟

細推物理須行樂何用浮名絆此身

朝回日日典春衣每日江頭盡醉歸酒債尋常行處有

人生七十古來稀穿花蛺蝶深深見點水蜻蜓欵欵飛

傳語風光共流轉暫時相賞莫相違

葉夢得曰深深字若無穿字欵欵字若無點字亦無

以見其精微然讀之渾然全似未嘗用力所以不碍

氣格超勝使晚唐人為之便涉魚躍練川抛玉尺鶯

穿絲柳織金梭矣

張綖曰二詩以仕不得志有感於暮春而作

王士正曰宣政等作何其春容華藻游賞詩乃又跌

宕不羈如此蓋各有體也

曲江對酒

苑外江頭坐不歸水精宫殿轉霏微桃花細逐楊花落

黄鳥時兼白鳥飛縱飲久判人共棄懶朝真與世相違

吏情更覺滄洲遠老大悲傷未拂衣

頷聯寫一時偶然之景遂為後賢粉本然丹鉛錄所引黄庭堅句風致自佳若梅堯臣李若水兩聯則優劣判然矣

曲江對雨

城上春雲覆苑墻江亭晚色靜年芳林花著雨燕脂落水荇牽風翠帶長龍武新軍深駐輦芙蓉别殿漫焚香何時詔此金錢會暫醉佳人錦瑟傍

離亂初復追思極盛悄然悲慨無限深情後四句一氣滚出仍望有承平之樂語偏濃至氣自空蒼此中晚所望而不及者也若甫之繫念明皇誠有其意然金錢之詔當在肅宗説詩固宜善會耳

黄生曰公感元宗知遇詩中每每見之五六指南内之事蓋隱之也本詩人之忠厚法宣聖之微詞豈古今抽黄媲白之士所敢望哉

仇兆鰲曰杜審言詩綰霧青條弱牽風紫蔓長即此頷聯所自出也又寄語洛城風日道明年春色倍還人即傳語風光二句所自出也公嘗云詩是吾家事信手祖孫繼述詩學乃其家學也

奉和賈至舍人早朝大明宫 原注舍人先世嘗掌絲綸

五夜漏聲催曉箭九重春色醉仙桃旌旗日暖龍蛇動宫殿風微鷰雀高朝罷香烟攜滿袖詩成珠玉在揮毫欲知世掌絲綸美池上於今有鳳毛

蘇軾曰旌旗日暖一聯此七言中之偉麗者也

宣政殿退朝晚出左掖

天門日射黄金榜春殿晴曛赤羽旗宫草微微承委珮鑪烟細細駐遊絲雲近蓬萊常五色雪殘鳷鵲亦多時侍臣緩步歸青瑣退食從容出每遲

浦起龍曰金和玉節之篇

題省中院壁

掖垣竹埤梧十尋洞門對霤常陰陰落花遊絲白日靜鳴鳩乳燕青春深腐儒衰晚謬通籍退食遲迴違寸心衮職曾無一字補許身媿比雙南金

明朝有封事數問夜如何參觀之可得其意

春宿左省

花隱掖垣暮啾啾棲鳥過星臨萬户動月傍九霄多不寢聽金鑰因風想玉珂明朝有封事數問夜如何

胡應麟曰杜詩五律結句之妙者如明朝有封事數問夜如何經過自愛惜取次莫論兵親朋滿天地兵甲少來書安危大臣在不必淚長流無由覩雄畧大樹日蕭蕭語皆矯健振勁絶非錚錚細響

沈德潛曰三四即景名句而註釋家謂民勞則星動月屬陰象指女子小人以峭刻深心測詩人敦厚之旨一何可笑

送翰林張司馬南海勒碑 原注相國製文

冠冕通南極文章落上台詔從三殿去碑到百蠻開野館濃花發春帆細雨來不知滄海上天遣幾時迴

王士正曰領聯冠冕頰聯纖穠此用筆之妙

晚出左掖

晝刻傳呼淺春旗簇仗齊退朝花底散歸院柳邊迷樓雪融城濕宮雲去殿低避人焚諫草騎馬欲雞棲

劉會孟曰諫草不欲人知此事君當然之體結語讀之數過欵欵忠實

送賈閣老出汝州

西掖梧桐樹空留一院陰艱難歸故里去住損春心宮殿青門隔雲山紫邏深人生五馬貴莫受二毛侵

去住損春心五字可謂蘊藉

黃生曰起處用卷阿詩意而無其迹

送鄭十八虔貶台州司户傷其臨老陷賊之故闕為面別情見於詩

鄭公樗散鬢成絲酒後常稱老畫師萬里傷心嚴譴日百年垂死中興時蒼惶已就長途往邂逅無端出餞遲便與先生應永訣九重泉路盡交期

盧世㴶曰清空一氣萬轉千回純是淚點都無墨痕

沈德潛曰屈折赴題清空如話別是一種風格

端午日賜衣

宮衣亦有名端午被恩榮細葛含風軟香羅疊雪輕自天題處濕當暑著來清意內稱長短終身荷聖情

奉贈王中允維

中允聲名久如今契濶深共傳收庾信不比得陳琳一病緣明主三年獨此心窮愁應有作試誦白頭吟

為中允表明心跡極有斟酌

舊唐書維官給事中扈從不及為賊所得服藥取痢

詐稱瘖病祿山迎置洛陽拘於普施寺迫以偽署賊平定陷賊官罪維以凝碧詩聞於朝肅宗特宥之責授太子中允

奉陪鄭駙馬韋曲二首

韋曲花無賴家家惱殺人綠樽雖盡日白髮好禁春石角鉤衣破藤枝刺眼新何時占叢竹頭戴小烏巾

野寺垂楊裏春畦亂水間美花多映竹好鳥不歸山城郭終何事風塵豈駐顏誰能共公子薄暮欲俱還

王嗣奭曰抑揚頓挫極生動之致

至德二載甫自京金光門出間道歸鳳翔乾元初從左拾遺移華州掾與親故別因出此門有悲往事

此道昔歸順西郊胡正繁至今殘破膽應有未招魂近得歸京邑移官豈至尊無才日衰老駐馬望千門

詞意婉曲昔之忠款今之眷戀皆見怨而不怒忠厚之道

顧宸曰公疏救房琯詔三司推問以張鎬力救赦放就列次年與房琯嚴武俱貶坐琯黨也此公事君交友生平出處之大節曰移官豈至尊不敢歸怨於君也王維詩云執政方持法明君無此心與此同意所謂詩可以怨也

寄高三十五詹事適

安穩高詹事兵戈久索居時來如宦達歲晚莫情疎天上多鴻雁池中足鯉魚相看過半百不寄一行書

路逢襄陽楊少府入城戲呈楊員外綰原注甫赴華州日許寄員外茯苓

寄語楊員外山寒少茯苓歸來稍暄暖當為斸青冥翻

動神仙窟封題鳥獸形兼將老藤杖扶汝醉初醒

頸聯奇致押韻尤穩

題鄭縣亭子

鄭縣亭子澗之濱户牖憑高發興新雲斷岳蓮臨大路

天晴宫柳暗長春巢邊野雀羣欺燕花底山蜂遠趁人

更欲題詩滿青竹晚來幽獨恐傷神

仇兆鰲曰中四寫景先賦後比五六喻意所以自傷幽獨也

望岳

西岳崚嶒竦處尊諸峰羅立如兒孫安得仙人九節杖

拄到玉女洗頭盆車箱入谷無歸路箭栝通天有一門

稍待西風涼冷後高尋白帝問真源

遂無一字猶人蒼老渾勁行神如空行氣如虹昔元好

問論秦觀春雨詩曰拈出退之山石句始知渠是女郎

詩詩人不識大家氣象爭柔鬬艷氣萎體瘵誦此寧

不變色

至日遣興奉寄北省舊閣老兩院故人二首

去歲兹辰捧御床五更三點入鵷行欲知趨走傷心地

正想氤氲滿眼香無路從容陪語笑有時顛倒著衣裳

何人錯憶窮愁日愁日愁隨一線長

憶昨逍遥供奉班去年今日侍龍顔麒麟不動鑪烟上

孔雀徐開扇影還玉几由來天北極朱衣只在殿中間

孤城此日堪腸斷愁對寒雲雪滿山

得弟消息

近有平陰信遥憐舍弟存側身千里道寄食一家村烽

舉新酣戰啼垂舊血痕不知臨老日招得幾人魂

憶弟

且喜河南定不問鄴城圍百戰今誰在三年望汝歸故

園花自發春日鳥還飛斷絶人烟久東西消息稀

二詩意真語苦未有篤於君父而薄於手足者甫之過
人豈徒詩乎

仇兆鰲曰花發鳥飛即濺淚傷心之意

秦州雜詩二十首

滿目悲生事因人作遠遊遲迴度隴怯浩蕩及關愁水落魚龍夜山空鳥鼠秋西征問烽火心折此淹留

意極哀頓氣則渾含自足領起諸篇

姚寬曰水經魚龍以秋日為夜又魚龍水名鳥鼠山名蓋兩句而合三事也

秦州城北寺勝跡隗囂宮苔蘚山門古丹青野殿空月明垂葉露雲逐渡溪風清渭無情極愁思獨向東

州圖領同谷驛道出流沙降虜兼千帳居人有萬家馬驕珠汗落胡舞白題斜年少臨洮子西來亦自誇

鼓角緣邊郡川原欲夜時秋聽殷地發風散入雲悲抱葉寒蟬靜歸山獨鳥遲萬方聲一槩吾道竟何之

五六入喻筆意幽細結極悲涼

南使宜天馬由來萬匹強浮雲連陣沒秋草徧山長聞說真龍種仍殘老驌驦哀鳴思戰鬬迥立向蒼蒼

沈德潛曰伏櫪長鳴隱然自寓

錢謙益曰按通鑑是年春三月九節度之師潰於鄴城戰馬萬匹惟存三千此詩浮雲連陣沒正其事也

秦州乃出西域之道故感天馬事而賦之

城上胡笳奏山邊漢節歸防河赴滄海奉詔發金微士苦形骸黑旌疎鳥獸稀那聞往來戍恨解鄴城圍

莽莽萬重山孤城山谷間無風雲出塞不夜月臨關屬國歸何晚樓蘭斬未還煙塵獨長望衰颯正摧顏

氣調蒼深

吳昌祺曰如鶻鶚盤空雄健自喜

沈德潛曰無風不夜奇景偶然寫出或以為地名不但穿鑿亦令杜詩無味

聞道尋源使從天此路迴牽牛去幾許宛馬至今來一望幽燕隔何時郡國開東征健兒盡羌笛暮吹哀

今日明人眼臨池好驛亭叢篁低地碧高柳半天青稠疊多幽事喧呼閱使星老夫如有此不異在郊坰

雲氣接崑崙涔涔塞雨繁羌童看渭水使客向河源煙火軍中幕牛羊嶺上村所居秋草淨正閉小蓬門

蕭蕭古塞冷漠漠秋雲低黃鵠翅垂雨蒼鷹饑啄泥蓟門誰自北漢將獨征西不意書生耳臨衰厭鼓鼙

浦起龍曰蒼蒼莽莽以古為律此前多言世亂此後多為身謀此乃前後關鍵也

山頭南郭寺水號北流泉老樹空庭得清渠一邑傳秋花危石底晚景臥鐘邊俛仰悲身世溪風為颯然

楊德周曰秦州詩憂憤悱惻都非文人伎倆即歸山獨鳥遲老樹空庭得二語亦令人閣筆

傳道東柯谷深藏數十家對門藤蓋瓦映竹水穿沙瘦地翻宜粟陽坡可種瓜船人近相報但恐失松花

趙汸曰起用傳道二字則以下景物皆是未至谷中先述所聞末方言泛舟往遊恐如桃源之迷路也

王知彰曰工部棄官寓東柯谷姪佐之居

萬古仇池穴潛通小有天神魚人不見福地語真傳近接西南境長懷十九泉何時一茅屋送老白雲邊

朱鶴齡曰前聞東柯谷之勝而欲卜居此述仇池穴之勝而欲卜居也觀卒章讀記憶仇池則前六句皆是引記中語

浦起龍曰前後三篇皆言東柯此以仇池隔斷章法變化

未暇泛滄海悠悠兵馬間塞門風落木客舍雨連山阮籍行多興龐公隱不還東柯遂疎懶休鑷鬢毛斑

東柯好崖谷不與衆峰羣落日邀雙鳥晴天養片雲野人矜險絕水竹會平分採藥吾將老兒童未遣聞

邊秋陰易久不復辨晨光簷雨亂淋幔山雲低度墻鸕鶿窺淺井蚯蚓上深堂車馬何蕭索門前百草長

地僻秋將盡山高客未歸塞雲多斷續邊日少光輝警急烽常報傳聞檄屢飛西戎外甥國何得迕天威

鳳林戈未息魚海路常難候火雲烽峻懸軍幕井乾風連西極動月過北庭寒故老思飛將何時議築壇

此與上篇全指吐蕃注家所引未的

唐堯真自聖野老復何如曬藥能無婦應門幸有兒藏書聞禹穴讀記憶仇池為報鴛行舊鷦鷯在一枝

題曰雜詩所感非一事其作非一時蓋甫棄官游秦情非得已身世之感一寓於詩即事命意觸景成文或繫於國或繫於已要以達其性情則一然其遇彌困而思

則彌深其心益苦而言則益工縱出橫飛涵今茹古昔人謂其秦州以後律法尤精蓋所遇有以激發之也學者求其本源之所在而參時世以觀之庶有以窺其藩籬耳

劉克莊曰唐人游邊之作數十篇中間有三數篇一篇間有一二聯可采若此二十篇山川城郭之異土地風氣所宜開卷一覽盡在是矣綱山詩云杜陵詩卷是圖經信然

月夜憶舍弟

戍鼓斷人行邊秋一雁聲露從今夜白月是故鄉明有弟皆分散無家問死生寄書長不達況乃未休兵

王彥輔曰子美善用故事及常語多顛倒用之語峻而體健如露從今夜白一聯之類是也

吳昌祺曰月是故鄉明勝隔千里兮共明月

宿贊公房　原注京中大雲寺主謫此安置

杖錫何來此秋風已颯然雨荒深院菊霜倒半池蓮放

逐寧違性虛空不離禪相逢成夜宿隴月向人圓

東樓

萬里流沙道西征過此門但添新戰骨不返舊征魂樓角凌風迴城陰帶水昏傳聲看驛使送節向河源

亦目前語耳征戰之苦言之何其慘也

雨晴

天外秋雲薄從西萬里風今朝好晴景久雨不妨農塞柳行疎翠山梨結小紅胡笳樓上發一雁入高空

寓目

一縣蒲萄熟秋山苜蓿多關雲常帶雨塞水不成河羌女輕烽燧胡兒制駱駝自傷遲暮眼喪亂飽經過

朱鶴齡曰當與州圖領同谷一首參看關塞無阻羌胡雜居乃世變之深可慮者公故感而歎之未幾秦隴果為吐蕃所陷

山寺

野寺殘僧少山園細路高麝香眠石竹鸚鵡啄金桃亂

石通人過懸崖置屋牢上方重閣晚百里見秋毫

遣懷

愁眼看霜露寒城菊自花天風隨斷柳客淚墮清笳水淨樓陰直山昏塞日斜夜來歸鳥盡啼殺後棲鴉

風景不殊舉目有山河之異結以比語豁出不嫌於盡

顧宸曰末語即上林無限樹不借一枝棲之意蓋歎卜居無地也

天河

常時任顯晦秋至最分明縱被微雲掩終能永夜清含星動雙闕伴月落邊城牛女年年渡何曾風浪生

此與初月詩確有寄託用意不即不離窅然而深如以為但咏本題又失之矣

洪仲曰天河初月二詩皆暗寫題意不露題字

仇兆鰲曰此直咏天河而寓意在言外領聯似為小人讒妒而發

初月

光細弦欲上影斜輪未安微升古塞外已隱暮雲端河漢不改色關山空自寒庭前有白露暗滿菊花團

黃庭堅曰王原叔說此詩為肅宗而作

張逺曰句句有一初字意

擣衣

亦知戍不返秋至拭清砧已近寒苦月況經長別心寧辭擣熨倦一寄塞垣深用盡閨中力君聽空外音

鏗然清響亭臯葉下隴首雲飛故當避其直至

張逺曰王灣詩風響傳聲不到君即此末句意但蘊藉不如耳

促織

沈德潛曰通首代戍婦之詞一氣旋折全以神行

促織甚微細哀音何動人草根吟不穩床下夜相親久客得無淚故妻難及晨悲絲與急管感激異天真

以下六詩全用比興風詩之草木昆蟲離騷之美人香草此物此志爾

螢火

幸因腐草出敢近太陽飛未足臨書卷時能點客衣隨風隔幔小帶雨傍林微十月清霜重飄零何處歸

仇兆鰲曰黄鶴注謂指李輔國輩以宦者近君而撓政也按腐草喻刑餘之人太陽乃人君之象比義顯然此輩直置身無地矣

蒹葭

摧折不自守秋風吹若何暫時花戴雪幾處葉沉波體弱春苗早叢長夜露多江湖後摇落亦恐歲蹉跎

苦竹

青冥亦自守軟弱強扶持味苦夏蟲避叢卑春鳥疑軒墀曾不重剪伐欲無辭幸近幽人屋霜根結在兹

王嗣奭曰前章不自守言遭時之窮此章亦自守見保身之哲讀二詩知公去就之間善於審處也

仇兆鰲曰蒹葭傷賢人之失志者苦竹嘉君子之避世者

除架

束薪已零落瓠葉轉蕭疎幸結白花了寧辭青蔓除秋蟲聲不去暮雀意何如寒事今牢落人生亦有初

廢畦

秋蔬擁霜露豈敢惜凋殘暮景數枝葉天風吹汝寒綠沾泥滓盡香與歲時闌生意如春昨悲君白玉盤

君門萬里之感於小物發之此自為寫照也

浦起龍曰前篇除字說得和平此章廢字寫得感慨

夕烽
夕烽來不近每日報平安塞上傳光小雲邊落點殘照
秦通警急過隴自艱難聞道蓬萊殿千門立馬看
儼然有宗社安危之慮乃心王室不覺流露其後吐蕃
卒犯長安知甫深思遠慮矣
送遠
帶甲滿天地胡為君遠行親朋盡一哭鞍馬去孤城草
木歲月晚關河霜雪清別離已昨日因見古人情

黃生曰起二句寫得萬難分手接聯更作一幅關河
送別圖頓覺班馬悲鳴風雲變色使人設身其地亦
自黯然魂消所謂古人情者即古別離之情也
觀兵
北庭送壯士貔虎數尤多精銳舊無敵邊隅今若何妖
氛擁白馬元帥待彤戈莫守鄴城下斬鯨遼海波
朱鶴齡曰是時九節度圍相州李光弼與諸將議曰
思明得魏州而按兵不動此欲以精銳掩吾不備也
請與朔方兵同逼魏州彼懲嘉山之敗必不敢輕出
曠日引久則鄴城必拔矣魚朝恩不可而止公詩末
句正與光弼意合言當直擣幽燕傾思明之巢穴不
當老師鄴城之下也
天末懷李白
涼風起天末君子意如何鴻雁幾時到江湖秋水多文
章憎命達魑魅喜人過應共冤魂語投詩贈汨羅
悲歌慷慨一氣卷舒李杜交好其詩特地精神

浦起龍曰五六直槩括天問招魂兩篇
空囊
翠柏苦猶食晨霞高可餐世人共鹵莽吾道屬艱難不
爨井晨凍無衣床夜寒囊空恐羞澁留得一錢看
病馬
乘爾亦已久天寒關塞深塵中老盡力歲晚病傷心毛
骨豈殊衆馴良猶至今物微意不淺感動一沉吟
直書見意無復營構此為老境

蕃劍

致此自僻遠又非珠玉裝如何有奇怪每夜吐光芒虎氣必騰上龍身寧久藏風塵苦未息持汝奉明王

不妨朴直自有氣魄

銅瓶

亂後碧井廢時清瑶殿深銅瓶未失水百丈有哀音側想美人意應悲寒甃沈蛟龍半缺落猶得折黄金

唐汝詢曰張籍楚妃怨梧桐葉落黄金井横架轆轤牽素綆美人初起天未明手拂銀瓶秋水冷讀籍詩杜義自明

黄生曰感物傷時沈欝頓挫

觀安西兵過赴關中待命二首

四鎮富精鋭摧鋒皆絶倫還聞獻士卒足以静風塵老馬夜知道蒼鷹饑著人臨危經久戰用急始如神

奇兵不在衆萬馬救中原談笑無河北心肝奉至尊孤雲隨殺氣飛鳥避轅門竟日留歡樂城池未覺喧

野望

清秋望不極迢遞起曽陰遠水兼天净孤城隱霧深葉稀風更落山迥日初沈獨鶴歸何晚昏鴉已滿林

秋日阮隱居致薤三十束

隱者柴門内畦蔬繞舍秋盈筐承露薤不待致書求束比青芻色圓齊玉筯頭衰年關鬲冷味煖併無憂

秦州見勑目薛三璩授司議郎畢四曜除監察與二子有故遠喜遷官兼述索居凡三十韻

大雅何寥濶斯人尚典型交期余潦倒材力爾精靈二子聲同日諸生困一經文章開穾奥遷擢潤朝廷舊好何由展新詩更憶聽别來頭併白相見眼終青伊昔貧皆甚同憂心不寧栖遑分半菽浩蕩逐流萍俗態猶猜忌妖氛忽杳冥獨慚投漢閣俱議哭秦庭還蜀衹無補囚梁亦固扃華夷相混合宇宙一羶腥帝力収三統天威總四溟舊都俄望幸清廟肅惟馨雜種雖高壘長驅甚建瓴焚香淑景殿漲水望雲亭法駕初還日羣公若

會星宮臣仍點染柱史正零丁官忝趨棲鳳朝回歎聚
螢喚人畨驟褭不嫁惜娉婷掘劒知埋獄提刀見發硎
侏儒應共飽漁父忌偏醒旅泊窮清渭長吟望濁涇羽
書還似急烽火未全停師老資殘寇戎生及近坰忠臣
辭憤激烈士涕飄零上將盈邊鄙元勲溢鼎銘仰思調
玉燭誰定握青萍隴俗輕鸚鵡原情類鶺鴒秋風動關
塞高卧想儀形

排律長篇創自老杜其義緒宏深波瀾老成非後人所

及若徒觀其排比鋪陳則元好問所謂舍連城而識碔
玞者也篇中萍字重用蓋義迥不同故耳

寄岳州賈司馬六丈巴州嚴八使君兩閣老五十
韻

衡岳啼猿裏巴州鳥道邊故人俱不利謫宦兩悠然開
闢乾坤正榮枯雨露偏長沙才子遠釣瀨客星懸憶昨
趨行殿殷憂捧御筵討胡愁李廣奉使待張騫無復雲
臺仗虛修水戰船蒼茫城七十流落劒三千畫角吹秦
晉旐頭俯澗瀍小儒輕董卓有識笑苻堅浪作禽填海
那將血射天萬方思助順一鼓氣無前陰散陳倉北晴
熏太白巔亂麻屍積衛破竹勢臨燕法駕還雙闕王師
下八川此時霑奉引佳氣拂周旋貔虎開金甲麒麟受
玉鞭侍臣諳入仗廐馬解登仙花動朱樓雪城凝碧樹
烟衣冠心慘愴故老淚潺湲哭廟悲風急朝正霽景鮮
月分梁漢米春得水衡錢内蘂繁於纈宮莎軟勝綿恩
榮同拜手出入最隨肩晚著華堂醉寒重繡被眠轡齊

兼秉燭書枉滿懷牋每覺昇元輔深期列大賢秉鈞方
咫尺鎩翮再聯翩禁掖朋從改微班性命全青蒲甘受
戮白髮竟誰憐弟子貧原憲諸生老服虔師資謙未達
鄉黨敬何先舊好腸堪斷新愁眼欲穿翠乾危棧竹紅
膩小湖蓮賈筆論孤憤嚴詩賦幾篇定知深意苦莫使
衆人傳貝錦無停織朱絲有斷絃浦鷗防碎首霜鶻不
空拳地僻昏炎瘴山稠隘石泉且將棊度日應用酒為
年典郡終微眇治中實棄捐安排求傚吏比興展歸田

去去才難得蒼蒼理又元古人稱逝矣吾道卜終焉隴外翻投跡漁陽復控弦笑為妻子累甘與歲時遷親故行稀少兵戈動接聯他鄉饒夢寐失侶自迍邅多病加淹泊長吟阻靜便如公盡雄俊志在必騰騫

間架分明線鎖靈動長律之善則也

李因篤曰叙事整贍用意深苦章法秩然五十韻無一失所如左馬大篇文字精神到底

寄張十二山人彪三十韻

獨卧嵩陽客三違潁水春艱難隨老母慘澹向時人謝氏尋山屐陶公漉酒巾羣凶彌宇宙此物在風塵歷下辭姜被關西得孟鄰早通交契密晚接道流新靜者心多妙先生藝絶倫草書何太苦詩興不無神曹植休前輩張芝更後身數篇吟可老一字買堪貧將恐曾防冦深潛託所親寧聞倚門夕盡力潔飧晨踈懶為名誤驅馳喪我真索居猶寂寞相遇益悲辛流轉依邊徼逢迎念席珍時來故舊少亂後别離頻世祖修高廟文公賞從臣商山猶入楚渭水不離秦存想青龍秘騎行白鹿馴耕巖非谷口結草即河濱肘後符應驗囊中藥未陳旅懷殊不愜良覿渺無因自古皆悲恨浮生有屈伸此邦今尚武何處且依仁皷角凌天籟關山倚月輪官場羅鎮磧賊火近洮岷蕭瑟論兵地蒼茫闘將辰大軍多處所餘孽尚紛綸高興知籠鳥斯文起獲麟窮秋正摇落迴首望松筠

寄李十二白二十韻

昔年有狂客號爾謫仙人筆落驚風雨詩成泣鬼神聲名從此大汨沒一朝伸文彩承殊渥流傳必絶倫龍舟移棹晚獸錦奪袍新白日來深殿青雲滿後塵乞歸優詔許遇我宿心親未負幽棲志兼全寵辱身劇談憐野逸嗜酒見天真醉舞梁園夜行歌泗水春才高心不展道屈善無鄰處士禰衡俊諸生原憲貧稻粱求未足薏苡謗何頻五嶺炎蒸地三危放逐臣幾年遭鵩鳥獨立向麒麟蘇武先還漢黄公豈事秦楚筵辭醴日梁獄上

書辰已用當時法誰將此義陳老吟秋月下病起暮江濱莫怪恩波隔乘槎與問津

[illegible]落風雨[illegible]斯言詩成泣鬼神甫詩乃可當之

孟棨曰杜贈白二十韻備叙白事讀其文盡得其故迹杜逢祿山之亂流離隴蜀畢陳於詩推見至隱殆無遺事故當時號為詩史

王嗣奭曰此詩會明為李白作傳其生平履歷備矣如未負幽棲志兼全寵辱身及楚筵辭醴梁獄上書

等句皆剗意辯明與一病緣明主三年獨此必相同

御選唐宋詩醇卷十四

欽定四庫全書

集部

御選唐宋詩醇　卷十五 十六

詳校官山東道御史臣温常綬

總校官編修臣朱鈐

校對官中書臣柴模

謄録監生臣梅用調

欽定四庫全書

御選唐宋詩醇卷十五

襄陽杜甫詩七

蜀相

丞相祠堂何處尋錦官城外栢森森映堦碧草自春色
隔葉黄鸝空好音三顧頻煩天下計兩朝開濟老臣心
出師未捷身先死長使英雄淚滿襟

老杜入蜀於孔明三致意焉其志有在也詩意豪邁哀
頓具有無數層折後來匹此惟李商隱籌筆驛耳世人
論此二詩互有短長或不置軒輊其實非有定見今畧
而言之此為謁祠之作前半用筆甚淡五六乃寫出孔
明身分七八折轉而下當時後世悲感並到正意注重
後半李詩因地興感故將孔明威靈振入十四字中寫
得十分滿足接筆一轉幾將氣燄掃盡五六兩層折筆
末仍收歸本事非有神力者不能二詩局陣各異工力
悉敵悠悠耳食之論未足與議也

劉會孟曰一字一淚寫得使人不忍讀故以為至

卜居

浣花流水水西頭主人為卜林塘幽已知出郭少塵事
更有澄江銷客愁無數蜻蜓齊上下一雙鸂鶒對沈浮
東行萬里堪乘興須向山陰上小舟

黄生曰結聯暗用孔明子猷語融會入妙

梅雨

南京犀浦道四月熟黄梅湛湛長江去冥冥細雨來茅
茨疎易濕雲霧密難開竟日蛟龍喜盤渦與岸迴

為農

錦里煙塵外江村八九家圓荷浮小葉細麥落輕花卜
宅從茲老為農去國賖遠慚句漏令不得問丹砂

有客

幽棲地僻經過少老病人扶再拜難豈有文章驚海内
漫勞車馬駐江干竟日淹留佳客坐百年麤糲腐儒餐
不嫌野外無供給乘興還來看藥欄

直舉胸情掃絕依傍

顧宸曰詞人聲價高士性情種種具見

朱瀚曰一主一賓對仗成篇而錯綜照應極結構之法

狂夫

萬里橋西一草堂百花潭水即滄浪風含翠篠娟娟静雨裛紅蕖冉冉香厚祿故人書斷絕恒飢稚子色淒涼欲填溝壑惟疎放自笑狂夫老更狂

盧元昌曰因草堂而興感詩成之後用末句狂夫為題

堂成

背郭堂成蔭白茅緣江路熟俯青郊榿林礙日吟風葉籠竹和煙滴露梢暫止飛烏將數子頻來語燕定新巢旁人錯比揚雄宅懶惰無心作解嘲

語意寬閒頷聯託興風趣絕佳

西郊

時出碧雞坊西郊向草堂市橋官柳細江路野梅香傍架齊書帙看題檢藥囊無人覺來往疎懶意何長

王安石曰老杜之無人覺來往下得覺字大好暝色赴春愁下得赴字大好若下見字起字即是小兒言語足見吟詩要一字兩字工夫

所思 原注崔吏部漪

苦憶荊州醉司馬謫官樽俎定常開九江日落醒何處一柱觀頭眠幾回可憐懷抱向人盡欲問平安無使來故憑錦水將雙淚好過瞿塘灧澦堆

如此詩可謂古直悲涼矣其性情真至自然流露又在語言文字之外所以高視天壤獨稱作者

盧世㴶曰突兀峻嶒有拔劔斫地之意

野老

野老籬前江岸廻柴門不正逐江開漁人網集澄潭下賈客船隨返照來長路關心悲劔閣片雲何意傍琴臺王師未報收東郡城闕秋生畫角哀 原注兩京同南都得云城闕也

劉會孟曰前半句句洗削
黄生曰前摹晚景真是詩中有畫後說旅情幾於淚
痕濕紙矣

遣興

干戈猶未定弟妹各何之拭淚霑襟血梳頭滿面絲地
卑荒野大天遠暮江遲衰疾那能久應無見汝時
五六悲慨之言又極沈雄

南鄰

錦里先生烏角巾園收芋栗不全貧慣看賓客兒童喜
得食階除鳥雀馴秋水纔深四五尺野航恰受兩三人
白沙翠竹江村暮相送柴門月色新
申涵光曰秋水纔深四五尺野航恰受兩三人語疎
落而不酸今人作七律堆砌排耦全無生氣而矯之
者又單弱無體裁讀杜諸律可悟不整為整之妙

出郭

霜露晚淒淒高天逐望低遠煙鹽井上斜景雪峯西故
國猶兵馬他鄉亦鼓鼙江城今夜客還與舊烏啼

過南鄰朱山人水亭

相近竹參差相過人不知幽花欹滿樹小水細通池歸
客村非遠殘樽席更移看君多道氣從此數追隨

恨別

洛城一別四千里胡騎長驅五六年草木變衰行劍外
兵戈阻絕老江邊思家步月清宵立憶弟看雲白日眠
聞道河陽近乘勝司徒急為破幽燕

老筆空蒼任華所云勢攫虎豹氣騰蛟螭者尺幅中能
有其象至於直搗幽燕之舉未嘗無計及者而良謀不
用莫奏膚功甫詩蓋屢及之此用兵得失之機足見甫
之識畧矣若建都荆門甫尤以為非計彼其流離漂泊
衣食不暇而關心國事觸緒輒來所謂發乎性止乎忠
孝者尋常詞章之士豈能望其項背哉
朱鶴齡曰李光弼傳乾元二年冬十月光弼悉軍赴
河陽大破賊衆上元元年進圍懷州通鑑上元元

年三月光弼破安太清於懷州城下四月又破史思明於河陽西渚

寄賀蘭銛

朝野歡娛後乾坤震蕩中相隨萬里日總作白頭翁歲晚仍分袂江邊更轉蓬匆云俱異域飲啄幾回同

寄楊五桂州譚 原注 因州參軍段子之任

五嶺皆炎熱宜人獨桂林梅花萬里外雪片一冬深聞此寬相憶為邦復好音江邊送孫楚遠附白頭吟

王嗣奭曰氣勢流走字句空靈詩之不縛於律者

和裴迪登新津寺寄王侍郎 原注 王時牧蜀

何限倚山木吟詩秋葉黃蟬聲集古寺鳥影度寒塘風物悲遊子登臨憶侍郎老夫貪佛日隨意宿僧房

建都十二韻

蒼生未蘇息胡馬半乾坤議在雲臺上誰扶黃屋尊建都分魏闕下詔闢荆門恐失東人望其如西極存時危當雪恥計大豈輕論雖倚三階正終愁萬國飜牽裾恨不死漏網辱殊恩永負漢庭哭遥憐湘水魂窮冬客江叙隨事有田園風斷青蒲節霜埋翠竹根衣冠空穰穰關輔久昏昏願枉長安日光輝照北原

仇兆鰲曰當時房琯分建之策與呂諲建都之請前後事勢迥不相同安史首亂時陷中原破兩京肅宗室逼乘輿唐室孤危極矣故分建子弟之議足使賊子膽寒其後長安既復兵勢復張惟河北未平故須專意北向以除禍本若建都荆門益張國勢迂疎甚

矣且東南本無事而勞民動衆恐反生意外之虞此作詩本意也錢箋附會兩事致詩意反晦今辯正之

和裴迪登蜀州東亭送客逢早梅相憶見寄

東閣官梅動詩興還如何遜在揚州此時對雪遥相憶送客逢春可自由幸不折來傷歲暮若為看去亂鄉愁江邊一樹垂垂發朝夕催人自白頭

幽情婉調別有風神

黃生曰此詩直而實曲樸而實秀其暗映早梅婉折

如意往復盡情筆力横絶千古

楊德周曰必如頷聯方不墮咏物叔王元美以為古今咏梅第一

散愁二首

久客宜旋旆興王未息戈蜀星陰見少江雨夜聞多百萬傳深入寰區望匪它司徒下燕趙收取舊山河

聞道并州鎮尚書訓士齊幾時通薊北當日報關西戀闕丹心破霑衣皓首啼老魂招不得歸路恐長迷

王士正曰首篇頸聯不至蜀者不知其確

客至原注喜崔明府相過

舍南舍北皆春水但見羣鷗日日來花徑不曾緣客掃蓬門今始為君開盤飧市遠無兼味樽酒家貧只舊醅肯與鄰翁相對飲隔籬呼取盡餘盃

朱瀚曰首句用在水一方詩意次句用海翁狎鷗故事

遣意二首

囀枝黄鳥近泛渚白鷗輕一逕野花落孤村春水生衰年催釀黍細雨更移橙漸喜交游絶幽居不用名

申涵光曰一徑孤村二語高岑秀句也

簷影微微落津流脉脉斜野船明細火宿雁聚圓沙雲掩初弦月香傳小樹花鄰人有美酒稚子夜能賒

浦起龍曰二詩輕圓明秀集中另是一種

漫成

江皋已仲春花下復清晨仰面貪看鳥回頭錯應人讀書難字過對酒滿壺頻近識峨眉老原注東山隱者知予懶是真

仇兆鰲曰頸聯寫出應接不暇之意朱子引為心不在焉之證亦斷章取義耳

春夜喜雨

好雨知時節當春乃發生隨風潛入夜潤物細無聲野徑雲俱黑江船火獨明曉看紅濕處花重錦官城

近人評此詩云寫得脉脉綿綿於造化發生之機最為

密切是已然非有意為之蓋其胷次自然流出而意已潛會所謂不涉理路不落言詮者如此若有意效之即訓詁語耳江亭詩亦同此意尤為活潑潑地

春水

三月桃花浪江流復舊痕朝來沒沙尾碧色動柴門接縷垂芳餌連筒灌小園已添無數鳥爭浴故相喧

江亭

坦腹江亭暖長吟野望時水流心不競雲在意俱遲寂

寂春將晚欣欣物自私故林歸未得排悶強裁詩

薛瑄曰水流心不競雲在意俱遲從容自在可以形容有道者之氣象寂寂春將晚欣欣物自私可以形容物各付物之氣象江山如有待花柳更無私唐詩皆不及此氣象

村夜

蕭蕭風色暮江頭人不行村舂雨外急鄰火夜深明胡羯何多難漁樵寄此生中原有兄弟萬里正含情

寫難狀之景如在目前

早起

春來常早起幽事頗相關帖石防隤岸開林出遠山一丘藏曲折緩步有躋攀童僕來城市瓶中得酒還

方回曰杜此等詩乃晚唐之祖千鍛百鍊似此者極多尾句別換意亦晚唐所必然者

可惜

花飛有底急老去願春遲可惜歡娛地都非少壯時寬

心應是酒遣興莫過詩此意陶潛解吾生後汝期

烈士暮年壯心不已不如次句之有包含

落日

落日在簾鈎溪邊春事幽芳菲緣岸圃樵爨倚灘舟啅雀爭枝墜飛蟲滿院遊濁醪誰造汝一酌散千憂

起語天然工妙

謝榛曰五律首句用韻宜突然而起如落日在簾鈎是也

寒食

寒食江村路風花高下飛汀煙輕冉冉竹日淨暉暉田父要皆去鄰家閙不違地偏相識盡雞犬亦忘歸

浦起龍曰風致何減桃花源

遊脩覺寺

野寺江天豁山扉花竹幽詩應有神助吾得及春遊徑石相縈帶川雲自去留禪枝宿衆鳥漂轉暮歸愁

後遊

寺憶新遊處橋憐再渡時江山如有待花柳更無私野潤煙光薄沙暄日色遲客愁全為減捨此復何之

頷聯忽然而來渾然而就妙處只在眼前

題新津北橋樓 得郊字

望極春城上開筵近鳥巢白花簷外朶青柳檻前梢池水觀為政廚煙覺遠庖西川供客眼唯有此江郊

江漲

江發蠻夷漲山添雨雪流大聲吹地轉高浪蹴天浮魚鱉為人得蛟龍不自謀輕帆好去便吾道付滄洲

落落寫來極有聲勢他人一經模畫便覺與題不似

晚晴

村晚驚風度庭幽過雨霑夕陽薰細草江色映疎簾書亂誰能帙盃乾可自添時聞有餘論未怪老夫潛

江上值水如海勢聊短述

為人性僻耽佳句語不驚人死不休老去詩篇渾漫興春來花鳥莫深愁新添水檻供垂釣故著浮槎替入舟

馬得思如陶謝手令渠述作與同遊

吕居仁曰陸士衡文賦立片言以居要乃一篇之警策此要論也文章無警策則不足以傳世蓋不能竦動世人如杜子美及唐人諸詩無不如此但晉宋間人專致力於此故失於綺靡而無高古氣味杜詩云語不驚人死不休所謂驚人語即警策也

野望因過常少仙

野橋齊度馬秋望轉悠哉竹覆青城合江從灌口來入

村樵徑引嘗果栗皺開落盡高天日幽人未遣迴

浦起龍曰逐層引出景事情意俱到

奉簡高三十五使君

當代論才子如公復幾人驊騮開道路鷹隼出風塵行色秋將晚交情老更親天涯喜相見披豁對吾真

送韓十四江東覲省

兵戈不見老萊衣歎息人間萬事非我已無家尋弟妹君今何處訪庭闈黃牛峽靜灘聲轉白馬江寒樹影稀

此別應須各努力故鄉猶恐未同歸

悲涼雄渾謝膚澤而敦骨力世人穩順聲勢當知大家此等氣格

劉會孟曰此子美自謂深悲極怨者

朱瀚曰氣韻淋漓滿紙猶濕

草堂即事

荒村建子月獨樹老夫家霧裏江船渡風前逕竹斜寒魚依密藻宿鷺起圓沙蜀酒禁愁得無錢何處賒

唐書肅宗紀上元二年以十一月為歲首月以斗所建辰為名建子月朔上受朝賀如正旦儀

王十七侍御掄許攜酒至草堂奉寄此詩便請邀高三十五使君同到

老夫臥穩朝慵起白屋寒多暖始開江鸛巧當幽徑浴鄰雞還過短牆來繡衣屢許攜家醖皂蓋能忘折野梅戲假霜威促山簡須成一醉習池迴

朱瀚曰真率如話而矩度謹嚴

陪李七司馬皁江上觀造竹橋即日成往來之人免冬寒入水聊題短作簡李公

把燭成橋夜迴舟坐客時天高雲去盡江迴月來遲衰謝多扶病招邀屢有期異方乘此興樂罷不無悲

贈花卿

錦城絲管日紛紛半入江風半入雲此曲秖應天上有人間能得幾回聞

絕句獨主風神此則音韻鏗然矣

仇兆鰲曰風華流麗頓挫抑揚雖太白少伯無以過之其首句點題而下作承轉乃絶句正法也

錢謙益曰唐曲水調歌後六疊入破第二即此詩見郭茂倩樂府詩集

少年行

馬上誰家薄媚郎臨堦下馬坐人床不通姓字麤豪甚指點銀瓶索酒嘗

仇兆鰲曰少年意態神情躍躍欲動是善於寫生者

憑何十一少府邕覓榿木栽

草堂塹西無樹林非子誰復見幽心飽聞榿木三年大與致溪邊十畝陰

贈別何邕

生死論交地何由見一人悲君隨燕雀薄宦走風塵綿谷元通漢沱江不向秦五陵花滿眼傳語故鄉春

起極沈著五六醖藉有味

贈別鄭鍊赴襄陽

戎馬交馳際柴門老病身把君詩過日念此別驚神地濶峨眉晚天高峴首春為於耆舊内試覓姓龐人

奉和嚴中丞西城晚眺十韻

汲黯匡君切廉頗出將頻直詞才不世雄畧動如神政簡移風速詩清立意新層城臨暇景絶域望餘春旗尾蛟龍會樓頭燕雀馴地平江動蜀天濶樹浮秦帝念深分閫軍須遠算緡花羅封蛺蝶瑞錦送麒麟辭第輸高義觀圖憶古人征南多興緒事業闇相親

仇兆鰲曰杜詩佳句如地卑荒野大天遠暮江遲與地濶峨眉晚天高峴首春工力相敵若地平江動蜀天濶樹浮秦更是函蓋乾坤

嚴中丞枉駕見過 原注嚴自東川除西川勅令兩川都節制

元戎小隊出郊坰問柳尋花到野亭川合東西瞻使節地分南北任流萍扁舟不獨如張翰皂帽還應似管寧寂寞江天雲霧裏何人道有少微星

廣州段功曹到得楊五長史譚書功曹却歸聊寄

此詩

衛青開幕府楊僕將樓船漢節梅花外春城海水邊銅梁書遠及珠浦使將旋貧病他鄉老煩君萬里傳

送叚功曹歸廣州

南海春天外功曹幾月程峽雲籠樹小湖日落船明交趾丹砂重韶州白葛輕幸君因旅客時寄錦官城

絕句漫興

手種桃花非無主野老牆低還似家恰似春風相欺得

夜來吹折數枝花

陸游曰白樂天用相字多作思必切如為問長安月如何不相離是也此詩相欺亦當從入聲讀

懶慢無堪不出村呼兒日在掩柴門蒼苔濁酒林中靜碧水春風野外昏

李東陽曰少陵漫興諸絕句有古竹枝詞意跌宕奇古超出詩人蹊徑韓退之亦有之

江畔獨步尋花絕句

稠花亂蘂裹江濱行步欹危實怕春詩酒尚堪驅使在未須料理白頭人

東望少城花滿煙百花高樓更可憐誰能載酒開金盞喚取佳人舞繡筵

黃師塔前江水東春光懶困倚微風桃花一簇開無主可愛深紅映淺紅

黃四娘家花滿蹊千朵萬朵壓枝低留連戲蝶時時舞自在嬌鶯恰恰啼

絕句

無數春筍滿林生柴門密掩斷人行會須上番看成竹客至從嗔不出迎

老杜七言絕句在盛唐中獨創一格論者多所訾議云非正派當由其才力橫絕偶為短韻不免有蟠屈之象正如騏驥驊騮一日千里捕鼠則不如狸狌不足為甫病也然其間無意求工而別有風致不特花卿龜年數首俱推絕唱即此諸作何嘗不風調致佳乎讀者故當

別具隻眼不為耳食

朱鶴齡曰斬新上番皆唐人方言元詩飛舞先春雪因依上番梅則上番不專為竹也獨孤及詩舊日霜毛一番新亦讀去聲

戲為六絕句

庾信文章老更成凌雲健筆意縱横今人嗤點流傳賦不覺前賢畏後生

庾信傳贊揚子雲有言詩人之賦麗以則詞人之賦麗以淫若以庾氏方之斯又詞賦之罪人也

楊王盧駱當時體輕薄為文哂未休爾曹身與名俱滅不廢江河萬古流

縱使盧王操翰墨劣於漢魏近風騷龍文虎脊皆君馭歷塊過都見爾曹

浦起龍曰上抑下揚極有分寸

才力應難誇數公凡今誰是出羣雄或看翡翠蘭苕上未掣鯨魚碧海中

錢謙益曰翡翠蘭苕指當時研揣聲病尋章摘句之徒鯨魚碧海則所謂渾涵汪洋千彙萬狀兼古人而有之者也論至於是非李杜誰足以當之

不薄今人愛古人清詞麗句必為鄰竊攀屈宋宜方駕恐與齊梁作後塵

李因篤曰中原七子大言相高其病正坐此

未及前賢更勿疑遞相祖述復先誰別裁偽體親風雅轉益多師是汝師

以詩論文於絕句中又屬剏體此元好問論詩絕句之濫觴也六朝四子之文自是天地英華不可磨滅其所成就雖遜古人要非淺薄球陋之徒所可輕議宜甫之直言訶之也翡翠蘭苕鯨魚碧海所見何其高濶上親風雅轉益多師解人不當爾耶此六詩固不當以字句工拙計之

王嗣奭曰此亦公之自道也公詩祖述三百而旁搜諸家以集其成如楚騷漢魏樂府鐃歌齊梁以來甚

多倣傚而公獨無之然讀其詩皆三百之嫡派古人之雁行也其所師可知矣如孔子識大識小無不學而賢不賢皆師矣不如是何以謂之集大成哉

錢謙益曰詩以論文而題曰戲為六絶句蓋寓言以自況也韓退之詩李杜文章在光燄萬丈長不知羣兒愚那用故謗傷蚍蜉撼大樹可笑不自量然則當公之世羣兒謗傷亦不少矣故借庾信四子以發其意諄諄然呼而寤之

鸂鶒

故使籠寬織須知動損毛看雲莫悵望失水任呼號六翮曾經剪孤飛卒未高且無鷹隼慮留滯莫辭勞

花鴨

花鴨無泥滓堦前每緩行羽毛知獨立黑白太分明不覺羣心妬休牽衆眼驚稻粱霑汝在作意莫先鳴

顧宸曰鸂鶒遣留滯也花鴨戒多言也此雖詠物實自詠耳

畏人

早花隨處發春鳥異方啼萬里清江上三年落日低畏人成小築褊性合幽棲門逕從榛草無心任馬蹄

遠遊

賤子何人記迷方著處家竹風連野色江沫擁春沙種藥扶衰病吟詩解歎嗟似聞胡騎走失喜問京華

野望

西山白雪三城戍南浦清江萬里橋海内風塵諸弟隔

天涯涕淚一身遥唯將遲暮供多病未有涓埃答聖朝跨馬出郊時極目不堪人事日蕭條

孫僅所云夐邈高聳若鑿太虛而噭萬竅此類是已流連光景何足語此

朱鶴齡曰按史是時分劔南為兩節度而西山三城列戍百姓罷於調役高適當上疏論之不納公詩當為此作故有人事蕭條之嘆

水檻遣心

去郭軒楹敞無村眺望賒澄江平少岸幽樹晚多花細
雨魚兒出微風燕子斜城中十萬户此地兩三家
葉夢得曰詩語忌過巧然緣情體物自有天然之妙
如老杜細雨魚兒出微風燕子斜此十字殆無一字
虛設細雨著水面為漚魚常上浮而淰若大雨則伏
而不出矣燕體輕弱風猛則不勝惟微風乃受以為
勢故又有輕燕受風斜之句

屏跡

用拙存吾道幽居近物情桑麻深雨露燕雀半生成村
鼓時時急漁舟箇箇輕杖藜從白首心跡喜雙清
訏謨定命遠猶辰告謝安石愛之如此頷聯允為雅人
深致
晚起家何事無營地轉幽竹光團野色舍影漾江流失
學從兒懶長貧任婦愁百年渾得醉一月不梳頭
洪仲曰末聯以曠達寓悲涼也

奉酬嚴公寄題野亭之作

拾遺曾奏數行書懶性從來水竹居奉引濫騎沙苑馬
幽棲真釣錦江魚謝安不倦登臨費阮籍焉知禮法疎
枉沐旌麾出城府草茅無徑欲教鋤
仇兆鰲曰嚴詩欵曲殷勤公詩和平委婉解者指嚴
為語多譏刺指公為始終傲岸兩失作者之意

嚴公仲夏枉駕草堂兼攜酒饌得寒字

竹裏行厨洗玉盤花邊立馬簇金鞍非關使者徵求急
自識將軍禮數寬百年地僻柴門逈五月江深草閣寒

看弄漁舟移白日老農何有罄交歡
飲真茹強老筆紛披

嚴公廳宴同詠蜀道畫圖得空字

日臨公館靜畫滿地圖雄劔閣星橋北松州雪嶺東華
夷山不斷吳蜀水相通興與烟霞會清樽幸不空
直是氣象不同

奉送嚴公入朝十韻

鼎湖瞻望遠象闕憲章新四海猶多難中原憶舊臣與

時安反側自昔有經綸感激張天步從容靜塞塵南圖迴羽翮北極捧星辰漏鼓還思晝宮鶯罷轉春空留玉帳術愁殺錦城人閣道通丹地江潭隱白蘋此生那老蜀不死會歸秦公若登台輔臨危莫愛身

盧世漼曰氣象規模雅與題稱末復法言忠告令人肅然子美真古人也

送嚴侍郎到綿州同登杜使君江樓 得心字

野興每難盡江樓延賞心歸朝送使節落景惜登臨稍

稍烟集渚微微風動襟重船依淺瀨輕鳥度層陰檻峻背幽谷窓虛交茂林燈光散遠近月彩靜高深城擁朝來客天橫醉後參窮途衰謝意苦調短長吟此會共能幾諸孫賢至今不勞朱戶閉自待白河沈

奉濟驛重送嚴公四韻

遠送從此別青山空復情幾時盃重把昨夜月同行列郡謳歌惜三朝出入榮江村獨歸處寂寞養殘生

一往情深足見嚴杜交誼

九日奉寄嚴大夫

九日應愁思經時冒險艱不眠持漢節何路出巴山小驛香醪嫩重巖細菊班遥知簇鞍馬迴首白雲間

錢謙益曰實應元年四月代宗即位召武入朝是年徐知道反武阻兵九月尚未出巴通鑑載六月以武為西川節度使徐知道守要害拒武武不得進誤也當以此詩正之

黄草

黄草峽西船不歸赤甲山下行人稀秦中驛使無消息

蜀道兵戈有是非萬里秋風吹錦水誰家別淚濕羅衣莫愁劍閣終堪據聞道松州已被圍

氣格蒼健五六乃如老樹著花必求其事以實之徒增紛紛

懷舊

地下蘇司業情親獨有君那因喪亂後更有死生分老罷知明鏡悲來望白雲自從失詞伯不復更論文

所思 原注得台州鄭司戶虞消息

鄭老身仍竄台州信始傳為農山澗曲臥病海雲邊世已疎儒素人猶乞酒錢徒勞望牛斗無計斸龍泉

不見 原注近無李白消息

不見李生久佯狂真可哀世人皆欲殺吾意獨憐才敏捷詩千首飄零酒一盃匡山讀書處頭白好歸來

三詩真朴若自胸臆流出所謂文生於情不求工而自至

題元武禪師屋壁

何年顧虎頭滿壁畫滄洲赤日石林氣青天江海流錫飛常近鶴杯度不驚鷗似得廬山路真隨惠遠遊

黃生曰三四本極奇險看似尋常以奇在立意而句法渾融也

客夜

客睡何曾著秋天不肯明卷簾殘月影高枕遠江聲計拙無衣食途窮仗友生老妻書數紙應悉未歸情

王嗣奭曰何曾不肯四字愁懷畢露所謂愁人知夜長也

客亭

秋窗猶曙色落木更天風日出寒山外江流宿霧中聖朝無棄物老病已成翁多少殘生事飄零似轉蓬

野望

金華山南涪水西仲冬風日始淒淒山連越巂蟠三蜀水散巴渝下五溪獨鶴不知何事舞飢烏似欲向人啼

射洪春酒寒仍綠目極傷神誰為携

壯士拂劍浩然彌哀五六情雖間入氣自孤行此殆非人力可幾

張溍曰三四自然壯麗七子之祖

聞官軍收河南河北

劍外忽傳收薊北初聞涕淚滿衣裳卻看妻子愁何在漫卷詩書喜欲狂白首放歌須縱酒青春作伴好還鄉即從巴峽穿巫峽便下襄陽向洛陽 原注余田園在東京

驚喜溢於字句之外故其為詩一氣呵成法極無迹末
聯撒手空行如懶殘履衡嶽之石旋轉而下非有伯昏
瞀人之氣者不能也

王嗣奭曰一氣流注而曲折盡情絶無粧點愈樸愈
真他人決不能道

浦起龍曰八句其疾如飛題事只一句餘俱寫情神
理妙在逼真杜老生平第一首快詩

唐書寶應元年冬官軍進克東都河南平次年正月
史朝義死於廣陽李懷仙斬其首以獻河北平

御選唐宋詩醇卷十五

欽定四庫全書

御選唐宋詩醇卷十六

襄陽杜甫詩八

涪江泛舟送韋班歸京 得山字

追餞同舟日傷春一水間飄零為客久衰老羡君還花
遠重重樹雲輕處處山天涯故人少更益鬢毛班

春日梓州登樓

行路難如此登樓望欲迷身無却少壯跡有但羈栖江

水流城郭春風入鼓鞞雙雙新燕子依舊已銜泥

滿目悲涼頸聯却極醖藉

郪城西原送李判官兄武判官弟赴成都府

憑高送所親久坐惜芳辰遠水非無浪他山自有春野
花隨處發官柳著行新天際傷愁别離筵何太頻

三四比興有味

送路六侍御入朝

童稚情親四十年中間消息兩茫然更為後會知何地

忽漫相逢是别筵不分桃花紅勝錦生憎柳絮白於綿劒南春色還無賴觸忤愁人到酒邊

張溍曰妙用倒叙法前四句藏多少曲折

望牛頭寺

牛頭見鶴林梯逕繞幽深春色浮山外天河宿殿陰傳燈無白日布地有黄金休作狂歌老迴看不住心

上兜率寺

兜率知名寺真如會法堂江山有巴蜀棟宇自齊梁庾

信哀雖久何顒好不忘白牛車遠近且欲上慈航

葉夢得曰詩人以一字為工世固知之唯變化開闔出奇無窮殆不可以形迹捕詰如江山有巴蜀棟宇自齊梁則其遠近數千里上下數百年盡在有自兩字間而吞吐山川之氣俯仰古今之懷皆見於言外也

登牛頭山亭子

路出雙林外亭窺萬井中江城孤照日山谷遠含風兵革身將老關河信不通猶殘數行淚忍對百花叢

陪李梓州王閬州蘇遂州李果州四使君登惠義寺

春日無人境虚空不住天鶯花隨世界樓閣寄山巔遲暮身何得登臨意惘然誰能解金印瀟洒共安禪

涪城縣香積寺官閣

寺下春江深不流山腰官閣迥添愁含風翠壁孤雲細背日丹楓萬木稠小院迴廊春寂寂浴鳧飛鷺晚悠悠

諸天合在藤蘿外昏黑應須到上頭

戲題寄上漢中王

羣盜無歸路衰顔會遠方尚憐詩警策猶記酒顛狂魯衛彌尊重徐陳略喪亡空餘枚叟在應念早升堂

王士正曰頸聯十字情事可感

錢謙益曰開元中上幸寧王憲宅與諸王宴探韻賦詩曰魯衛情先重親賢尚轉多瑪為寧王之子詩用明皇語也

倦夜

竹涼侵臥內野月滿庭隅重露成涓滴稀星乍有無暗飛螢自照水宿鳥相呼萬事干戈裏空悲清夜徂

王直方曰東坡云司空表聖自論其詩以為得味外味緑樹連村暗黄花入麥稀此句最善又云棋聲花院閉幡影石壇高吾嘗獨游五老峯入白鶴觀松陰滿地不見一人惟聞棋聲然後知此句之工但恨其寒儉有僧態若子美暗飛螢自照水宿鳥相呼四更山吐月殘夜水明樓才力富健去表聖之流遠矣

對雨

莽莽天涯雨江邊獨立時不愁巴道路恐濕漢旌旗雪嶺防秋急繩橋戰勝遲西戎甥舅禮未敢背恩私

感時憂國觸緒即來非忠義根于至性者不可強為所以獨冠千古而上繼騷雅

王命

漢北豺狼滿巴西道路難血埋諸將甲骨斷使臣鞍牢落新燒棧蒼茫舊築壇深懷喻蜀意慟哭望王官

錢謙益曰嚴武入朝而吐蕃陷河西隴右又圍松州蜀人思得武以代高適也

有感

將帥蒙恩澤兵戈有歲年至今勞聖主何以報皇天白骨新交戰雲臺舊拓邊乘槎斷消息無處覓張騫

洪邁曰前輩謂少陵當流離顛沛之際一飯不忘君故詩有云萬方頻送喜無乃聖躬勞至今勞聖主何以報皇天獨使至尊憂社稷諸君何以答昇平天子亦應厭奔走諸君固合思昇平皆是心也

幽薊餘蛇豕乾坤尚虎狼諸侯春不貢使者日相望慎勿吞清海無勞問越裳大君先息戰歸馬華山陽

錢謙益曰是時史朝義下諸降將奄有幽魏之地驕恣不貢代宗愞弱不能致討此詩蓋歎之也李翱云唐子孫不能以天下取河北正此意

洛下舟車入天中貢賦均日聞紅粟腐寒待翠華春

莫取金湯固長令宇宙新不過行儉德盜賊本王臣

中原未得平安報醉裏眉攢萬國愁以韻語攄讜議其源固自二雅來也至今勞聖主何以報皇天直使泄泄之臣置身無地不過行儉德盜賊本王臣其識解閎遠如此

王嗣奭曰此五詩皆救時之碩畫報主之赤心自許稷契真非虛詩

黄生曰七律之諸將責人臣也五律之有感諷人君

也然此雖諷人君未嘗不責其臣以疆圉國事敗壞至此皆人臣之罪也公平日諄諄論社稷憂時事者大指盡此

錢謙益曰自吐蕃入寇車駕東幸程元振勸帝都洛陽郭子儀論奏略曰東周之地久陷賊中宮室焚燒十不存一矧其土地狹隘纔數百里間東有成皋南有二室險不足恃適為戰場明明天子躬儉節用苟能抑豎刁易牙之權任蘧瑗史鰌之直則黎元自理寇盜自息公此詩正檃括汾陽論奏大意

送元二適江左

亂後今相見秋深復遠行風塵為客日江海送君情晉室丹陽尹公孫白帝城經過自愛惜取次莫論兵（原注：元常應孫吳科舉）

劉會孟曰戒其經過論兵豈非藩鎮節度有難言者乎此等結語熟味最是深原

章梓州水亭（原注：時漢中王兼道士席謙在會同用荷字韻）

城晚通雲霧亭深到芰荷吏人橋外少秋水席邊多近屬淮王至高門蓟子過荆州愛山簡吾醉亦長歌

三四佳致

翫月呈漢中王

夜深露氣清江月滿江城浮客轉危坐歸舟應獨行關山同一照烏鵲自多驚欲得淮王術風吹暈已生

登高

風急天高猿嘯哀渚清沙白鳥飛廻無邊落木蕭蕭下

不盡長江衮衮來萬里悲秋常作客百年多病獨登臺艱難苦恨繁霜鬢潦倒新停濁酒盃

氣象高渾有如巫峽千尋走雲連風誠為七律中希有之作後人無其骨力徒肖之於聲貌之間外强而中乾是為不善學杜者

胡應麟曰五十六字如海底珊瑚瘦勁難移沈深莫測而精光萬丈力量萬鈞通章章法句法字法前無昔人後無來者此當為古今七律第一

遺憤

聞道花門將論功未盡歸自從收帝里誰復總戎機蜂蠆終懷毒雷霆可振威莫令鞭血地再濕漢臣衣

朱鶴齡曰永泰元年郭子儀與回紇共破吐蕃前後贈賚無算所謂論功未盡歸也京師解嚴魚朝恩統神策軍軍勢浸盛誰復總戎機蓋諷中人典兵而任子儀之不專也

送陵州路使君赴任

王室比多難高官皆武臣幽燕通使者岳牧用詞人國待賢良急君當拔擢新佩刀成氣象行蓋出風塵戰伐乾坤破瘡痍府庫貧衆寮宜潔白萬役但平均霄漢瞻佳士泥途任此身秋天正搖落迴首大江濱

西山三首

夷界荒山頂蕃州積雪邊築城依白帝轉粟上青天蜀將分旗鼓羌兵助井泉西南背和好殺氣日相纏

辛苦三城戍長防萬里秋烟塵侵火井雨雪閉松州風

動將軍幕天寒使者裘漫山賊營壘迴首得無憂

子弟猶深入關城未解圍蠶崖鐵馬瘦灌口米船稀辯士安邊策元戎決勝威今朝烏鵲喜欲報凱歌歸

仇兆鰲曰公抱憂國之懷籌時之略而又洊逢亂離故在梓閬間有感於朝事邊防凡見諸詩歌者多悲涼激壯之語而各篇精神煥發氣骨風神並臻其極孰復長吟知為千古絕唱也

絕句

江邊踏青罷廻首見旌旗風起春城暮高樓鼓角悲

城上

草滿巴西綠空城白日長風吹花片片春動水茫茫八駿隨天子羣臣從武皇遥聞出巡守早晚徧遐荒

用周穆漢武為喻立言得體

王嗣奭曰叙景言情真堪痛哭詩之不愧風人者也

傷春五首

天下兵雖滿春光日自濃西京疲百戰北闕任羣兇關

塞三千里烟花一萬重蒙塵清露急御宿且誰供殷復前王道周遷舊國容蓬萊足雲氣應合總從龍

鷰入新年語花開滿故枝天青風捲幔草碧水通池牢落官軍速蕭條萬事危鬢毛元自白淚點向來垂不是無兄弟其如有别離巴山春色靜北望轉逶迤

日月還相鬬星辰屢合圍不成誅執法焉得變危機大角纏兵氣鉤陳出帝畿烟塵昏御道耆舊把天衣行在諸軍闕來朝大將稀賢多隱屠釣王肯載同歸

再有朝廷亂難知消息真近傳王在洛復道使歸秦奪馬悲公主登車泣貴嬪蕭關迷北上滄海欲東巡敢料安危體猶多老大臣豈無嵇紹血霑灑屬車塵

聞說初東幸孤兒却走多難分太倉粟競棄魯陽戈胡虜登前殿王公出御河得無中夜舞誰憶大風歌春色生烽燧幽人泣薜蘿君臣重修德猶足見時和

無窮悲憤一片忠懇大雅之後絕無而僅有論詩至此可以表乾裏坤與天地終始求之於風容色澤之間無

以涉其藩籬況堂奧乎

朱鶴齡曰代宗致亂因信任非人老臣不用故曰賢多隱屠釣曰猶多老大臣曰誰憶大風歌篇中每三致意焉

仇兆鰲曰此與有感皆記時事纏綿悱惻發於忠君愛國之誠當與洞房八首並傳

通鑑廣德元年十月吐蕃陷京師上幸陝州官吏奔散無復供擬扈從將士不免飢餒乃幸魚朝恩營是

時下詔徵兵諸將畏程元振讒搆莫有至者及至行
在太常博士柳伉上疏請斬元振以謝天下乃削其
官放歸田里郭子儀合衆軍擊吐番復長安

放船

送客蒼溪縣山寒雨不開直愁騎馬滑故作泛舟迴青
惜峯巒過黄知橘柚來江流大自在坐穩興悠哉

頸聯語極作意而不傷巧

吳子良曰錢起詩山來指樵火峯去惜花林不如此

詩頸聯

奉待嚴大夫

殊方又喜故人來重鎮還須濟世才常怪偏裨終日待
不知旌節隔年迴欲辭巴徼啼鶯合遠下荆門去鷁催
身老時危思會面一生襟抱向誰開

奉寄高常侍

汶上相逢年頗多飛騰無那故人何總戎楚蜀應全未
方駕曹劉不啻過今日朝廷須汲黯中原將帥憶廉頗
天涯春色催遲暮别淚遥添錦水波

將赴荆南寄别李劍州

使君高義驅今古寥落三年坐劍州但見文翁能化俗
焉知李廣未封侯路經灧澦雙蓬鬢天入滄浪一釣舟
戎馬相逢更何日春風迴首仲宣樓

通體響亮

申涵光曰王李七子全學此五六句法

泛江

方舟不用楫極目總無波長日容盃酒深江淨綺羅亂
離還奏樂飄泊且聽歌故國流清渭如今花正多

陪王使君晦日泛江就黄家亭子

山豁何時斷江平不肯流稍知花改岸始驗鳥隨舟結
束多紅粉歡娱恨白頭非君愛人客晦日更添愁

次句寫物甚工楊慎以為求工反拙不及李群玉樂府
及巴渝竹枝詞何乃妄加軒輊

春遠

蕭蕭花絮晚菲菲紅素輕日長唯鳥雀春遠獨柴荆數
有關中亂何曾劍外清故鄉歸不得地入亞夫營
黄生曰寫有景之景詩人類能之寫無景之景唯杜
獨擅場此詩上半當想其虛中取意之妙

百舌

百舌來何處重重秪報春知音兼衆語整翮豈多身花
密藏難見枝高聽轉新過時如發口君側有讒人
運古如己出然亦露却色相

地隅

江漢山重阻風雲地一隅年年非故物處處是窮途喪
亂秦公子悲涼楚大夫平生心已折行路日荒蕪

游子

巴蜀愁難語吳門興杳然九江春草外三峽暮帆前厭
就成都卜休為吏部眠蓬萊如何到衰白問羣仙
末句比也謂遠思蓬山者失之

歸夢

道路時通塞江山日寂寥偷生唯一老伐叛已三朝雨
急青楓暮雲深黑水遥夢歸歸未得不用楚辭招
極沉鬱逸宕之妙

滕王亭子

君王臺榭枕巴山萬丈丹梯尚可攀春日鶯啼修竹裏
仙家犬吠白雲間清江錦石傷心麗嫩蘂濃花滿目班
人到於今歌出牧來遊此地不知還
仇兆鰲曰末二句一氣讀下正刺其荒游非頌其遺

澤也

玉臺觀 原注滕王造

中天積翠玉臺遥上帝高居絳節朝遂有馮夷來擊鼓
始知嬴女善吹簫江光隱見黿鼉窟石勢參差烏鵲橋
更肯紅顏生羽翼便應黄髮老漁樵
純從空際形容穠郁之中獨見格力

滕王亭子

寂寞春山路君王不復行古牆猶竹色虛閣自松聲鳥

雀荒村暮雲霞過客情尚思歌吹入千騎把霓旌

渡江

春江不可渡二月已風濤舟楫欹斜疾魚龍偃臥高渚花兼素錦汀草亂青袍戲問垂綸客悠悠見汝曹

送韋郎司直歸成都

竄身來蜀地同病得韋郎天下干戈滿江邊歲月長別筵花欲暮春日鬢俱蒼為問南溪竹抽梢合過牆原注余草堂在成都西郭

將赴成都草堂途中有作先寄嚴鄭公

得歸茅屋赴成都直為文翁再剖符但使閭閻還揖讓敢論松竹久荒蕪魚知丙穴由來美酒憶郫筒不用酤五馬舊曾諳小徑幾回書札待潛夫

處處青江帶白蘋故園猶得見殘春雪山斥候無兵馬錦里逢迎有主人休怪兒童延俗客不教鵝鴨惱比鄰習池未覺風流盡況復荊州賞更新

竹寒沙碧浣花溪菱刺藤梢咫尺迷過客徑須愁出入居人不自解東西書籤藥裹封蛛網野店山橋送馬蹄豈藉荒庭春草色先判一飲醉如泥

錦官城西生事微烏皮几在還思歸昔去為憂亂兵入今來已恐鄰人非側身天地更懷古迴首風塵甘息機共說總戎雲鳥陣不妨遊子芰荷衣

數詩情致委折骨肉停勻杜詩之最近人者末篇特用拗調節奏極佳

王士正曰不作奇語高調而情致圓足遂開玉局劒南門戶

別房太尉墓

他鄉復行役駐馬別孤墳近淚無乾土低空有斷雲對碁陪謝傅把劒覓徐君唯見林花落鶯啼送客聞

李因篤曰有歎息此人去蕭條天地空之感

自閬州領妻子却赴蜀山行三首

汩汩避羣盜悠悠經十年不成向南國復作遊西川物役水虛照䰟傷山寂然我生無倚著盡室畏途邊

苦調奇語

長林偃風色迴復意猶迷衫裏翠微潤馬銜青草嘶棧懸斜避石橋斷却尋溪何日干戈盡飄飄愧老妻行色遞隱見人烟時有無僕夫穿竹語稚子入雲呼轉石驚魑魅抨弓落狖鼯真供一笑樂似欲慰窮途

山館

南國晝多霧北風天上寒路危行木杪身遠宿雲端山鬼吹燈滅厨人語夜闌雞鳴問前館世亂敢求安

倚杖

看花雖郭內倚杖即溪邊山縣早休市江橋春聚船狎鷗輕白浪歸雁喜青天物色兼生意淒涼憶去年

登樓

花近高樓傷客心萬方多難此登臨錦江春色來天地玉壘浮雲變古今北極朝廷終不改西山寇盜莫相侵可憐後主還祠廟日暮聊為梁甫吟

律法甚細隱衷極厚不獨以雄渾高闊之象陵轢千古

葉夢得曰七言律難於氣象雄渾句中有力而紆徐不失言外之意自老杜錦江春色五更鼓角等句後常恨無復絕者

申涵光曰北極西山二語可抵一篇王命論

春歸

苔逕臨江竹茅簷覆地花別來頻甲子倏忽又春華倚杖看孤石傾壺就淺沙遠鷗浮水靜輕燕受風斜世路雖多梗吾生亦有涯此身醒復醉乘興即為家

仇兆鰲曰螢雪叢說云老杜詩好下受字東坡尤愛輕燕受風斜句以為燕迎風低飛乍前乍後却非受字不能形容

楊德周曰微風燕子斜正與此同看詠之不盡味之有餘

歸鴈

東來萬里客亂定幾年歸腸斷江城鴈高高正北飛

自寫心事與王勃九日一絕正堪對照

贈王二十四侍御契四十韻

往往雖相見飄飄媿此身不關輕紱冕俱是避風塵一別星橋夜三移斗柄春敗亡非赤壁奔走為黃巾子去何瀟灑余藏異隱淪書成無過鴈衣故有懸鶉恐懼行裝數伶俜臥疾頻曉鶯工迸淚秋月解傷神會面嗟黎黑含悽話苦辛接輿還入楚王粲不歸秦錦里殘丹竈花溪得釣綸消中祇自惜晚起索誰親伏柱聞周史乘槎有漢臣鴛鴻不易狎龍虎未宜馴客則挂冠至交非

傾蓋新由來意氣合直取性情真浪跡同生死無心恥賤貧偶然存蔗芋幸各對松筠粗飯依他日窮愁怪此辰女長裁褐穩男大卷書勻瀩口江如練蠶崖雪似銀名園當翠巘野棹沒青蘋屢喜王侯宅時邀江海人追隨不覺晚款曲動彌旬但使芝蘭秀何煩棟宇鄰山陽無俗物鄭驛正留賓出入並鞍馬光輝參席珍重遊先主廟更歷少城闉石鏡通幽魄琴臺隱絳脣送終惟糞土結愛獨荊榛置酒高林下觀碁積水濱區區甘累跰稍稍息勞筋網聚粘圓鯽絲繁煮細蓴長歌敲柳癭小睡凭藤輪農月須知課田家敢忘勤浮生難去食良會惜清晨列國兵戈暗今王德教淳要聞除猰貐休作畫麒麟洗眼看輕薄虛懷任屈伸莫令膠漆地萬古重雷陳

明淨整齊佳語霏霏如吐玉屑

張溍曰卷收舒放一一如意具有仙氣

寄董卿嘉榮十韻

聞道君牙帳防秋近赤霄下臨千雪嶺却背五繩橋海

內久戎服京師今晏朝犬羊曾爛熳宮闕尚蕭條猛將宜嘗膽龍泉必在腰黃圖遭汙辱月窟可焚燒會取干戈利無令斥候驕居然雙捕虜自是一嫖姚落日思輕騎高天憶射雕雲臺畫形象皆為掃氛妖

過故斛斯校書莊二首 原注老儒艱難時病于庸蜀歎其沒後方授一官

此老已云歿鄰人嗟亦休竟無宣室召徒有茂陵求妻子寄他食園林非昔遊空堂總帷在淅淅野風秋

燕入非傍舍鷗歸祇故池斷橋無復板卧柳自生枝遂
有山陽作多慚鮑叔知素交零落盡白首淚雙垂
黄生曰借古叙事處見筆之老寫景寓情處見筆之
靈二種筆法俱難到
錢謙益曰文苑英華注云名融公詩有走覓南鄰愛
酒伴注云斛斯融吾酒徒

立秋雨院中有作

山雲行絶塞大火復西流飛雨動華屋蕭蕭梁棟秋窮

途愧知己暮齒借前籌已費清晨謁那成長者謀解衣
開北户高枕對南樓樹濕風凉進江喧水氣浮禮寬心
有適節爽病微瘳主將歸調鼎吾還訪舊邱
三四殊有靈氣勝謝朓朔風吹飛雨蕭條江上來之句

奉和嚴鄭公軍城早秋

秋風嫋嫋動高旌玉帳分弓射虜營已收滴博雲間戍
更奪蓬婆雪外城

院中晚晴懷西郭茅舍

幕府秋風日夜清澹雲疏雨過高城葉心朱實看時落
階面青苔先自生復有樓臺銜暮景不勞鐘鼓報新晴
浣花溪裏花饒笑肯信吾兼吏隱名
張璁曰此公有不樂於幕府者也明年正月遂行歸
草堂

宿府

清秋幕府井梧寒獨宿江城蠟炬殘永夜角聲悲自語
中天月色好誰看風塵荏苒音書絶關塞蕭條行路難

已忍伶俜十年事强移棲息一枝安
多少心事於無聊中出之字字沈鬱

遣悶奉呈嚴公二十韻

白水魚竿客清秋鶴髪翁胡爲來幕下秪合在舟中黄
卷真如律青袍也自公老妻憂坐痺幼女問頭風平地
專欹倒分曹失異同禮甘衰力就義忝上官通疇昔論
詩早光輝仗鉞雄寬容存性拙剪拂念途窮露裏思藤
架烟霏想桂叢信然龜觸網直作鳥窺籠西嶺紆村北

南江遠含東竹皮寒舊翠椒實雨新紅浪簸船應坼杯乾甕即空藩籬生野徑斤斧任樵童束縛酬知己蹉跎効小忠周防期稍稍太簡遂怱怱曉入朱扉啟昏歸畫角終不成尋別業未敢息微躬烏鵲愁銀漢駑駘怕錦幪會希全物色時放倚梧桐

黃生曰公與嚴武始終睽合之故具見此一首蓋公在蜀兩依嚴武其於公故舊之情不可謂不厚及居幕中未免以禮數相拘又爲同輩所譖此公所以不

堪其束縛往往寄之篇詠也

送舍弟潁赴齊州

岷嶺南蠻北徐關東海西此行何日到送汝萬行啼絶域惟高枕清風獨杖藜危時暫相見衰白意都迷

奉觀嚴鄭公廳事岷山沱江畫圖十韻 得忘字

沱水流中座岷山到此堂白波吹粉壁青嶂插雕梁直訝杉松冷兼疑菱荇香雪雲虛點綴沙草得微茫嶺鴈隨毫末川蜺飲練光霏紅洲藥亂拂黛石蘿長暗谷非關雨丹楓不爲霜秋成元圃外景物洞庭旁繪事功殊絶幽襟興激昂從來謝太傅丘壑道難忘

甫心繫國家往往因題闌入今爲嚴武題畫而不及此蓋忠將遠引故語不旁及其詩精嚴流麗點睛在虛字讀者宜細玩之

胡夏客曰起聯莊重接聯精警收語穩足此最入格之篇

仇兆鰲曰昔人論此詩爲宋人詠畫之祖但其分寫

山水亦本謝靈運過始寧墅詩杜用以詠畫更較詳細精工耳

正月三日歸溪上有作簡院内諸公

野外堂依竹籬邊水向城蟻浮仍臘味鷗泛已春聲藥許鄰人斸書從稚子擎白頭趨幕府深覺負平生

王嗣奭曰自是衷語

春日江村

農務村村急春流岸岸深乾坤萬里眼時序百年心茅

屋還堪賦桃源自可尋艱難賤生理飄泊到如今

李因篤曰頷聯十字縱横八極俯仰千秋有鳶飛魚躍之意

絶句

兩箇黄鸝鳴翠柳一行白鷺上青天窗含西嶺千秋雪門泊東吴萬里船

雖非正格自是絶唱近人以四句皆對為截律詩中四句是不知古人兩句一聯四句一絶也

哭嚴僕射歸櫬

素幔隨流水歸舟返舊京老親如宿昔部曲異平生風送蛟龍匣天長驃騎營一哀三峽暮遺後見君情

劉克莊曰老親如宿昔二句極其悽愴李義山過舊府有寄諸掾詩云莫悉無鬼論終負托孤心猶有故吏之情可以矯薄俗

渝州候嚴六侍御不到先下峽

聞道乘驄發沙邊待至今不知雲雨散虛費短長吟山帶烏蠻闊江連白帝深船經一柱觀留眼共登臨

禹廟

禹廟空山裏秋風落日斜荒庭垂橘柚古屋畫龍蛇雲氣生虛壁江聲走白沙早知乘四載疏鑿控三巴

龍蛇橘柚來人亦知真用本事不知其妙在無迹極鏡花水月之處學者悟此乃得使事三昧法

題忠州龍興寺所居院壁

忠州三峽内井邑聚雲根小市常爭米孤城早閉門空

看過客淚莫覓主人恩淹泊仍愁虎深居賴獨園

旅夜書懷

細草微風岸危檣獨夜舟星垂平野闊月湧大江流名豈文章著官應老病休飄飄何所似天地一沙鷗

小市常爭米孤城早閉門寫荒涼之景如在目前若此孤舟夜泊著語乃極雄傑當由真力彌滿耳李白山隨平野一聯語意暗合不分上下亦見大家才力天然相似

劉會孟曰等閒星月著一湧字覺不同

十二月一日

寒輕市上山烟碧日滿樓前江霧黄負鹽出井此谿女打皷發船何郡郎新亭舉目風景切茂陵著書消渴長春花不愁不爛熳楚客唯聽棹相將

借拗調以遣懷鏘然可聽

即看燕子入山扉豈有黄鸝歷翠微短短桃花臨水岸輕輕柳絮點人衣春來準擬開懷久老去親知見面稀

他日一盃難強進重嗟筋力故山違

朱鶴齡曰詩作於冬而有燕子黄鸝桃柳之句蓋逆道其事所謂他日一盃難強進也

長江二首

衆水會涪萬瞿塘爭一門朝宗人共挹盗賊爾誰尊孤石隱如馬高蘿垂飲猿歸心異波浪何事即飛翻

浩浩終不息乃知東極臨衆流歸海意萬國奉君心色借瀟湘闊聲驅灔澦深未辭添霧雨接上過衣襟

王嗣奭曰詩以長江命題乃寫其朝宗之性以譬盗賊之背主者兩章同意

王道俊曰江流之大不辭霧雨雨接江流而上過人衣襟之間所謂波浪蕉天者如此

通鑑永泰元年夏嚴武卒以郭英乂代之漢州刺史崔旰攻英乂英乂奔簡州爲韓澄所殺楊子琳等起兵討旰蜀人大亂

承聞故房相公靈櫬自閬州啟殯歸葬東都有作

二首

遠聞房太尉歸葬陸渾山一德興王後孤魂久客間孔明多故事安石竟崇班他日嘉陵涕仍霑楚水還

丹旐歸飛日初傳發閬州風塵終不解江漢忽同流劒動親身匣書歸故國樓盡哀知有處爲客恐長休

陳師道詩云卭園無起日江漢有東流爲後人傳誦故當本於此詩

懷錦水居止

萬里橋西宅百花潭北莊層軒皆面水老樹飽經霜雪
嶺界天白錦城曛日黃惜哉形勝地回首一茫茫

葛常之曰公作草堂經營上元之始斷手寶應之年始終四載而其間往梓閬三年公詩所謂三年奔走空皮骨也其起居寢處之興不足以償其經營往來之勞可謂一世之羈人然自唐至今已數百載而草堂之名與其山川草木皆因公詩以不朽矣

子規

峽裏雲安縣江樓翼瓦齊兩邊山木合終日子規啼眇眇春風見蕭蕭夜色淒客愁那聽此故作傍人低

申涵光曰頷聯爽豁如彈丸脫手此太白雋語也

立春

春日春盤細生菜忽憶兩京梅發時盤出高門行白玉菜傳纖手送青絲巫峽寒江那對眼杜陵遠客不勝悲此身未知歸定處呼兒覓紙一題詩

俯拾即是純用本色讀者當得其自然趣

漫成一絕

江月去人只數尺風燈照夜欲三更沙頭宿鷺聯拳靜船尾跳魚撥剌鳴

老病

老病巫山裏稽留楚客中藥殘他日裹花發去年叢夜足霑沙雨春多逆水風合分雙賜筆猶作一飄蓬

南楚

南楚青春異暄寒早早分無名江上草隨意嶺頭雲正月蜂相見非時鳥共聞杖藜妨躍馬不是故離羣

春風氣象昭明所云語時事而且真杜老有之

寄岑嘉州（原注：州據蜀江外）

不見故人十年餘不道故人無素書願逢顏色關塞遠豈意出守江城居外江三峽且相接斗酒新詩終日疏謝朓每篇堪諷誦馮唐已老聽吹噓泊船秋夜經春草伏枕青楓限玉除眼前所寄選何物贈子雲安雙鯉魚

睨去排比之迹絶無雕飾之痕何等風韻

御選唐宋詩醇卷十六

欽定四庫全書

集部

御選唐宋詩醇　卷十八七

詳校官山東道御史臣溫常綬

總校官編修臣朱鈐
校對官中書臣紫模
謄録監生臣梅用調

欽定四庫全書

御選唐宋詩醇卷十七

襄陽杜甫詩九

移居夔州郭

伏枕雲安縣遷居白帝城春知催柳別江與放船清農
事聞人說山光見鳥情禹功饒斷石且就土微平

黃庭堅曰好作奇語自是文章一病但當以理為主
理得而詞順文章自然出羣拔萃觀子美到夔州後

詩退之自潮洲還朝後文皆不煩繩削而自合矣

宿江邊閣

暝色延山逕高齋次水門薄雲巖際宿孤月浪中翻鸛
鶴追飛靜豺狼得食喧不眠憂戰伐無力正乾坤

仇兆鰲曰何仲言詩尚在實處摹景此只轉換一二
字間便覺點睛欲飛

西閣口號呈元二十一

山木抱雲稠寒江繞上頭雪崖纔變石風幔不依樓社
稷堪流涕安危在運籌看君話王室感動幾銷憂

三四刻畫中雅調後半則無窮忠憤不覺觸之即動矣

西閣

巫山小搖落碧色見松林百鳥各相命孤雲無自心層
軒俯江壁要路亦高深朱紱猶紗帽新詩近玉琴功名
不早立衰病謝知音哀世非王粲終然學越吟

閣夜

歲暮陰陽催短景天涯霜雪霽寒宵五更鼓角聲悲壯

三峽星河影動搖野哭幾家聞戰伐夷歌數處起漁樵
臥龍躍馬終黃土人事依依漫寂寥

音節雄渾波瀾壯闊不獨五更鼓角三峽星河膾炙人
口為足賞也

杜修可曰西清詩話云作詩用事要如水中著鹽飲
水乃知鹽味此說詩家秘藏也如子美五更鼓角聲
悲壯三峽星河影動搖人徒見陵轢造化之工不知
乃用故事也

李因篤曰壯采以朴氣行之非泛為聲調者可比

瀼西寒望

水色含羣動朝光切太虛年侵頻悵望興遠一蕭疎猿挂時相學鷗行炯自如瞿塘春欲至定卜瀼西居

發端甚工

入宅

奔峭背赤甲斷崖當白鹽客居愧遷次春酒漸多添花亞欲移竹鳥窺新捲簾衰年不敢恨勝槩欲相兼

亂後居難定春歸客未還水生魚復浦雲暖麝香山半頂梳頭白過眉拄杖班相看多使者一一問函關

暮春題瀼西新賃草屋

久嗟三峽客再與暮春期百舌欲無語繁花能幾時谷虛雲氣薄波亂日華遲戰伐何由定哀傷不在茲

此邦千樹橘不見比封君養拙干戈際全生麋鹿羣畏人江北草旅食瀼西雲萬里巴渝曲三年食飽聞

綵雲陰復白錦樹曉來青身世雙蓬鬢乾坤一草亭哀歌時自短醉舞為誰醒細雨荷鋤立江猿吟翠屏

頷聯情在言中耐人諷味結語深秀

黄生曰江猿吟翠屏即白鷗元水宿何事有餘哀意而含蓄較深永

秋野五首

秋野日疏蕪寒江動碧虛繫舟蠻井絡卜宅楚村墟棗熟從人打葵荒欲自鋤盤飧老夫食分減及溪魚

王嗣奭曰棗從人打則人已一視葵欲自鋤則貴賤

一視食及溪魚則物我一視此皆見道語

易識浮生理難教一物違水深魚極樂林茂鳥知歸吾老甘貧病榮華有是非秋風吹几杖不厭此山薇

用龐公語得委運之旨與遣興篇不同

禮樂攻吾短山林引興長掉頭紗帽仄曝背竹書光風落收松子天寒割蜜房稀疏小紅翠駐屐近微香

遠岸秋沙白連山晚照紅潛鱗輸駭浪歸翼會高風砧響家家發樵聲箇箇同飛霜任青女賜被隔南宮

三四目擊道存中蔵感興又與次篇殊音字法精穩句
有氣象

身許麒麟畫年衰鴛鷺羣大江秋易盛空峽夜多聞逕
隱千里石帆留一片雲兒童解蠻語不必作參軍

浦起龍曰五語俱見安貧適志氣象比變風之正聲

課小豎鉏斫舍北果林枝蔓荒穢淨訖移牀

籬弱門何向沙虛岸只摧日斜魚更食客散鳥還來寒
水光難定秋山響易哀天涯稍曛黑倚杖獨徘徊

自瀼西荆扉且移居東屯茅屋

白鹽危嶠北赤甲古城東平地一川穩高山四面同煙
霜淒野日秔稻熟天風人事傷蓬轉吾將守桂叢

東屯復瀼西一種住青溪來往蕪茅屋淹留為稻畦市
喧宜近利林僻此無蹊若訪衰翁語須令賸客迷

東屯月夜

抱疾漂萍老防邊舊穀屯春農親異俗歲月在衡門青
女霜楓重黃牛峽水喧泥留虎鬬跡月挂客愁村喬木
澄稀影輕雲倚細根數驚聞雀噪暫睡想猿蹲日轉東
方白風來北斗昏天寒不成寢無夢寄歸魂

月挂客愁村極刻畫之妙

黄生曰首尾見羈旅之意妙在先安首五字覺全篇
字字寫景字字寫情

暫往白帝復還東屯

復作歸田去猶殘穫稻功築場憐穴蟻拾穗許村童落
杵光輝白除芒子粒紅加食可扶老倉庾慰飄蓬

邵寶曰三四見仁民愛物之意

刈稻了詠懷

稻穫空雲水川平對石門寒風疏落木旭日散雞豚野
哭初聞戰樵歌稍出村無家問消息作客信乾坤

上白帝城

城峻隨天壁樓高更女墻江流思夏后風至憶襄王老
去聞悲角人扶報夕陽公孫初恃險躍馬意何長

上白帝城

江城含變態一上一面新天欲今朝雨山歸萬古春英
雄餘事業衰邁久風塵取醉他鄉客相逢故國人兵戈
猶擁蜀賦斂强輸秦不是煩形勝深慙畏損神

盧世㴶曰起四句見天地之心知雨暘之性窮新舊
之變領山水之神俱能朗朗寫出

武侯廟

遺廟丹青落空山草木長猶聞辭後主不復卧南陽

十字中包括武侯一生行跡不涉議論彌淡彌高

八陣圖

功蓋三分國名成八陣圖江流石不轉遺恨失吞吴

遂使諸葛精誠炳然千古讀之殷殷有金石聲

錢謙益曰先主征吴敗還至魚腹孔明歎曰法孝直
若在必能制主上東行不至傾危矣公詩意亦如此
世傳子瞻云云坡無此言纖兒偽託耳

謁先主廟

慘澹風雲會乘時各有人力侔分社稷志屈偃經綸復
漢留長策中原仗老臣雜耕心未已歐血事酸辛霸氣
西南歇雄圖歷數屯錦江元過楚劍閣復通秦舊俗存
祠廟空山泣鬼神虛簷交鳥道枯木半龍鱗竹送青溪
月苔移玉座春閭閻兒女換歌舞歲時新絶域歸舟遠
荒城繫馬頻如何對揺落況乃久風塵孰與關張並功
臨耿鄧親應天才不小得士契無鄰遲暮堪帷幄飄零
且釣緡向來憂國淚寂寞洒衣巾

格調莊嚴氣骨渾厚有典有則長律當以此為正宗其

開局雄渾以色舉見力量至於閭閻幾換而歌舞自新
寫百世不忘之意可謂善於形容矣關張耿鄧四語若
云仍切先主固屬重複即云自叙亦欠分曉蓋世亂身
窮故於君臣遇合之感功名建樹之難撫時思古反復
寄慨收歸己身以完謁字之意如此則收拾精神立意
乃有歸著

仇兆鰲曰以弔古之情寫用世之志激昂悲壯感慨
淋漓足令千年上下英雄墮淚烈士撫膺不獨記叙

廟貌處見其古色班斕哀音悽愴也此詩全以議論
成章他人無此深厚力量

灔澦堆

巨石水中央江寒出水長沉牛答雲雨如馬戒舟航天
意存傾覆神功接混茫干戈連解纜行止憶垂堂

立意宏大

李祥長曰少陵劍閣以前皆五古瞿塘以後多五律
各盡山水之奇每讀一句令人如目見山水而又得
山水之所以然總由源本深厚窺見廣大意無有窮

極耳

灔澦

灔澦既沒孤根深西來水多愁太陰江天漠漠鳥雙去
風雨時時龍一吟舟人漁子歌迴首估客胡商淚滿襟
寄語舟航惡年少休飜鹽井擲黃金

葉夢得曰詩下雙字極難水田飛白鷺夏木囀黃鸝
摩詰添漠漠陰陰四字精彩數倍不然但是詠景耳

要之當令如老杜無邊落木蕭蕭下不盡長江滾滾
來與江天漠漠鳥雙去風雨時時龍一吟等句乃為
超絕

王士正曰真有萬夫之稟頓挫悲壯兩有之

白帝

白帝城中雲出門白帝城下雨飜盆高江急峽雷霆鬭
翠木蒼藤日月昏戎馬不如歸馬逸千家今有百家存
哀哀寡婦誅求盡慟哭秋原何處村

白帝城最高樓

城尖徑仄旌旆愁獨立縹緲之飛樓峽坼雲霾龍虎卧
江清日抱黿鼉遊扶桑西枝對斷石弱水東影隨長流
杖藜歎世者誰子泣血迸空迴白頭

筆勢險絕與題相配

王嗣奭曰此詩真作驚人語是緣憂世之心發之以
自消其壘塊

黄生曰微見其詞翻成激楚悲壯之響變聲第一

諸葛廟

久遊巴子國屢入武侯祠竹日斜虛寢溪風滿薄帷君臣當共濟賢聖亦同時翊戴歸先主并吞更出師蟲虵穿畫壁巫覡醉蛛絲欻憶吟梁父躬耕也未遲

峽口二首

峽口大江間西南控百蠻城欹連粉堞岸斷更青山開闢多天險防隅一水關亂離聞鼓角秋氣動衰顏

時清關失險世亂戟如林去矣英雄事荒哉割據心蘆

花留客晚楓樹坐猿深疲苶煩親故諸侯數賜金原注主人栢中丞頻分月俸

蘆花楓樹一聯隱然蒼秀

天池

天池馬不到嵐壁鳥纔通百頃青雲杪層波白石中鬱紆騰秀氣蕭瑟浸寒空直對巫山出兼疑夏禹功魚龍開闢有菱芡古今同聞道奔雷黑初看浴日紅飄零神女雨斷續楚王風欲聞支機石如臨獻寶宮九秋驚雁序萬里狎漁翁更是無人處誅茅任薄躬

瞿塘兩崖

三峽傳何處雙崖壯此門入天猶石色穿水忽雲根猱玃鬚髯古蛟龍窟宅尊羲和冬馭近愁畏日車翻

故作奇語畫出險峻之勢

夔州歌

中巴之東巴東山江水開闢流其間白帝高為三峽鎮夔州險過百牢關

赤甲白鹽俱刺天閭閻繚繞接山巔楓林橘樹丹青合複道重樓錦繡懸

瀼東瀼西一萬家江北江南春冬花背飛鶴子遺瓊蘂相趂鳧雛入蔣牙

蜀麻吳鹽自古通萬斛之舟行若風長年三老長歌裏白晝攤錢高浪中

諸作亦自成風調存之以備一體

偶題

文章千古事得失寸心知作者皆殊列名聲豈浪垂騷人嗟不見漢道盛於斯前輩飛騰入餘波綺麗為後賢兼舊列歷代各清規法自儒家有心從弱歲疲病永懷江左逸多病鄴中奇騄驥皆良馬騏驎帶好兒車輪徒已斲堂構惜仍虧漫作潛夫論虛傳幼婦碑緣情慰漂蕩抱疾屢遷移經濟慚長策飛棲假一枝塵沙傍蜂蠆江峽繞蛟螭蕭瑟唐虞遠聯翩楚漢危聖朝兼盜賊異俗更喧卑鬱鬱星辰劒蒼蒼雲雨池兩都開幕府萬寓掩

軍麾南海殘銅柱東風避月支音書恨烏鵲號怒怪熊羆稼穡分詩興柴荊學土宜故山迷白閣秋水隱黃陂不敢要佳句愁來賦別離

文章千古事得失寸心知其識解可謂廣大精微前輩飛騰入餘波綺麗為則操觚秘要覺陸機文賦為繁昔元稹為甫志曰上薄風騷下該沈宋言奪蘇李氣吞曹劉掩顏謝之孤高雜徐庾之流麗盡得古今之體勢而兼文人之所獨專其推許誠不為過要未及此二十字之包括也甫他詩云讀書破萬卷下筆如有神與此參觀而微會之乎甫之能事思過半矣

王嗣奭曰公詩嘗言文章本小技於道未為尊此須識其道之所尊者安在得所尊則文垂千古失所尊則文止小技初無二義也

仇兆鰲曰前半論詩文以文章千古事為綱領後半敘境遇以緣情慰漂蕩為關鍵漫作潛夫論虛傳幼婦碑隱以千古事自期矣不敢要佳句愁來賦別離

仍以慰漂蕩自解矣其段落整嚴脈理精細如此

秋興八首

玉露凋傷楓樹林巫山巫峽氣蕭森江間波浪兼天湧塞上風雲接地陰叢菊兩開他日淚孤舟一繫故園心寒衣處處催刀尺白帝城高急暮砧

錢謙益曰首篇頌聯悲壯頸聯悽緊以節則杪秋以地則高城以時則薄暮刀尺苦寒急砧促別末句標舉興會略有五重所謂嵯峨蕭瑟真不可言

黄生曰杜公七律當以秋興為裒領乃公一生心神
結聚所作也八首之中難為軒輊

夔府孤城落日斜每依南斗望京華聽猿實下三聲淚
奉使虛隨八月查畫省香爐違伏枕山樓粉堞隱悲笳
請看石上藤蘿月已映洲前蘆荻花

錢謙益曰每依南斗望京華皎然所謂截斷衆流句
也此句為八章之綱骨章重文疊不出於此

千家山郭靜朝暉日日江樓坐翠微信宿漁人還汎汎

清秋燕子故飛飛匡衡抗疏功名薄劉向傳經心事違同
學少年多不賤五陵衣馬自輕肥

陳廷敬曰前三章詳夔州而略長安後五章詳長安
而略夔州次第秩然

聞道長安似奕棋百年世事不勝悲王侯第宅皆新主
文武衣冠異昔時直北關山金鼓振征西車馬羽書遲
魚龍寂寞秋江冷故國平居有所思

錢謙益曰肅宗收京以後委任中人中外多故公不
以移官僻遠恝置君國之憂故有聞道長安之章每
依南斗望京華情見於此

陳廷敬曰末句猶云歷歷開元事分明在目前此結
本章以起下數章

蓬萊宮闕對南山承露金莖霄漢間西望瑤池降王母
東來紫氣滿函關雲移雉尾開宮扇日繞龍鱗識聖顔
一卧滄江驚歲晚幾迴青鎖點朝班

錢謙益曰公詩云憶獻三賦蓬萊宮此記其事也王

母函關記天寶承平盛事而荒淫失政亦略見矣識
聖顔者公以布衣朝見所謂往時文彩動人主也落
句方及拾遺移官之事

瞿唐峽口曲江頭萬里風烟接素秋花萼夾城通御氣
芙蓉小苑入邊愁朱簾繡柱圍黃鵠錦纜牙檣起白鷗
迴首可憐歌舞地秦中自古帝王州

王嗣奭曰城通御氣前則敦倫勤政苑入邊愁後則
耽樂召憂見一人之身而理亂頓殊也

錢謙益曰哀江頭云江頭宮殿鎖千門此則痛定而追思也落句之意以為樂遊歌舞之地逸豫不戒馴至於都邑風煙九廟灰燼而自古帝王都會遂有百年為戎之嘆也王仲宣七哀云南登灞陵岸迴首望長安迴首之言良可深省

昆明池水漢時功武帝旌旗在眼中織女機絲虛夜月石鯨鱗甲動秋風波漂菰米沉雲黑露冷蓮房墜粉紅關塞極天唯鳥道江湖滿地一漁翁

錢謙益曰此首繫於上章秦中自古帝王州一句而申言之時則曰漢時帝則曰武帝織女石鯨蓮房菰米金隄靈沼之遺蹟與戈船樓櫓並在眼中而自傷其僻遠而不得見也於上章末句尅指其來脉則此中敘致攝疊環鎖了然分明矣

昆吾御宿自逶迤紫閣峯陰入渼陂香稻啄殘鸚鵡粒碧梧棲老鳳凰枝佳人拾翠春相問仙侶同舟晚更移綵筆昔曾干氣象白頭吟望苦低垂

近體以七律為難唐代名家人不數首其量固有所止也獨至杜甫天授神詣造絕窮微卓然為千古之冠如此八首根源二雅繼迹騷辯思極深而不晦情極哀而不傷九曲迴腸三疊怨調諷之足以感蕩心靈直使九天之雲下垂四海之水皆立具所自云足以喻矣又況拳拳忠愛發乎至情有溢於語言文字之表者哉錢謙益箋十得八九擇其合者錄之餘人尚有雌黃抑亦不知量耳

劉會孟曰八詩大體沈雄富麗哀傷無限盡在言外故自不厭確實小家數不可彷彿耳

吳渭曰詩有六義興居其一凡陰陽寒暑草木鳥獸山川風景得於適然之感而為詩者皆興也老杜秋興八首深詣詩人之閫奧興之入律者宗焉

陳繼儒曰雲霞滿空回翔萬狀天風吹海怒濤飛湧可喻老杜秋興諸篇

錢謙益曰玉露凋傷一章秋興之發端也末二句結

上生下故即以夔府孤城次之第三章正申秋興名篇之意古人所謂文之心也歲晚蕭條身事如此長安碁局世事如此故曰百年世事不勝悲次下乃重章以申之蓬萊宮闕思全盛日之長安也瞿唐峽口思陷後之長安也昆明池水思自古帝王之長安也昆吾御宿思承平昔遊之長安也唐時遊幸莫盛於曲江故悲陷後則先舉曲江漢朝形勝莫壯于昆明故追隆古則特舉昆明此章蓋感嘆遺蹟而自傷

遠不得見乃疊申曲江末句文勢了然若以為概指喪亂則迂矣天寶之亂營壘俱在國西城南故地風景無恙故末章云昆吾御宿自逶迤也秋色依然春遊如昨追綵筆于壯盛感星象于至尊豈非神遊化人夢廻帝所低垂吟望至是而秋興之能事畢矣此詩一事疊為八章章雖有八重重鈎攝有無量樓閣門在

陳廷敬曰秋興八首命意鍊句之妙自不必言即以章法論分之如駭雞之犀四面皆見合之如常山之蛇首尾互應蓋合子長孟堅如一手者也

詠懷古跡五首

支離東北風塵際漂泊西南天地間三峽樓臺淹日月五溪衣服共雲山羯胡事主終無賴詞客哀時且未還庾信平生最蕭瑟暮年詩賦動江關

以庾信自比情事恰合

搖落深知宋玉悲風流儒雅亦吾師悵望千秋一灑淚

蕭條異代不同時江山故宅空文藻雲雨荒臺豈夢思最是楚宮俱泯滅舟人指點到今疑

顧宸曰李義山詩云襄王枕上元無夢莫枉陽臺一段雲得此詩之旨

羣山萬壑赴荆門生長明妃尚有村一去紫臺連朔漠獨留青塚向黄昏畫圖省識春風面環珮空歸月夜魂千載琵琶作胡語分明怨恨曲中論

破空而來文勢如天驥下坂明珠走盤詠明妃者此為

第一歐陽修王安石詩猶落第二乘

蜀主窺吳幸三峽崩年亦在永安宫翠華想像空山裏
玉殿虛無野寺中古廟杉松巢水鶴歲時伏臘走村翁
武侯祠屋常鄰近一體君臣祭祀同

諸葛大名垂宇宙宗臣遺像肅清高三分割據紆籌策
萬古雲霄一羽毛伯仲之間見伊呂指揮若定失蕭曹運
移漢祚難恢復志決身殲軍務勞

劉克莊曰卧龍没已千載而有志世道者皆以三代

之佐許之此詩儕之伊吕伯仲間而以蕭曹為不足
道此論自子美發之考亭南軒近代大儒不能廢也

諸將五首

漢朝陵墓對南山胡虜千秋尚入關昨日玉魚蒙葬地
早時金盌出人間見愁汗馬西戎逼曾閃朱旂北斗殷
多少材官守涇渭將軍且莫破愁顏

韓公本意築三城擬絶天驕拔漢旌豈謂盡煩回紇馬
翻然遠救朔方兵胡來不覺潼關隘龍起猶聞晉水清
獨使至尊憂社稷諸君何以答升平

洛陽宫殿化為烽休道秦關百二重滄海未全歸禹貢
薊門何處盡堯封朝廷衮職誰爭補天下軍儲不自供
稍喜臨邊王相國肯銷金甲事春農

迴首扶桑銅柱標冥冥氛祲未全銷越裳翡翠無消息
南海明珠久寂寥殊錫曾為大司馬總戎皆插侍中貂炎
風朔雪天王地只在忠臣翊聖朝

錦江春色逐人來巫峽清秋萬壑哀正憶往時嚴僕射

共迎中使望鄉臺主恩前後三持節軍令分明數舉杯
西蜀地形天下險安危須仗出羣材

骨力如馬班議論如董賈特緣以韻語耳既已精理為文亦復秀氣成采讀者於此沿洪流而窮源源然後知甫之所以度越千古也其詩本自分明說者紛爭殊為多事

郝敬曰此以詩當紀傳議論時事非吟風弄月登眺游覽可任興漫作也必有子美憂時之真心又有其

識學華力乃能斟酌裁補合度如律其各首縱横開合宛是奏議訓誥與三百篇並存可也

黄生曰有感五首與諸將相為表裏大旨在於忠君報國休兵恤民安邊而弭亂其老謀碩畫款款披陳純是至誠血性語

秋日夔府詠懷奉寄鄭監審李賓客之芳一百韻

絶塞烏蠻北孤城白帝邊飄零仍百里消渴已三年雄劒鳴開匣羣書滿繫船亂離心不展衰謝日蕭然筋力

妻孥問菁華歲月遷登臨多物色陶冶賴詩篇峽束滄江起巖排石樹圓拂雲霾楚氣朝海蹴吳天煮井為沿速燒畬度地偏有時驚疊嶂何處覔平川瀏鶒雙雙舞獮猴壘壘懸碧蘿長似帶錦石小如錢春草何曾歇寒花亦可憐獵人吹戍火野店引山泉喚起搔頭急扶行幾屐穿兩京猶薄産四海絶隨肩幕府初交辟郎官幸備員爪時猶旅寓萍泛苦貪緣藥餌虛狼藉秋風灑靜便開襟驅瘴癘明日掃雲煙高宴諸侯禮佳人上客前哀箏傷老大華屋艷神仙南内開元曲常時弟子傳法歌聲變轉滿座涕潺湲原注都督柏中丞筵聞梨園弟子李仙奴歌弔影夔州僻回腸杜曲煎即今龍廐水莫帶犬戎羶原注西京龍廐門苑馬門也渭水流苑馬門内耿賈扶王室蕭曹拱御筵乘威滅蜂蠆戮力勁鷹鸇舊物森猶在凶徒惡未悛國須行戰伐人憶止戈鋋奴僕何知禮恩榮錯與權胡星一彗孛黔首遂拘攣哀痛絲綸切煩苛法令蠲業成陳始王兆喜出於畋宫禁經綸密台階翊戴全熊羆載呂望鴻鴈美周宣

側聽中興主長吟不世賢音徽一柱數道里下牢千原注鄭在江陵李在夷陵鄭李光時論文章並我先陰何尚清省沈宋欻聯翩律比崑崙竹音知燥濕絃風流俱善價愜當久忘筌置驛常如此登龍蓋有焉雖云隔禮數不敢墜周旋高視收人表虛心味道元馬來皆汗血鶴唳必青田羽翼商山起蓬萊漢閣連管寧紗帽淨江令錦袍鮮東郡時題壁南湖日扣舷遠遊凌絶境佳句染華牋每欲孤飛去徒為百慮牽生涯已寥落國步尚迍邅衾枕成

蕪沒池塘作棄捐（原注：平生多病卜築遣懷）別離憂怛怛伏臘涕漣漣露菊班豐鎬秋疏影澗瀍共誰論昔事幾處有新阡富貴空回首喧爭懶著鞭兵戈塵漠漠江漢月娟娟局促看秋燕蕭疏聽晚蟬雕蟲蒙記憶烹鯉問沉綿卜羨君平杖偷存子敬氈囊虛把釵釧米盡坼花鈿甘子陰涼葉茅齋八九椽陣圖沙北岸市暨瀼西巔（原注：峽人目市井泊船處曰市暨江水橫通山谷處方人謂之瀼）羈絆心常折棲遲病即痊紫收岷嶺芋白種陸池蓮色好梨勝頰穰多栗過拳勅廚唯一

味求飽或三鱣兒去看魚笱人來坐馬韉縛柴門窄窄通竹溜涓涓塹抵公畦稜（原注：京師農人指田遠近多云幾稜稜音去聲）村依野廟壖缺籬將棘拒倒石賴藤纏借問頻朝謁何如穩醉眠誰云行不逮自覺坐能堅霧雨銀章澀馨香粉署妍紫鸞無近遠黃雀任翩翾困學違從衆明公各勉旃聲華夾宸極早晚到星躔懇諫留匡鼎諸儒引服虔不過輸鯁直會是正陶甄宵旰憂虞軫黎元疾苦駢雲臺終日畫青簡為誰編行路難何有招尋興已專由來具飛檝蹔擬控鳴弦身許雙峯寺門求七祖禪落帆追宿昔衣褐向真詮安石名高晉（原注：鄭高簡得謝太傅之風）昭王客赴燕（原注：李宗親有燕昭之美燕周之裔）途中非阮籍查上似張騫披拂雲寧在淹留景不延風期終破浪水怪莫飛涎他日辭神女傷春怯杜鵑淡交隨聚散澤國繞迴旋本自依迦葉何曾藉偓佺鑪峯生轉盻橘井尚高褰東走窮歸鶴南征盡跕鳶晚聞多妙教卒踐塞前愆顧凱丹青列頭陀琬琰鐫衆香深黯黯幾地肅芊芊勇猛為心極清羸任

體孱金篦空刮眼鏡象未離銓

長袖善舞多錢善賈洋洋大篇為後人伐山導源雖不免鋪叙之迹未可輕議也豐碩而不失之繁雜流動而不失之輕儇汪洋曼衍後人正未易學步

盧世㴶曰此是集中第一首長詩其中起伏轉折頓挫承遞若斷若續乍離乍合波瀾層叠竟無絲痕真絕作也風流善價悵望忘筌即可取此語以評此詩

仇兆鰲曰詩有近體古意衰矣近體而有排律古

孟遠長篇排律起於少陵多至百韻寔為後人濫觴此篇典雅工秀才學既優而部伍森嚴章法尤為精密

贈李八秘書別三十韻

往時中補右扈蹕上元初反氣凌行在妖星下直廬六龍瞻漢闕萬騎略姚墟元朔廻天步神都憶帝車一戎纔汗馬百姓免為魚通籍蟠螭印差肩列鳳輿事殊迎代邸喜異賞朱虛兇盜方歸順乾坤欲晏如不才同補袞奉詔許牽裾鸑鷟叨雲閣麒麟滯玉除文園多病後

中散舊交疏飄泊哀相見平生意有餘風煙巫峽遠臺榭楚宮虛觸目非論故新文尚起予清秋凋碧柳別浦落紅蕖消息多旗幟經過歎里閭戰連脣齒國軍急羽毛書幕府籌頻問（原注山劍元帥杜相公初屈幕府參籌畫相公朝謁今赴後期也）山家藥正鋤（原注秘書比臥青城山中）台星入朝謁使節有吹噓西蜀災長弭南翁憤始攄對敭抗士卒乾沒費倉儲勢藉兵須用功無禮忽諸御鞍金騕褭宮硯玉蟾蜍拜舞銀鉤落恩波錦帕舒此行非不濟良友昔相於去旆依顏色沿流想疾徐沉綿疲井臼倚薄似樵漁乞米煩佳客鈔詩聽小胥杜陵斜晚照潏水帶寒淤莫話清溪髮蕭蕭白映梳

黄生曰時諸將連兵討崔旰勝負未決杜鴻漸以節使讓旰而使諸將各罷兵公益深憤此事故於贈李詩中寓詞告杜益深諷其處事之草草也

解悶

商胡離別下揚州憶上西陵故驛樓為問淮南米貴賤老夫乘興欲東流

一辭故國十經秋每見秋瓜憶故邱今日南湖采薇蕨何人為覓鄭瓜州（原注今鄭秘監審）

黄生曰連環勾搭亦絕句弄筆之法大家時一為之耳

復憶襄陽孟浩然清詩句句盡堪傳即今耆舊無新語漫釣槎頭縮項鯿

王士正曰子美與浩然詩不同調此詩可謂具眼次
篇亦具眼公論古人不必苟同也

不見高人王右丞藍田邱壑漫寒藤最傳秀句寰區滿
未絶風流相國能（原注右丞弟今相國縉）

先帝貴妃今寂莫荔枝還復入長安炎方每續朱櫻獻
王座應悲白露團

仇兆鰲曰寄諷微婉

憶過瀘戎摘荔枝青楓隱映石逶迤京中舊見無顏色
紅顆酸甜只自知

錢謙益曰張曲江荔枝賦曰何斯美之獨遠嗟爾命
之不逢每被銷於凡口罕獲知於貴躬即此詩之旨
也

復愁

今日翔麟馬先宜駕鼓車無勞問河北諸將覺榮華

仇兆鰲曰有感詩云大君先息戰不當息而息也此
云無勞問河北當問而不問也俱屬諷詞

任轉江淮粟休添苑囿兵由來貔虎士不滿鳳凰城

盧元昌曰當時漕運取給江淮故史有唐得江淮濟
中興之語若宿衛冗軍不裁立見其匱也至唐制府
兵最為近古自張說建議召募宿衛更番上下兵農
遂分神策軍尤為非古時魚朝恩以神策軍屯禁中
居北軍之右公詩隱述祖制以諷時事

承聞河北諸道節度入朝歡喜口號

澶漫山東一百州削成如桉抱青邱苞茅重入歸關內
王祭還供盡海頭

李相將軍擁薊門白頭雖老赤心存竟能盡說諸侯入
知有從來天子尊

錢謙益曰舊書光弼輕騎入徐州田神功遽歸河南
尚衡殷仲卿來瑱皆相繼赴闕及懼魚朝恩譖不敢
入朝人疑其有二心此詩特以白頭赤心許之八哀
詩云直筆在史臣將來洗箱篋此公之直筆也

十二年來多戰場天威已息陣堂堂神靈漢代中興主

功業汾陽異姓王

推功李郭足為史筆

錢謙益曰宏正間學杜　專法此等詩摹擬其槎牙突兀粗皮老幹以為形似而不知其敦厚雋永令人懲生吞活剥之病并此詩與秋興諸將而嗤點之則又矮人觀場之見豈足道哉

洞房

洞房環珮冷玉殿起秋風秦地應新月龍池滿舊宮繫

舟今夜遠清漏往時同萬里黃山北園陵白露中

洞房宿昔諸篇風調清深詞意悽惻純是忠臣孝子之心自然流露俯仰盛衰含情無限自是子美絕作

劉會孟曰語不迫切而意獨至悲慨滿目情致黯然

宿昔

宿昔青門裏蓬萊仗數移花嬌迎雜樹龍喜出平池落日留王母微風倚少兒宮中行樂秘少有外人知

黃生曰此章略見風刺然其詞微而婉如祿山宮裏虢國門前之句非唯失風人之意亦全無臣子之禮矣

能畫

能畫毛延壽投壺郭舍人每蒙天一笑復似物皆春政化平如水皇恩斷若神時時用抵戲亦未雜風塵

平平敘去論斷亦允自古國家未有不失政而後致亂者使明皇卒任姚宋九齡諸人即此二者誠屬細事至於所任非人林甫國中繼進而鬬雞舞馬與一切喪志之具罔不類聚而大亂隨之矣甫益身歷治亂之交故

言之切當如此

黃生曰政平明斷自指開元之治從半腰說起轉折方不費力若將此意頓在前敘事必抱沓矣

鬬雞

鬬雞初賜錦舞馬既登牀簾下宮人出樓前御柳長仙遊終一閟女樂久無香寂寞驪山道清秋草木黃

浦起龍曰前後轉關處述明皇兩頭事中間播遷一

段泯然隱起盛衰存沒之間滿目淚痕矣假使單讀
此詩似明皇無失國之慘者此意非元白所曉黄生
云不以荒宴直接播遷則有傷痛而無譏刺是温柔
敦厚之遺教洵篤論也

鸂鶒

鸂鶒含秋思聽明憶別離翠衿渾短盡紅觜漫多知未
有開籠日空殘舊宿枝世人憐復損何用羽毛奇
顧宸曰分明有才人失路託身異族之感

歷歷

歷歷開元事分明在眼前無端盜賊起忽已歲時遷巫
峽西江外秦城北斗邊為郎從白首卧病數秋天

驪山

驪山絶望幸花蕚罷登臨地下無朝燭人間有賜金鴈
湖龍去遠銀海鴈飛深萬歲蓬萊日長懸舊羽林
黄生曰此章即申首章園陵宿露之感而言更深切

提封

提封漢天下萬國尚同心借問懸軍守何如儉德臨時
徵俊乂入莫慮犬羊侵願戒兵猶火恩加四海深
忠君愛國直攄讜議自是告戒當時他詩云不過行儉德
盜賊本王臣與此正合非謂代宗之時可以罷兵不用
也

王嗣奭曰堂堂正正即孟子所以告齊梁之君者自
許稷契以此
黄生曰諸詩述開元以來之事借古喻今美惡不掩

風人之旨盡於此矣他時有連及者固無譏刺之意
以為是非具在國史非臣子所得而私議至受恩先
帝沒齒不忘深思慨慕則時有之後人不能推公之
意毛求影捕輙謂有所譏刺失子美之志矣
仇兆鰲曰秋興及洞房諸詩有關國家治亂興亡寄
託深長秋興氣象高華聲節悲壯讀之令人興會勃
然洞房諸詩意思沈鬱詞旨淒涼讀之令人感傷欲
絶此皆少陵聚精會神之作故能吞吐風雲筆參造

化千載之下猶可歌而可涕也

御選唐宋詩醇卷十七

欽定四庫全書

御選唐宋詩醇卷十八

襄陽杜甫詩十

草閣

草閣臨無地柴扉永不關魚龍迴夜水星月動秋山久露清初濕高雲薄未還汎舟慚小婦飄泊損紅顔

江上

江上日多雨蕭蕭荆楚秋高風下木葉永夜攬貂裘勲

業頻看鏡行藏獨倚樓時危思報主衰謝不能休

頷聯抑鬱無聊却說得如此含蓄宜宋真宗之亟稱之也

中夜

中夜江山靜危樓望北辰長為萬里客有媿百年身故國風雲氣高堂戰伐塵胡雛負恩澤嗟爾太平人

江漢

江漢思歸客乾坤一腐儒片雲天共遠永夜月同孤落

日心猶壯秋風病欲疎古來存老馬不必取長途

趙汸曰中四句情景混合入化

胡應麟曰含潤大於沉深高岑瞠乎其後

吾宗 原注衛倉曹崇簡

吾宗老孫子質朴古人風耕鑿安時論衣冠與世同在家常早起憂國願年豐語及君臣際經書滿腹中

胡應麟曰寓神奇於古澹儲孟莫能為前

有歎

壯心久零落白首寄人間天下兵常鬭江東客未還窮猿號雨雪老馬怯關山武德開元際蒼生豈重攀

有慨乎其言之是為匪風下泉之緒

中宵

西閣百尋餘中宵步綺疏飛星過水白落月動沙虛擇木知幽鳥潛波想巨魚親朋滿天地兵甲少來書

頷聯名雋比之月映清淮之句真復相似

南極

南極青山衆西江白谷分古城疏落木荒戍密寒雲歲月蛇常見風飈虎或聞近身皆鳥道殊俗自人羣睥睨登哀柝矛弧照夕曛亂離多醉尉愁殺李將軍

獨坐

白狗斜臨北黃牛更在東峽雲常照夜江月會兼風曬藥安垂老應門試小童亦知行不逮苦恨耳多聾

遠遊

江闊浮高棟雲長出斷山塵沙連越巂風雨暗荊蠻雁

矯銜蘆內猿啼失木間弊裘蘇季子歷國未知還

情致纏綿却有寬閒之意

夜

露下天高秋水清空山獨夜旅魂驚疎燈自照孤帆宿新月猶懸雙杵鳴南菊再逢人卧病北書不至雁無情步檐倚杖看牛斗銀漢遥應接鳳城

宛轉關生渾然無迹

范梈曰善詩者就景中寫意不於意中尋景如杜詩

無端落木蕭蕭下踈燈自照孤帆宿殊方落日元猿哭諸聯即景物之中含蓄多少愁恨意若說出便短淺矣

返照

楚王宫北正黄昏白帝城西過雨痕返照入江翻石壁歸雲擁樹失山村衰年肺病唯高枕絶塞愁時早閉門不可乆留豺虎亂南方實有未招魂

日暮

牛羊下來乆各已閉柴門風月自清夜江山非故園石泉流暗壁草露滴秋根頭白燈明裏何須花燼繁

八月十五夜月二首

滿目飛明鏡歸心折大刀轉蓬行地遠攀桂仰天高水路疑霜雪林棲見羽毛此時瞻白兎直欲數秋毫

句句奕兀可謂工於發端

稍下巫山峽猶銜白帝城氣沉全浦暗輪仄半樓明刁斗皆催曉蟾蜍且自傾張弓倚殘魄不獨漢家營

十六夜翫月

舊挹金波爽皆傳玉露秋關山隨地濶河漢近人流谷口樵歸唱孤城笛起愁巴童渾不寢半夜有行舟

胡應麟曰咏物起自六朝唐初沿襲雖風華競爽而獨造未聞惟杜公諸作自開堂奥盡削前規如咏月則關山隨地濶河漢近人流咏雨則野徑雲俱黑江船火獨明咏雪則暗度南樓月寒深北渚雲咏夜則重露成涓滴稀星乍有無皆精深竒邃前無古人

十七夜翫月

秋月仍圓夜江村獨老身捲簾還照客倚杖更隨人光射潛虬動明翻宿鳥頻茅齋依橘柚清切露華新

李因篤曰只仍圓夜三字說十七夜已足再添便為俗筆

月

四更山吐月殘夜水明樓塵匣元開鏡風簾自上鈎兎應疑鶴髪蟾亦戀貂裘斟酌姮娥寡天寒奈九秋

起聯之妙不可形容東坡稱為絶唱不虛也

姚寛曰壓匣二句本沈雲卿月詩臺前疑挂鏡簾外自懸鉤之句

雨

微雨不滑道斷雲疎復行紫崖奔處黒白鳥去邊明秋日新霑影寒江舊落聲柴扉臨野碓半得搗香秔

黄生曰前半不煩繩削後半極力經營自起句外止霑影二字著雨其餘俱是襯說此文家避實擊虛法也

楚雨石苔滋京華消息遲山寒青兕叫江晚白鷗飢神女花鈿落鮫人織杼悲繁憂不自整終日灑如絲

夜

絶岸風威動寒房燭影微嶺猿霜外宿江鳥夜深飛獨立親雄劍哀歌嘆短衣煙塵繞閶闔白首壯心違

反照

反照開巫峽寒空半有無已低魚復暗不盡白鹽孤荻岸如秋水松門似畫圖牛羊識童僕既夕應傳呼

物色在有無之間可謂善於寫照

向夕

畎畆孤城外江村亂水中深山催短景喬木易高風鶴下雲汀近雞棲草屋同琴書散明燭長夜始堪終

深情畢露三四用字體物入微

曉望

白帝更聲盡陽臺曙色分高峯寒上日疊嶺宿霾雲地坼江帆隱天清木葉聞荆扉對麋鹿應共爾為羣

李因篤曰寫景最工天清木葉聞更為微妙

雷

巫峽中宵動滄江十月雷龍蛇不成蟄天地劃爭廻郤碾空山過深蟠絶壁來何須妬雲雨霹靂楚王臺

熟食日示宗文宗武

消渴游江漢羇棲尚甲兵幾年逢熟食萬里逼清明松栢邙山路風花白帝城汝曹催我老迴首淚縱横

不著一字悲感無窮惟真故妙耳

社日

陳平亦分肉太史竟論功今日江南老他時渭北童歡
娛看絕塞涕淚落秋風鴛鷺廻金闕誰憐病峽中

仇兆鰲曰慨古傷情其自負原不淺也

九日

重陽獨酌盃中酒抱病起登江上臺竹葉於人既無分
菊花從此不須開殊方日落玄猿哭舊國霜前白鴈來

弟妹蕭條各何往干戈衰謝兩相催

悲塞爽而聲情高亮後人九日詩無及之者

黃生曰岑參詩云見雁思鄉信聞猿積淚痕與五六
意同而此之融會蘊藉更過彼十字也

大歷二年九月三十日

為客無時了悲秋向夕終瘴餘夔子國霜薄楚王宮草
敵虛嵐翠花禁冷蘂紅年年小搖落不與故園同

黃生曰題作特書之體記為客之歲月便自具文見
意

浦起龍曰起法跳脫

小至

天時人事日相催冬至陽生春又來刺繡五紋添弱線
吹葭六琯動飛灰岸容待臘將舒柳天意衝寒欲放梅
雲物不殊鄉國異教兒且覆掌中杯

憶鄭南玭

鄭南伏毒寺瀟灑到江心石影銜珠閣泉聲帶玉琴風

杉曾曙倚雲嶠憶春臨萬里滄浪外龍蛇只自深

五六可謂鬆秀晴烟沙苑樹曉日渭川帆雖佳猶為習
見語

仇兆鰲曰吳若注云玭疑作玼玉色鮮潔也按鄭南
華州鄭縣之南詳詩意只是憶鄭南寺舊遊耳

愁　原注強戲為吳體

江草日日喚愁生巫峽冷冷非世情盤渦鷺浴底心性
獨樹花發自分明十年戎馬暗萬國異域賓客老孤城

渭水秦山得見否人今罷病虎縱橫

黄生曰沉憂莫寫對物生憎皆是愁人實歷之境草生花發水流鷺浴皆喚愁之具愁從中來觸物之故則亦强戲言之而已

即事

暮春三月巫峽長皛皛行雲浮日光雷聲忽送千峯雨花氣渾如百和香黄鶯過水翻迴去燕子銜泥濕不妨飛閣捲簾圖畫裏虛無只少對瀟湘

即事

天畔羣山孤草亭江中風浪雨冥冥一雙白魚不受釣三寸黄柑猶自青多病馬卿無日起窮途阮籍幾時醒未聞細柳散金甲腸斷秦川流濁涇

朱瀚曰孤亭風雨不免有長鋏之歎

喜觀即到復題短篇二首

巫峽千山暗終南萬里春病中吾見弟書到汝為人意答兒童問來經戰伐新泊船悲喜後款款話歸秦

三四語自東發本色到家

待爾嗔烏鵲拋書示鶺鴒枝間喜不去原上急曾經江閣嫌津柳風帆數驛亭應論十年事愁絶始星星

第五弟豐獨在江左近三四載寂無消息覓使寄此二首

亂後嗟吾在羈棲見汝難草黄騏驥病沙晚鶺鴒寒楚設關城險吳吞水府寬十年朝夕淚衣袖不曾乾

聞汝依山寺杭州定越州風塵淹別日江漢失清秋影

著啼猿樹魂飄結蜃樓明年下春水東盡白雲求

舍弟觀赴藍田取妻子到江陵喜寄

馬渡秦關雪正深北來肌骨苦寒侵他鄉就我生春色故國移居見客心剩欲提攜如意舞喜多行坐白頭吟巡簷索共梅花笑冷蘂疎枝半不禁

盧世漼曰次聯還題明淨而意更溫深

黄生曰浣花溪裏花饒笑肯信吾兼吏隱名言其不信已東巡簷索共梅花笑冷蘂疎枝半不禁言其善

會人意此嚴滄浪所謂詩有别趣非關理也

陪栢中丞觀宴將士

繍段裝簷額金花帖鼓腰一夫先舞劍百戲後歌樵江樹城孤遠雲臺使寂寥漢朝頻選將應拜霍嫖姚

得第三聯方見風格非尋常公宴語也

七月一日題終明府水樓

宓子彈琴邑宰日終軍棄繻英妙時承家節操尚不泯為政風流今在兹可憐賓客盡傾蓋何處老翁來賦詩

楚江巫峽半雲雨清簟疎簾看奕碁

蘇軾曰參寥子言老杜詩云楚江巫峽半雲雨清簟疎簾看奕碁此句可畫但恐畫不就耳僕言公禪人亦復愛此綺語耶寥云譬如不事口腹人見江瑶柱豈免一朶頤哉

季秋蘇五弟纓江樓夜宴崔十三評事韋少府姪

峽險江驚急樓高月迥明一時今夕會萬里故鄉情星落黄姑渚秋辭白帝城老人因酒病堅坐看君傾

過客相尋

窮老真無事江山巳定居地幽忘盥櫛客至罷琴書挂壁移筐果呼兒問煮魚時聞繫舟楫及此問吾廬

孟倉曹步趾領新酒醬二物滿器見遺老夫

楚岸通秋屐胡牀面夕畦藉糟分汁滓甕醬落提攜飯糲添香味朋來有醉泥理生那免俗方法報山妻

二詩本色愛其涉筆成趣饒有逸致

柳司馬至

有使歸三峽相過問兩京函關猶出將渭水更屯兵設備邯鄲道和親邏些城幽燕唯鳥去商洛少人行衰謝身何補蕭條病轉嬰霜天到宮闕戀主寸心明

黄鶴曰大歷二年九月十月京師以吐蕃入寇兩戒嚴故作此詩

謁真諦寺禪師

蘭若山高處烟霞嶂幾重凍泉依細石晴雪落長松問法看詩妄觀身向酒慵未能割妻子卜宅近前峯

三四與泉聲咽危石一聯相似特意近自然耳

送李八秘書赴杜相公幕

青簾白舫益州來巫峽秋濤天地迴石出倒聽楓葉下櫓搖背指菊花開貪趨相府今晨發恐失佳期後命催南極一星朝北斗五雲多處是三台

寫楓葉菊花語極工細

送李功曹之荆州充鄭侍御判官重贈

曽聞宋玉宅每欲到荆州此地生涯晚遥悲水國秋孤

城一柱觀落日九江流使者雖光彩青楓遠自愁

孟浩然擅名之句贈送中乃有其氣象

見螢火

巫山秋夜螢火飛踈簾巧入坐人衣忽驚屋裏琴書冷復亂簷前星宿稀却繞井欄添箇箇偶經花蘂弄輝輝滄江白髮愁看汝來歲如今歸未歸

結聯點入見字便覺通體皆活

吹笛

吹笛秋山風月清誰家巧作斷腸聲風飄律呂相和切月傍關山幾處明胡騎中宵堪北走武陵一曲想南征故園楊柳今搖落何得愁中却盡生

吞吐含芳安詳合度極頓挫之妙而高雅絕人明人何景明七律全本此種千載而下固有合續弦膠者也

孤雁

孤雁不飲啄飛鳴聲念羣誰憐一片影相失萬里雲望盡似猶見哀多如更聞野鵶無意緒鳴噪自紛紛

師氏曰鮑當孤雁詩云更無聲斷續空有影相隨孤則孤矣豈若此詩孤之中仍有不孤之意乎

白小

白小羣分命天然二寸魚細微霑水族風俗當園蔬入肆銀花亂傾箱雪片虛生成猶拾卵盡取意何如

王嗣奭曰此詩起結藹然有萬物一體之念

麂

永與清溪別蒙將玉饌俱無才逐仙隱不敢恨庖廚亂

世輕全物微聲及禍軀衣冠兼盜賊饕餮用斯須

顧宸曰中郎之於董卓中散之於司馬及禍雖異其以微聲致累則同也苟全性命於亂世不求聞達於諸侯隆中所以獨高千古二語感慨甚大

見王監兵馬使說近山有白黑二鷹羅者久取竟未能得王以為毛骨有異他鷹恐臘後春生騫飛避暖勁翮思秋之甚眇不可見請余賦詩

雪飛玉立盡清秋不惜奇毛恣遠遊在野只教心力破

千人何事網羅求一生自獵知無敵百中爭能恥下韝鵬礙九天須卻避兎藏三穴莫深憂

儼然為異人寫照奇傑之士亦復千人何事國家必求之者有以取之也使負其岸異而不就網羅亦終無用於世此詩引而伸之義可旁通知此可與言詩

王嗣奭曰氣魄雄偉不落纖巧家數

朱鶴齡曰太白詩神鷹夢澤不顧鴟鳶為君一擊鵬搏九天義與此同

大歷三年春白帝城放船出瞿唐峽久居夔府將適江陵漂泊有詩凡四十韻

老向巴人裏今辭楚塞隅入舟翻不樂解纜獨長吁窄轉深啼狖虛隨亂浴鳧石苔凌几杖空翠撲肌膚疊壁排霜劍奔泉濺水珠杳冥藤上下濃淡樹榮枯神女峯娟妙昭君宅有無曲留明恐惜夢盡失歡娛擺闔盤渦沸欹斜激浪輸風雷纏地脈冰雪耀天衢鹿角真走險狼頭如跋胡惡灘寧變色高臥負微軀書史全傾撓裝

囊半壓濡生涯臨臬兀死地脫斯須不有平川決焉知衆壑趨乾坤霾漲海雨露洗春蕪鷗鳥牽絲颺驪龍濯錦紆落霞沉綠綺殘月壞金樞泥笋苞初荻沙茸出小蒲雁兒爭水馬燕子逐檣烏絕島容烟霧環洲納曉晡前聞辨陶牧轉眄拂宜都縣郭南畿好原注路入松滋縣津亭北望孤勞心依憩息朗詠劃昭蘇意遣樂還笑衰迷賢與愚飄蕭將素髮汩沒聽洪鑪丘壑曾忘返文章敢自誣此生遺聖代誰分哭窮途臥疾淹為客蒙恩早廁儒

廷争酬造化樸直乞江湖灔澦險相迫滄浪深可逾浮
名尋巳巳慚計却區區喜近天皇寺先披古畫圖原注此寺有晉右軍書張僧繇畫孔子洎顔子十哲形像應經帝子渚同泣舜蒼梧朝士
兼戎服君王按湛盧旌頭初俶擾鶉首麗泥塗甲卒身
雖貴書生道固殊出塵皆野鶴歷塊匪轅駒伊吕終難
降韓彭不易呼五雲高太甲六月曠摶扶回首黎元病
争權將帥誅山林託疲苶未必免崎嶇

處處刻劃間以情思其體則班彪潘岳之征行其情則

王粲之登樓也隊仗整肅骨力雄健長律最可學者

泊松滋江亭

紗帽隨鷗鳥扁舟繫此亭江湖深更白松竹遠微青一
柱全應近高唐莫再經今宵南極外甘作老人星

行次古城店汎江作不揆鄙拙奉呈江陵幕府諸
公

老年常道路遲日復山川白屋花開裏孤城麥秀邊濟
江元自潤下水不勞牽風蝶勤依槳春鷗懶避船王門
高德業幕府盛才賢行色兼多病蒼茫泛愛前

風蝶一聯寫物色何其新雋

書堂飲既夜復邀李尚書下馬月下賦絶句

湖月林風相與清殘尊下馬復同傾久拚野鶴如霜鬢
遮莫鄰鷄下五更

野鶴如霜鬢正云霜鬢似野鶴如前云黄鵠高於五尺
童化為白鳧似老翁正云五尺童高如黄鵠化為老翁
似白鳧耳此詩家用筆之妙

舟月對驛近寺

更深不假燭月朗自明船金刹青楓外朱樓白水邊城
烏啼眇眇野鷺宿娟娟皓首江湖客鉤簾獨未眠

以四句了題舟夜遣懷詞意清麗乃爾

江南逢李龜年

岐王宅裏尋常見崔九堂前幾度聞正是江南好風景
落花時節又逢君

言情在筆墨之外悄然數語可抵白氏一篇琵琶行矣

休唱貞元供奉曲當時朝士已無多劉禹錫之婉情鈿蟬金雁皆零落一曲伊州淚萬行温庭筠之哀調以彼方此何其超妙此千秋絶調也

黄生曰此詩與劍器行同意今昔盛衰之感言外黯然欲絶見風韻於行間寓感慨於字裏即使龍標供奉操筆亦無以過乃知公於此體非不能為正聲也

官亭夕坐戲簡顔十少府

南國調寒杵西江浸日車客愁連蟋蟀亭古帶蒹葭不

返青絲鞚虛燒夜燭花老翁須地主細細酌流霞

清麗奪目可謂老樹著花

暮歸

霜黄碧梧白鶴棲城上擊柝復烏啼客子入門月皎皎誰家擣練風淒淒南渡桂水闕舟檝北歸秦川多鼓鞞年過半百不稱意明日看雲還杖藜

盧世㴶曰全首矯秀無一點悲愁滯氣讀去如竹枝樂府七言律中散仙也

公安送韋二少府匡贊

逍遥公後世多賢送爾維舟惜此筵念我能書數字至將詩不必萬人傳時危兵甲黄塵裏日短江湖白髮前古往今來皆涕淚斷腸分手各風煙

公安縣懷古

野曠呂蒙營江深劉備城寒天催日短風浪與雲平灑落君臣契飛騰戰伐名維舟倚前浦長嘯一含情

黄生曰章法最整

公安送李二十九弟晉肅入蜀余下沔鄂

正解柴桑纜仍看蜀道行檣烏相背發塞雁一行鳴南紀連銅柱西江接錦城憑將百錢卜飄泊問君平

宴王使君宅

汎愛容霜髮留歡上夜關自吟詩送老相勸酒開顔戎馬今何地鄉園獨舊山江湖隨清月酩酊任扶還

英華辨証世傳杜子美不避家諱兩押閑字其實非也或改作夜闌又不在本韻下圍集杜詩自是留歡

上夜闌豈有捩轄之意上字訛為卜下字訛為閑耳

泊岳陽城下

江國踰千里山城僅百層岸風翻夕浪舟雪灑寒燈留滯才難盡艱危氣益增圖南未可料變化有鯤鵬

登岳陽樓

昔聞洞庭水今上岳陽樓吳楚東南坼乾坤日夜浮親朋無一字老病有孤舟戎馬關山北憑軒涕泗流

元氣渾淪不可湊泊千古絶唱

劉會孟曰氣壓百代為五言雄渾之絶

唐庚曰予觀岳陽樓詩不過四十字耳其氣象閎放涵蓄深遠殆與洞庭爭雄所謂富哉言乎者

仇兆鰲曰金玉詩話云洞庭天下壯觀自昔騷人墨客題詠搜奇者尤衆然莫若氣蒸雲夢澤波撼岳陽城則洞庭空曠無際雄壯如在目前至讀杜子美詩則又不然吳楚東南坼乾坤日夜浮不知少陵胸中吞幾雲夢也

方回曰嘗登岳陽樓左序毬門壁間大書孟詩右書杜詩後人不敢復題劉長卿云疊浪浮元氣中流沒太陽世不甚傳他可知矣

陪裴使君登岳陽樓

湖闊兼雲霧樓孤屬晚晴禮加徐孺子詩接謝宣城雪岸叢梅發春泥百草生敢違漁父問從此更南征

宿青草湖

洞庭猶在目青草續為名宿槳依農事郵籤報水程寒

水爭倚薄雲月遞微明湖雁雙雙起人來故北征

宿白沙驛

水宿仍餘照人煙復此亭驛邊沙舊白湖外草新青萬象皆春氣孤槎自客星隨波無限月的的近南溟

萬象皆春氣五字濶大中有實在處精神正在下句

湘夫人祠

肅肅湘妃廟空墻碧水春蟲書玉佩蘚燕舞翠帷塵晚泊登汀樹微馨借渚蘋蒼梧恨不盡染淚在叢筠

王嗣奭曰臣望君不啻妻望夫蒼梧之恨不為夫人發也

祠南夕望

百丈牽江色孤舟泛日斜興來猶杖屨目斷更雲沙山鬼迷春竹湘娥倚暮花湖南清絶地萬古一長嗟

秀色中含老氣何景明之淵源也

歸雁

聞道今春雁南歸自廣州見花辭漲海避雪到羅浮是物關兵氣何時免客愁年年霜露隔不過五湖秋

黄生曰五六本屬結意却作中聯矯變異常

入喬口

漠漠舊京遠遲遲歸路賖殘年傍水國落日對春華樹蜜早蜂亂江泥輕燕斜賈生骨已朽悽惻近長沙

江閣對雨有懷行營裴二端公

南紀風濤壯陰晴屢不分野流行地日江入度山雲層閣憑雷殷長空面水文雨來銅柱北應洗伏波軍

千秋節有感二首

自罷千秋節頻傷八月來先朝常宴會壯觀已塵埃鳳紀編生日龍池塹劫灰湘川新涕淚秦樹遠樓臺寶鏡羣臣得金吾萬國迴衢尊不重飲白首獨餘哀

御氣雲樓敞含風綵仗高仙人張內樂王母獻宮桃羅襪紅蕖艷金羈白雪毛舞階銜壽酒走索背秋毫聖主他年貴邊心此日勞桂江流向北滿眼送波濤

極哀樂之情包理亂之故妙有含蓄

登舟將適漢陽

春宅棄汝去秋帆催客歸庭蔬尚在眼浦浪已吹衣生理飄蕩拙有心遲暮違中原戎馬盛遠道素書稀塞雁與時集檣烏終歲飛鹿門自此往永息漢陰機

舟中夜雪有懷盧十四侍御弟

朔風吹桂水朔雪夜紛紛暗度南樓月寒深北渚雲燭斜初近見舟重竟無聞不識山陰道聽鷄更憶君

遂為咏雪粉本賦物如此乃能使氣格超勝

黄生曰不摹雪之狀而寫雪之神此化工之筆

樓上

天地空搔首頻抽白玉簪皇輿三極北身事五湖南戀闕勞肝肺論才愧杞柟亂離難自救終是老湘潭

浦起龍曰聲情激越

送魏二十四司直充嶺南掌選崔郎中判官兼寄韋韶州

選曹分五嶺使者歷三湘才美膺推薦君行佐紀綱佳聲期共遠雅節在周防明白山濤鑒嫌疑陸賈裝故人湖外少春日嶺南長憑報韶州牧新詩昨寄將

忠告款款得古人贈言之義凡為使者當書紳佩之

燕子來舟中作

湖南為客動經春燕子銜泥兩度新舊入故園常識主如今社日遠看人可憐處處巢君室何異飄飄託此身暫語船檣還起去穿花落水益霑巾

盧世㴶曰此物連類有身世無窮之感却又一字不說出讀之但覺滿紙是淚

歸雁二首

萬里衡陽雁今年又北歸雙雙瞻客上一一背人飛雲裏相呼疾沙邊自宿稀繫書元浪語愁寂故山薇

欲雪違胡地先花別楚雲却過清渭影高起洞庭羣塞北春陰暮江南日色曛傷弓流落羽行斷不堪聞

楚調悽然深情無限

小寒食舟中作

佳辰強飯食猶寒隱几蕭條帶鶡冠春水船如天上坐老年花似霧中看娟娟戲蝶過閒幔片片輕鷗下急湍雲白山青萬餘里愁看直北是長安

黄庭堅曰船如天上坐人似鏡中行船如天上坐魚似鏡中懸此沈雲卿詩也老杜此詩第三句乃祖述佺期語次句蓋觸類而長之也

顧宸曰詩眼謂公詩多本沈語無一字無來歷余謂少陵所以獨立千古者不在有所本也讀書破萬卷

偶拈來即是耳詩三百篇豈必有所本哉

清明

此身飄泊苦西東右臂偏枯半耳聾寂寂繫舟雙下淚悠悠伏枕左書空十年蹴踘將雛遠萬里鞦韆習俗同旅雁上雲歸紫塞家人鑽火用青楓秦城樓閣煙花裏漢主山河錦繡中風水春來洞庭闊白蘋愁殺白頭翁

風致自足氣亦逸宕何可妄加訾議

發潭州

夜醉長沙酒曉行湘水春岸花飛送客檣燕語留人賈傅才殊有褚公書絶倫高名前後事迴首一傷神

楊慎丹鉛録以此頷聯為賈島逸句所本然在杜集亦尋常句耳如島輩非無警句而氣體寒餒以視李杜大家真類蟲吟草間矣

聞惠二過東溪特一送

惠子白駒瘦歸溪惟病身皇天無老眼空谷滯斯人崖蜜松花熟山杯竹葉新柴門了無事黃綺未稱臣

洪芻曰劉路左車言嘗收得唐人雜編詩册有老杜送惠二歸故居詩即此也

舟泛洞庭

蛟室圍青草龍堆擁白沙護江盤古木迎櫂舞神鴉破浪南風正收颿畏日斜雲山千萬疊底處上仙槎

一氣湧出筆筆老健非子美不能辦也

王直方曰此老杜過洞庭湖詩也潘淳云元豐中有人得此詩刻於洞庭湖中不載名氏以示山谷曰子

美作也今蜀本已收入

遣憂

亂離知又甚消息苦難真受諫無今日臨危憶古人紛紛乘白馬攘攘著黃巾隋氏留宮室焚燒何太頻

吴曾曰唐顧陶大中丙子歲編唐詩類選載此詩世所傳本杜集皆無之

巳酉聞收宮闕送班司馬入都

聞道收宗廟鳴鑾自陝歸傾都看黃屋正殿引朱衣劍

外春天遠巴西勅使稀念君經世亂匹馬向王畿

鄭繼之曰詩之妙處正在不必寫到真說到盡而其欲寫欲說者自宛然可想斯得風人之義此詩有不盡之興矣

去蜀

五載客蜀郡一年居梓州如何關塞阻轉作瀟湘遊世事已黃髮殘生隨白鷗安危大臣在不必淚長流

錢謙益曰二篇朝奉大夫員安宇所收

御選唐宋詩醇卷十八

欽定四庫全書

集部

御選唐宋詩醇 卷十九 二十

詳校官山東道御史臣溫常綬

總校官編修臣朱鈐

校對官中書臣柴模

謄録監生臣梅用調

欽定四庫全書

御選唐宋詩醇卷十九

太原白居易詩一

如白居易詩其源亦出於杜甫每一篇出士人傳誦雞林行賈古罕儷矣且夫居易豈徒以詩誠謇諤抗論不回中遭遠謫處之怡然牛李搆釁絕無依附不以媕婆逢時不以黨援干進不以坎壈顛躓而於邑無憀自非識力涵養有大

過人者安能進退綽有餘裕若是洎太和開成之後時事日非宦情愈淡唯以醉吟為事遂託於詩以自傳焉其與元微之書云志在兼濟行在獨善諷諭者意激而言質閒適者思澹而辭迂作詩指歸具見於此蓋根柢六義之旨而不失乎溫厚和平之意變杜甫之雄渾蒼勁而為流麗安詳不襲其面貌而得其神味者也而杜牧譏其纖艷淫媟非莊人雅士所為夫居易之莊雅孰與牧牧詩乃纖艷淫媟之尤者而反唇以譬居易乎宋祁據以立論抑亦惑之甚者冷齋夜話所載樂天每作詩令一老嫗解之解則錄之不解則又復易之亦屬附會之說不足深辯常考居易同時素相牴牾者莫如李德裕德裕每屏其詩不觀劉禹錫以為言德裕曰吾於斯人不足久矣覽之恐回吾心此正歐陽修所謂雖其怨家讐人不能少毀而掩蔽之者也茲集之選芟其體之重複詞之淺易者約存若干首全集佳篇殆盡於此

居易生平出處亦畧見於此彼耳食者或猶加詆毀焉韓愈不云乎蚍蜉撼大樹可笑不自量何損於香山居士歟

賀雨

皇帝嗣寶歷元和三年冬自冬及春暮不雨旱熯熯上心念下民懼歲成災凶遂下罪己詔殷勤告萬邦帝曰予一人繼天承祖宗憂勤不遑寧夙夜心忡忡元年誅劉闢一舉靖巴邛二年戮李錡不戰安江東顧惟眇眇

德據有巍巍功或者天降沴無乃儆予躬上思答天戒下思致時邕莫如率其身慈和與儉恭乃命罷進獻乃命賑饑窮宥死降五刑已責寬三農宮女出宣徽廐馬減飛龍廐政靡不舉皆出自宸衷奔騰道路人傴僂田野翁歡呼相告報感泣涕沾胷順人人心悅先天天意從詔下纔七日和氣生沖融凝為油油雲散作習習風晝夜三日雨淒淒復濛濛萬心春熙熙百穀青芃芃人變愁為喜歲易儉為豐乃知王者心憂樂與衆同皇天

與后土所感無不通冠珮何鏘鏘將相及王公蹈舞呼萬歲列賀明庭中小臣誠愚陋職忝金鑾宮稽首再三拜一言獻天聰君以明為聖臣以直為忠敢賀有其始亦顧有其終

皇帝嗣寶歷至皆出自宸衷歷叙遇災修省之政應天以實不以文也奔騰道路人至歲儉易為豐極形喜雨之情天人感召捷於影響也乃知王者心至末鋪陳賀雨之意而以願有其終結致規戒之詞焉史稱憲宗剛明果斷慨然發憤討平僭叛唐之威令幾於復振晩節信用非人不終其業蓋保治之難如此是詩情辭剴切忠愛藹然極有關係之作

汪立名曰按元和四年閏三月憲宗以久旱欲降德音公見詔節未詳即建言乞免江淮兩賦以救流瘠且多出宮人上悉從之制下而雨公集中有奏請加德音中節目二件狀已責乃用左傳晉悼公已責事謂止逋債也今本皆作責己誤

觀刈麥 自注時為盩厔縣尉

田家少閒月五月人倍忙夜來南風起小麥覆隴黃婦姑荷簞食童稚攜壺漿相隨餉田去丁壯在南岡足蒸暑土氣背灼炎天光力盡不知熱但惜夏日長復有貧婦人抱子在其傍右手秉遺穗左臂懸敝筐聽其相顧言聞者為悲傷家田輸稅盡拾此充饑腸今我何功德曾不事農桑吏祿三百石歲晏有餘糧念此私自愧盡日不能忘

力盡不知熱二句曲盡農家苦心恰是從旁看出貧婦一段悲惘更深𢈔夷中詩摹寫不到

雲居寺孤桐

一株青玉立千葉緑雲委亭亭五丈餘高意猶未已山僧年九十清淨老不死自云手種時一顆青桐子直從萌芽拔高自毫末始四面無附枝中心有通理寄言立身者孤直當如此

香山集中古體多以鋪叙暢達見長短篇則以含蓄蘊藉生姿此首短峭中殊有遠勢高意猶未已五字尤妙

　

問友

種蘭不種艾蘭生艾亦生根荄相交長莖葉相附榮香莖與臭葉日夜俱長大鋤艾恐傷蘭溉蘭恐滋艾蘭亦未能溉艾亦未能除沉吟意不決問君合何如

通首分三層一層一意妙有頓挫　短篇換韻音節亦古

燕詩示劉叟 并序

叟有愛子背叟逃去叟甚悲念之叟少年時亦嘗如是故作燕詩以諭之

梁上有雙燕翩翩雄與雌銜泥兩椽間一巢生四兒四兒日夜長索食聲孜孜青蟲不易捕黄口無飽期觜爪雖欲弊心力不知疲須臾十往來猶恐巢中饑辛勤三十日母瘦雛漸肥喃喃教言語一一刷毛衣一旦羽翼成引上庭樹枝舉翅不回顧隨風四散飛雌雄空中鳴聲盡呼不歸却入空巢裏啁啾終夜悲燕燕爾勿悲爾

　

當返自思思爾為雛日高飛背母時當時父母念今日爾應知

極尋常語却有關風化足以警世老嫗皆知政謂此也

杏園中棗樹

人言百果中唯棗凡且鄙皮皴似龜手葉小如鼠耳胡為不自知生花此園裏豈宜遇攀翫幸免遭傷毁二月曲江頭雜英紅旖旎棗亦在其間如嫫對西子東風不擇木吹煦長未已眼看欲合抱得盡生生理寄信遊春

客乞君一迴視君愛繞指柔從君怜栁杞君求悅目豔不敢爭桃李君若作大車輪軸材須此

放魚 自注自此後詩到江州作

曉日提竹籃家童買春蔬青青芹蕨下疊卧雙白魚無聲但呀呀以氣相喣濡傾籃寫地上撥剌長尺餘豈唯刀机憂坐見螻蟻圖脫泉雖已久得水猶可蘇放之小池中且用救乾枯水小池窄狹動尾觸四隅一時幸苟活久遠將何如憐其不得所移放於南湖南湖連西江

好去勿踟躕施恩即望報吾非斯人徒不須泥沙底辛苦覓明珠

施恩即望報四語小中見大蘇軾和潛師友魚詩意本此

文柏牀

陵上有老柏柯葉寒蒼蒼朝為風煙樹暮為宴寢牀以其多奇文宜升君子堂刮削露節目拂拭生輝光元斑狀貍首素質如截肪雖充悅目翫終乏周身防華彩誠可愛生理苦已傷方知自殘者為有好文章

時貶江洲隱然有自傷之意方知自殘者為有好文章即杜甫古栢行之意而反用之

秦中吟十首 并序

貞元元和之際余在長安聞見之間有足悲者因直歌其事命為秦中吟

議婚

天下無正聲悅耳即為娛人間無正色悅目即為姝顏

色非相遠貧富則有殊貧為時所棄富為時所趨紅樓富家女金縷繡羅襦見人不斂手嬌癡二八初母兄未開口已嫁不須臾綠窗貧家女寂寞二十餘荊釵不直錢衣上無真珠幾迴人欲聘臨日又踟躕主人會良媒置酒滿玉壺四座且勿飲聽我歌兩途富家女易嫁嫁早輕其夫貧家女難嫁嫁晚孝於姑聞君欲娶婦娶婦意何如

重賦

厚地植桑麻所要濟生民生民理布帛所求活一身身外充征賦上以奉君親國家定兩税本意在憂人厥初防其淫明勅内外臣税外加一物皆以枉法論奈何歲月久貪吏得因循浚我以求寵斂索無冬春織絹未成匹繰絲未盈斤里胥迫我納不許蹔逡巡歲暮天地閉陰風生破村夜深烟火盡霰雪白紛紛幼者形不蔽老者體無溫悲喘與寒氣併入鼻中辛昨日輸殘税因窺官庫門繒帛如山積絲絮似雲屯號為羨餘物隨月獻

至尊奪我身上暖買爾眼前恩進入瓊林庫歲久化為塵

通達治體故於時政源流利弊言之了然其沉著處令讀者酸鼻杜甫石壕吏之嗣音也

傷宅

誰家起甲第朱門大道邊豐屋中櫛比高墻外迴環纍纍六七堂棟宇相連延一堂費百萬鬱鬱起青烟洞房溫且清寒暑不能干高堂虛且迥坐卧見南山繞廊紫藤架夾砌紅藥欄攀枝摘櫻桃帶花移牡丹主人此中坐十載為大官廚有臭敗肉庫有貫朽錢誰能將我語問爾骨肉間豈無窮賤者忍不救饑寒如何奉一身直欲保千年不見馬家宅今作奉誠園

唐書曰馬燧子暢終少府監諸子無室廬自託奉誠園亭觀即其安邑里舊第云

桂苑叢談曰馬暢以第中大杏餽中人竇文場文場以進德宗德宗未嘗見頗怪暢因令中使就封其樹暢懼進宅廢為奉誠園

傷友

陋巷孤寒士出門苦恓恓雖云志氣高豈免顏色低平生同門友通籍在金閨曩者膠漆契邇來雲雨睽正逢下朝歸軒騎五門西是時天久陰三日雨淒淒寒驢避路立肥馬當風嘶迴頭忘相識占道上沙堤昔年洛陽社貧賤相提攜今日長安道對面隔雲泥近日多如此非君獨慘悽死生不變者唯聞任與黎自注任公叔黎逢

是時天久陰六句摹寫炎涼之況真是不堪近日多如此又拓開一層寄慨益深

不致仕

七十而致仕禮法有明文何乃貪榮者斯言如不聞可憐八九十齒墮雙眸昏朝露貪名利夕陽憂子孫掛冠顧翠緌懸車惜朱輪金章腰不勝傴僂入君門誰不愛富貴誰不戀君恩年高須告老名遂合退身少時共嗤誚晚歲多因循賢哉漢二疏彼獨是何人寂寞東門路

無人繼去塵

朝露貪名利二句入之淵明集中幾無以辨或謂樂天淺易豈其然乎

汪立名曰按八朝偶雋元和初杜佑為司徒年過七十猶未請老裴晋公時知制誥因髙郢致仕令詞曰以年致仕抑有前聞近代寡廉罕由斯道蓋譏佑也公詩所指當與裴同

立碑

勳德既下衰文章亦陵夷但見山中石立作路旁碑銘勳悉太公叙德皆仲尼復以多為貴千言直萬貲為文彼何人想見下筆時但欲愚者悅不思賢者嗤豈獨賢者嗤仍傳後代疑古石蒼苔字安知是愧詞我聞望江縣麴令撫惸嫠（自注：麴令名信陵）在官有仁政名不聞京師身殁欲歸葬百姓遮路岐攀轅不得歸留葬此江湄至今道其名男女涕皆垂無人立碑碣唯有邑人知

汪立名曰按麴信陵貞元元年鮑防榜下及第以六

年作望江令其投石祝江祈雨文云必也私欲之求行於邑里慘黷之政施於黎元令長之罪也神得而誅之豈可移於人以害其歲其為政蓋可想見矣

輕肥

意氣驕滿路鞍馬光照塵借問何為者人稱是內臣朱紱皆大夫紫綬或將軍誇赴軍中宴走馬去如雲尊罍溢九醖水陸羅八珍果擘洞庭橘膾切天池鱗食飽心自若酒酣氣益振是歲江南旱衢州人食人

結句斗絕有一落千丈之勢

五弦

清歌且罷唱紅袂亦停舞趙叟抱五弦宛轉當胷撫大聲麤若散颯颯風和雨小聲細欲絶切切鬼神語又如鵲報喜轉作猿啼苦十指無定音顛倒宫徵羽坐客聞此聲形神若無主行客聞此聲駐足不能舉嗟嗟俗人耳好今不好古所以綠窗琴日日生塵土

歌舞

秦城歲云暮大雪滿皇州雪中退朝者朱紫盡公侯貴有風雪興富無饑寒憂所營唯第宅所務在追遊朱門車馬客紅燭歌舞樓歡酣促密坐醉暖脫重裘秋官為主人廷尉居上頭日中為一樂夜半不能休豈知閿鄉獄中有凍死囚

買花

帝城春欲暮喧喧車馬度共道牡丹時相隨買花去貴賤無常價酬直看花數灼灼百朵紅戔戔五束素上張幄幕庇旁織巴籬護水洒復泥封移來色如故家家習為俗人人迷不悟有一田舍翁偶來買花處低頭獨長歎此歎無人諭一叢深色花十户中人賦

結語即漢文惜造露臺意

馮班曰白公諷刺詩周詳明直娓娓動人自創一體古人無是也凡諷諭之文欲得其隱使言者無罪聞者足戒白公盡而露其妙處正在周詳讀之動人此亦出於小雅也

和答詩十首 録四首

五年春微之從東臺來不數日又左轉為江陵士曹掾詔下日會予下内直歸而微之已即路邂逅相遇於街衢中自永壽寺南抵新昌里北得馬上話别語不過相勉保方寸外形骸而已因不暇及他是夕足下次於山北寺僕職役不得去命季弟送行且奉新詩一軸致於執事凡二十章率有興比淫文豔韻無一字馬意者欲足下在途諷讀且以遣日時消憂懣

又有以張直氣而扶壯心也及足下到江陵寄在路所為詩十七章凡五六千言言有為章有旨迫於宮律體裁皆得作者風發緘開卷且喜且怪僕思牛僧孺戒不能示他人唯與杓直拒非及樊宗師輩三四人時一吟讀心甚貴重然竊思之豈僕所奉者二十章遽能開足下聰明使之然耶抑又不知足下是行也天將屈足下之道激足下之心使感時發憤而臻於此耶若兩不然者何立意措辭與足下前時詩如此之相遠也僕既羨足下詩又憐足下心盡欲引狂

簡而和之屬直宿拘牽居無暇日故不即時如意旬月來多乞病假假中稍閒且摘卷中尤者繼成十章亦不下三千言其間所見同者固不能自異異者亦不能强同同者謂之和異者謂之荅并别錄和夢遊春詩一章各附於本篇之末餘未和者亦續致之頃者在科試間常與足下同筆硯每下筆時輙相顧共患其意太切而理太周故理太周則辭繁意太切則言激然與足下為文所長在於此所病亦在於此足下來序果有辭犯文繁之說今僕所和者猶前病也待與足下相見日各引所作稍删其繁而晦其義焉餘具書白

和陽城驛

商山陽城驛中有歎者誰云是元監察江陵謫去時忽見此驛名良久涕欲垂何故陽道州名姓同於斯憐君一寸心寵辱誓不移疾惡若巷伯好賢如緇衣沉吟不

能去意者欲改為改為避賢驛大署於門楣荆人愛羊祜戶曹改為辭一字不忍道况兼姓呼之因題八百言言直文甚奇詩成寄與我鏗若金和絲上言陽公行友悌無等夷骨肉同衾裯至死不相離次言陽公迹夏邑始棲遲鄉人化其風少長皆孝慈次言陽公道終日對酒巵兄弟笑相顧醉貌紅怡怡次言陽公節謇謇居諫司誓心除國蠧決死犯天威終言陽公命左遷天一涯道州炎瘴地身不得生歸一一皆實録事事無孑遺凡

是為善者聞之惻然悲道州既已矣往者不可追何世無其人來者亦可思願以君子文告彼大樂師附於雅歌末奏之白玉墀天子聞此章教化如法施直諫從如流佞臣惡如疵宰相聞此章政柄端正持進賢不知倦去邪勿復疑憲臣聞此章不忍縱詭隨然後告史氏舊史有前規若作陽公傳欲令後世知不勞叙世家不用費文辭但使國史上全録元稹詩

此詩分兩大段看商山陽城驛至事事無孑遺詳叙元詩凡是為善者至末賛嘆之中自攄胸臆中有所感借題發揮正合緇衣好賢之旨不以理太周而辭繁為嫌也

答桐花

山木多蓊鬱兹桐獨亭亭葉重碧雲片花簇紫霞英是時三月天春暖山雨晴夜色向月殘暗香隨風輕行者多商賈居者悉黎氓無人解賞愛有客獨屏營手攀花枝立足蹋花影行生憐不得所死欲揚其聲截為天子琴刻作古人形云待我成器薦之於穆清誠是君子心恐非草木情胡為愛其華而反傷其生老龜被刳腸不如無神靈雄雞自斷尾不願為犧牲況此好顏色花紫葉青青宜遂天地性忍加刀斧刑我思五丁力拔入九重城當君正殿栽花葉生光晶上對月中桂下覆堦前蓂汎拂香爐煙隱映斧藻屏為君布緑陰當暑蔭軒楹沉沉緑滿地桃李不敢爭為君發清韻風來如叩瓊冷聲滿耳鄭衛不足聽受君封植力不獨吐芬馨助君行春令開花應清明受君雨露恩不獨含芳榮戒君無戲言剪葉封弟兄受君歲月功不獨資生成為君長高枝鳳凰上頭鳴一鳴君萬歲壽如山不傾再鳴萬人泰階為之平如何有此用幽滯在巖坰歲月不爾駐孤芳坐凋零請向桐枝上為余題姓名待余有勢力移爾獻丹庭

元詩中有爾生不得所我願裁為琴安置君王側調和元首音之句此詩前段命意相似所謂同者不能自異

也我思五丁力以下推廣言之故聲大作所謂異者不能強同也詞意本之杜甫入蜀鳳凰臺一章然彼以淒涼激楚勝此則纏綿濃至一唱三嘆可知居易非無意用世者惜施用施黜不獲竟其才耳

答四皓廟

天下有道見無道卷懷之此乃聖人語吾聞諸仲尼嶠嶠四先生同稟希世資隨時有顯晦秉道無磷緇秦皇肆暴虐二世遘亂離先生相隨去商嶺採紫芝君看秦

獄中戮辱者李斯劉項爭天下謀臣竟悅隨先生如鸞鶴去入冥冥飛君看齊鼎中燋爛者酈其子房得沛公自謂相遇遲八難掉舌樞三界役心機辛苦十數年晝夜形神疲竟雜霸者道徒稱帝者師子房爾則能此非吾所宜漢高之季年嬖寵鍾所私冢嫡欲廢奪骨肉相憂疑豈無子房口口舌無所施亦有陳平心心計將何為皤皤四先生高冠危映眉從容下南山顧眄入東闈前瞻惠太子左右生羽儀卻顧戚夫人楚舞無光輝心不畫一計口不吐一詞暗定天下本遂安劉氏危子房吾則能此非爾所知先生道既光太子禮甚卑安車留不住功成棄如遺如彼旱天雲一雨百穀滋澤則在天下雲復歸希夷勿高巢與由勿尚呂與伊巢由往不返伊呂去不歸豈如四先生出處兩逶迤何必長隱逸何必長濟時由來聖人道無朕不可窺卷之不盈握舒之亘八陲先生道甚明夫子猶或非願子辨其惑為子吟此詩

元詩責四皓定惠帝以釀呂氏之禍此事後之論未免過苛假令當年廢長立愛如意嗣位所恃以託孤者獨一周昌耳絳灌諸人未必帖然心服且產祿輩根蒂深固呂雉攜患益急保無意外之變耶居易駁之自是正論起引孔子語末又歸到聖人之道前後照應中間以子房作陪蓋當劉項逐鹿之時羣雄擾擾皆功名之士子房獨具入道之姿其傑出者也借賓定主身分愈高隨手帶出陳平則賓中賓也末又以伊呂巢由作襯議

論瀾翻不竭全是以作文法行之直可當一篇四皓論讀

和雉媒

吟君雉媒什一哂復一歎和之一何晚今日乃成篇豈唯鳥有之抑亦人復然張陳刎頸交竟以勢不完至今不平氣塞絶泜水源趙襄骨肉親亦以利相殘至今不善名高於磨笄山况此籠中雉志在飲啄間稻粱暫入口性已隨人遷身苦亦自忘同族何足言但恨為媒拙

不足以自全歎君今日後養鳥養青鸞青鸞一失侶至死守孤單勸君今日後結客結任安主人賓客去獨住在門闌

正意多喻意少言下竦然驚心動魄

御選唐宋詩醇卷十九

欽定四庫全書

御選唐宋詩醇卷二十

太原白居易詩二

新樂府 并序 自注元和四年為左拾遺時作

序曰凡九千二百五十二言斷爲五十篇篇無定句句無定字繫於意不繫於文首句標其目卒章顯其志詩三百之義也其辭質而徑欲見之者易諭也其言直而切欲聞之者深誡也其事覈而實使采之者

信也其體順而律可以播於樂章歌曲也總而言之爲君爲臣爲民爲物爲事而作不爲文而作也

七德舞 美撥亂陳王業也 自注武德中天子始作秦王破陳樂以歌太宗之功業貞觀初太宗重制破陳樂舞圖詔魏徵虞世南等爲之歌詞名七德舞自龍朔已後詔郊廟享宴皆先奏之

七德舞七德歌傳自武德至元和元和小臣白居易觀舞聽歌知樂意樂終稽首陳其事太宗十八舉義兵白旄黃鉞定兩京擒充戮竇四海清二十有四功業成二

十有九郎帝位三十有五致太平功成理定何神速速
在推心置人腹亡卒遺骸散帛收饑人賣子分金贖魏
徵夢見子夜泣張謹哀聞辰日哭怨女三千放出宮死
囚四百來歸獄剪鬚燒藥賜功臣李勣嗚咽思殺身含
血吮瘡撫戰士思摩奮呼乞効死則知不獨善戰善乘
時以心感人人心歸爾來一百九十載天下至今歌舞
之歌七德舞七德聖人有作垂無極豈徒耀神武豈徒
誇聖文太宗意在陳王業王業艱難示子孫

五十首以此起體裁極合大雅原周受命之由而必本
之文王以明王業之所由興唐之受命始於高祖而開
王業者則太宗之功大意歸重在得人心人心之歸王
業之本也亡卒遺骸散帛收十句皆得人心之實事鋪
陳詳贍詞旨莊雅琅琅可誦

雞肋集曰予幼時讀太平廣記見唐太宗遺蕭翼購
蘭亭叙事蓋譎以出之輒歎息曰蘭亭叙若是貴邪
至使萬乘之主損信於匹夫傳稱子貢詐而存魯弦
高誕而存鄭遺一言之細建二國之業猶不可以為
常以太宗之賢巍巍乎近古所無奈何溺小者好而
輕喪其所常之寶異於得原失信不圍而去矣晚多
閑居頗屏世好獨於古人筆墨之遺愛而不能置因
誦白居易七德歌曰功成理定何神速速在推心置
人腹怨女三千放出宮死囚四百來歸獄歎曰太宗
以一旅取天下惟信耳夫不吝三千女而放出宮自
信也不約四百囚而來歸獄人信也晉捨原何足道

哉

宋名臣言行錄曰太宗語侍臣曰朕何如唐太宗左
右互辭以賛獨李昉無他言微誦七德舞詞曰怨女
三千放出宮死囚四百來歸獄上聞之遽興曰朕不
及朕不及卿言警朕矣

海漫漫　戒求仙也

海漫漫直下無底旁無邊雲濤煙浪最深處人傳中有
三神山山上多生不死藥服之羽化為天仙秦皇漢武

信此語方士年年采藥去蓬萊今古但聞名煙水茫茫無覓處海漫漫風浩浩眼穿不見蓬萊島不見蓬萊不敢歸童男丱女舟中老徐福文成多誑誕上元太乙虛祈禱君看驪山頂上茂陵頭畢竟悲風吹蔓草何況元元聖祖五千言不言藥不言仙不言白日昇青天

神仙之說世主多為所惑而方士因得乘其蔽而中之史策所垂足為炯戒憲宗不悟服柳泌金丹致殞此詩作於元和初想爾時已有先見耶唐室崇奉老子一結借矛攻盾極其警快

立部伎　刺雅樂之替也　自注太常選坐部伎無性識者退入立部伎又選立部伎絕無性識者退入雅樂部則雅樂之聲可知矣

立部伎鼓笛諠雙舞劍跳七丸嫋巨索掉長竿太常部伎有等級堂上者坐堂下立堂上坐部笙歌清堂下立部鼓笛鳴笙歌一聲衆側耳鼓笛萬曲無人聽立部賤坐部貴坐部退為立部伎擊鼓吹笙和雜戲立部又退何所任始就樂懸操雅音雅音替壞一至此長令爾輩調宮徵圓丘后土郊祀時言將此樂感神祇欲望鳳來百獸舞何異北轅將適楚工師愚賤安足云太常三卿爾何人

上陽白髮人　愍怨曠也　自注天寶五載已後楊貴妃專寵後宮人無復進幸矣六宮有美色者輒置別所上陽是其一也貞元中尚存焉

上陽人紅顏暗老白髮新綠衣監使守宮門一閉上陽多少春元宗末歲初選入入時十六今六十同時采擇百餘人零落年深殘此身憶昔吞悲別親族扶入車中

不教哭皆云入內便承恩臉似芙蓉胸似玉未容君王得見面已被楊妃遙側目妬令潛配上陽宮一生遂向空房宿宿空房秋夜長夜長無寐天不明耿耿殘燈背壁影蕭蕭暗雨打窗聲春日遲日遲獨坐天難暮宮鶯百囀愁厭聞梁燕雙棲老休妬鶯歸燕去長悄然春往秋來不記年唯向深宮望明月東西四五百迴圓今日宮中年最老大家遙賜尚書號小頭鞵履窄衣裳青黛點眉眉細長外人不見見應笑天寶末年時世妝上陽

人苦最多少亦苦老亦苦少苦老苦兩如何君不見昔
時呂尚美人賦又不見今日上陽宮人白髮歌

新豐折臂翁　戒邊功也

新豐老翁八十八頭鬢眉鬚皆似雪元孫扶向店前行
左臂憑肩右臂折問翁臂折來幾年兼問致折何因緣
翁云貫屬新豐縣生逢聖代無征戰慣聽梨園歌管聲
不識旗槍與弓箭無何天寶大徵兵户有三丁點一丁
點得驅將何處去五月萬里雲南行聞道雲南有瀘水

椒花落時瘴烟起大軍徒涉水如湯未過十人二三死
村南村北哭聲哀兒别爺孃夫别妻皆云前後征蠻者
千萬人行無一回是時翁年二十四兵部牒中有名字
夜深不敢使人知偷將大石槌折臂張弓簸旗俱不堪
從茲始免征雲南骨碎筋傷非不苦且圖揀退歸鄉土
此臂折來六十年一肢雖廢一身全至今風雨陰寒夜
直到天明痛不眠痛不眠終不悔且喜老身今獨在不
然當時瀘水頭身死魂孤骨不收應作雲南望鄉鬼萬
人冢上哭呦呦老人言君聽取君不聞開元宰相宋開
府不賞邊功防黷武又不聞天寶宰相楊國忠欲求恩
幸立邊功邊功未立生人怨請問新豐折臂翁

大意亦本之杜甫兵車行前後出塞等篇借老翁口中
說出便不傷於直遂促促刺刺如聞其聲而窮兵黷武
之禍不待言矣末又以宋璟楊國忠比勘開元天寶治
亂之機具分於此前事不忘後事之師也可謂詩史

司天臺　引古以儆今也

司天臺仰觀俯察天人際羲和死來職事廢官不求賢
空取藝昔聞西漢元成間下陵上替謫見天北辰微暗
少光色四星煌煌如火赤耀芒動角射三台上台半滅
中台折是時非無太史官眼見心知不敢言明朝趨入
明光殿唯奏慶雲壽星見天文時變兩如斯九重天子
不得知不得知安用臺高百尺為

捕蝗　刺長吏也

捕蝗捕蝗誰家子天熱日長饑欲死興元兵後傷陰陽

和氣蠱蠹化為蝗始自兩河及三輔荐食如蠶飛似雨
雨飛蠶食千里間不見青苗空赤土河南長吏言憂農
課人晝夜捕蝗蟲是時粟斗錢三百蝗蟲之價與粟同
捕蝗捕蝗竟何利徒使饑人重勞費一蝗雖死百蝗來
豈將人力勝天災我聞古之良吏有善政以政驅蝗蝗
出境又聞貞觀之初道欲昌文皇仰天吞一蝗一人有
慶兆民賴是歲雖蝗不為害

姚崇之法至今重之固將以人力救天災也詩意不主

捕蝗正以有向上一層在

昆明春　思王澤之廣被也　自注貞元中始漲泛

昆明春昆明春春池岸古春流新影浸南山青滉瀁波
沉西日紅奫淪往年因旱池枯竭龜尾曳塗魚喣沫詔
開八水注恩波千介萬鱗同日活今來淨淥水照天遊
魚鱍鱍蓮田田洲香杜若抽心短沙暖鴛鴦鋪翅眠動
植飛沉皆性遂皇澤如春無不被漁者仍豐網罟資貧
人久獲菰蒲利詔以昆明近帝城官家不得收其征菰
蒲無租魚無稅近水之人感君惠感君惠獨何人吾聞
率土皆王民遠民何疎近何親願推此惠及天下無遠
無近同忻忻吳興山中罷榷茗鄱陽坑裏休封銀天涯
地角無禁利熙熙同似昆明春

城鹽州　美聖謨而誚邊將也　自注貞元壬申歲特詔城之

城鹽州城鹽州城在五原原上頭蕃東節度鉢闡布忽
見新城當要路金鳥飛傳贊普聞建牙傳箭集羣臣君
臣頳面有憂色皆言勿謂唐無人自築鹽州十餘載左

衽氊裘不犯塞晝牧牛羊夜捉生長去新城百里外諸
邊急警勞戍人唯此一道無煙塵靈夏潛安誰復辨秦
原暗通何處見鄜州驛路好馬來長安藥肆黃耆賤城
鹽州鹽州未城天子憂德宗按圖自定計非關將略與
廟謀吾聞高宗中宗世北虜猖狂最難制韓公創築受
降城三城鼎峙屯漢兵東西亘絕數千里耳冷不聞胡
馬聲如今邊將非無策心笑韓公築城壁相看養寇為
身謀各握強兵固恩澤願分今日邊將恩褒贈韓公封

子孫誰能將此鹽州曲翻作歌詞聞至尊

按新唐書吐蕃傳白虜得鹽州塞防無以障過而靈武單露鄜坊侵迫冦日以驕數入為邊患貞元八年帝詔城之九年訖功而虜兵不出嗣後韋皐等屢破其兵取新城拔末恭顙二城禽其將乞悉莽獻京師迨憲宗初遣使修好朝貢歲入鉢闡布者虜浮屠豫國事者也金鳥飛傳者虜曰飛鳥猶傳騎也詩中敘事源委井然末又插入張仁愿築受降城事為當時邊將擁兵玩冦者

警也

道州民　美臣遇明主也

道州民多侏儒長者不過三尺餘市作矮奴年進奉號為道州任土貢任土貢寧若斯不聞使人生別離老翁哭孫母哭兒一自陽城來守郡不進矮奴頻詔問城云臣按六典書任土貢有不貢無道州水土所生者只有矮民無矮奴吾君感悟璽書下歲貢矮奴宜悉罷道州民老者幼者何欣欣父兄子弟始相保從此得作良人身道州民民到於今受其賜欲說使君先下淚仍恐兒孫忘使君生男多以陽為字

詔書何可違也正言之不可遜辭以謝之而民被其澤矣入情入理解人不當如是耶宋鮮于侁不散青苗錢亦同此意

蠻子朝　刺將驕而相備位也

蠻子朝汎皮船兮渡繩橋來自巂州道路遥入界先經蜀川過蜀將收功先表賀臣聞雲南六詔蠻東連牂牁

西連蕃六詔星居初瑣碎合為一詔漸強大開元皇帝雖聖神唯蠻倔強不來賓鮮于仲通六萬卒征蠻一陳全軍沒至今西洱河岸邊箭孔刀痕滿枯骨誰知今日慕華風不勞一人蠻自通誠由陛下休明德亦賴微臣誘諭功德宗省表知如此笑令中使迎蠻子蠻子道從者誰何摩挲俗羽雙隈伽清平官持赤藤杖大將軍繫金呿嗟異牟尋男尋閤勸特勑召對延英殿上心貴在懷遠蠻引臨玉座近天顔冕旒不垂親勞倈賜衣賜食

移時對移時對不可得大臣相看有羞色可憐宰相拖紫佩金章朝日唯聞對一刻

自鮮于仲通李宓構兵南詔喪師匱財西南無寧歲韋皐經畧十餘年僅能服之而中國之力已殫矣元微之詩云自居劇鎮無他績幸得蠻來固恩寵蓋刺皐也此詩命意畧同誠由陛下休明德二句寫出藩臣驕蹇之狀宰相備位尾大不掉唐室卒以不振矣

新唐書南蠻傳南詔官曰清平官所以決國事輕重

猶唐宰相也大將軍十二與清平官等列曹長以降繫金佉苴佉苴韋帶也按呿嗟與佉苴同大將軍恐是大將軍之訛

驃國樂　欲王化之先邇後遠也　貞元十七年來獻之

驃國樂驃國樂出自大海西南角雍羌之子舒難陁來獻南音奉正朔德宗立仗御紫庭黈纊不塞爲爾聽玉螺一吹椎髻聳銅鼓一擊文身踴珠纓炫轉星宿揺花鬘斗藪龍蛇動曲終王子啓聖人臣父願爲唐外臣左右歡呼何翕習至尊德廣之所及須臾百辟詣閤門俯伏拜表賀至尊伏見驃人獻新樂請書國史傳子孫時有擊壤老農父暗測君心閑獨語聞君政化甚聖明欲感人心致太平感人在近不在遠太平由實非由聲觀身理國國可濟君如心兮民如體體生疾苦心憯悽民得和平君愷悌貞元之民若未安驃樂雖聞君不歡貞元之民苟無病驃樂不來君亦聖驃樂驃樂徒喧喧不如聞此芻蕘言

新唐書南蠻傳驃古朱波也在永昌南二千里貞元

中王雍羌聞南詔歸唐有內附心遣弟悉利移城主舒難陁獻其國樂至成都韋皐譜次其聲以其舞容樂器異常乃圖畫以獻其樂五譯而至德宗授舒難陁太僕卿遣還開州刺史唐次述驃國獻樂頌以獻按詩中舒難陁作永羌之子與唐書異

縛戎人　達窮民之情也

縛戎人縛戎人耳穿面破驅入秦天子矜憐不忍殺詔

往東南吳與越黃衣小使錄姓名領出長安乘遞行身被金創面多瘡扶病徒行日一驛朝飡饑渴費杯盤夜卧腥臊汚牀席忽逢江水憶交河垂手齊聲鳴咽歌其中一虜語諸虜爾苦非多我苦多同伴行人因借問欲說喉中氣憤憤自云鄉管本涼原大歷年中没落蕃一落蕃中四十載遣著皮裘繫毛帶唯許正朝服漢儀斂衣整巾潛淚垂誓心密定歸鄉計不使蕃中妻子知暗思幸有殘筋力更恐年衰歸不得蕃候嚴兵鳥不飛脫

身冒死奔逃歸晝伏宵行經大漠雲陰月黑風沙惡驚藏青冢寒草踈偷渡黃河夜氷薄忽聞漢軍鼙鼓聲路旁走出再拜迎游騎不聽能漢語將軍遂縛作蕃生配向東南卑濕地定無存郵空防備念此天聲仰訴吞若爲辛苦度殘年涼原鄉井不得見胡地妻兒虚棄捐没蕃被囚思漢土歸漢被刼爲蕃虜早知如此悔歸來兩地寧如一處苦縛戎人戎人之中我苦辛自古此寃應未有漢心漢語吐蕃身

邊將冒功之狀無辜被俘之情曲曲傳出結語尤令人失笑

元微之詩自注云近制西邊每擒蕃人例皆傳置南方不加勦戮

驪宮高　美天子重惜人之財力也

高高驪山上有宫朱樓紫殿三四重遲遲兮春日玉甃煖兮温泉溢嫋嫋兮秋風山蟬鳴兮宫樹紅翠華不來兮歲月久牆有衣兮瓦有松吾君在位已五載何不一

幸乎其中西去都門幾多地吾君不遊有深意一人出兮不容易六宫從兮百司備八十一車千萬騎朝有宴飫暮有賜中人之産數百家未足充君一日費吾君脩己人不知不自逸兮不自嬉吾君愛人人不識不傷財兮不傷力驪宫高兮高入雲君之來兮爲一身君之不來兮爲萬人

格調摹騷氣特婉約

百鍊鏡　辨皇王鑒也

百鍊鏡鎔範非常規日辰處所靈且祇江心波上舟中鑄五月五日日午時瓊粉金膏磨瑩已化爲一片秋潭水鏡成將獻蓬萊宮揚州長吏手自封人間臣妾不合照背有九五飛天龍人人呼爲天子鏡我有一言聞太宗太宗常以人爲鏡鑒古鑒今不鑒容四海安危居掌内百王治亂懸心中乃知天子别有鏡不是揚州百鍊銅

青石　激忠烈也

青石出自藍田山兼車運載來長安工人磨琢欲何用石不能言我代言不願作人家墓前神道碣墳土未乾名已滅不願作官家道傍德政碑不鐫實錄鐫虛辭願爲段氏顏氏碑雕鏤太尉與太師刻此兩片堅貞質狀彼二人忠烈姿義心如石屹不轉死節如石確不移如觀奮擊朱泚日似見叱呵希烈時各於其上題名謚一置高山一沉水陵谷雖遷碑獨存骨化爲塵名不死長使不忠不烈臣觀碑改節慕爲人慕爲人勸事君

石不能言我代言發端奇特後半表出二人寫得凛凛有生氣不忠不烈者讀之故應汗下

西涼伎　刺封疆之臣也

西涼伎假面胡人假獅子刻木爲頭絲作尾金鍍眼睛銀帖齒奮迅毛衣擺雙耳如從流沙來萬里紫髯深目兩胡兒鼓舞跳梁前致辭應似涼州未陷日安西都護進來時須臾云得新消息安西路絶歸不得泣向獅子涕雙垂涼州陷沒知不知獅子回頭向西望哀吼一聲觀者悲貞元邊將愛此曲醉坐笑看看不足娛賓犒士宴監軍獅子胡兒長在目有一征夫年七十見弄涼州低面泣泣罷斂手白將軍主憂臣辱昔所聞自從天寶兵戈起犬戎日夜吞西鄙涼州陷來四十年河隴侵將七千里平時安西萬里疆今日邊防在鳳翔緣邊空屯十萬卒飽食溫衣閑過日遺民腸斷在涼州將卒相看無意收天子每思常痛惜將軍欲說合慚羞奈何仍看西涼伎取笑資歡無所媿縱無智力未能收忍取西涼

美爲戲

前半叙事却插入應似涼州未陷日二句所謂橫空盤硬也涼州陷來四十年四句與前相映筆力排奡彷彿似杜結處仍是香山本色

八駿圖　誡奇物懲佚游也

穆王八駿天馬駒後人愛之寫爲圖背如龍兮頸如象骨竦筋高脂肉壯日行萬里疾如飛穆王獨乘何所之四荒八極踏欲遍三十二蹄無歇時屬車軸折趁不及

黄屋草生棄若遺瑤池西赴王母宴七廟經年不親薦璧臺南與盛姬遊明堂不復朝諸侯白雲黄竹歌聲動一人荒樂萬人愁周從后稷至文武積德累功世勤苦豈知纔及四代孫心輕王業如灰土由來尤物不在大能蕩君心即爲害文帝却之不肯乘千里馬去漢道興穆王得之不爲戒八駿駒來周室壞至今此物尚稱珍不知房星之精下爲怪八駿圖君莫愛

澗底松　念寒儁也

有松百尺大十圍生在澗底寒且卑澗深山險人路絶老死不逢工度之天子明堂欠梁木此求彼有兩不知誰諭蒼蒼造物意但與之材不與地金張世禄原憲貧牛衣寒賤貂蟬貴貂蟬與牛衣高下雖有殊高者未必賢下者未必愚君不見沉沉海底生珊瑚歷歷天上種白榆

松是喻意金張原憲是正意一結仍用喻意比擬恰合原憲貧或作黄憲賢者誤黄憲爲牛醫兒與牛衣無

涉

牡丹芳　美天子憂農

牡丹芳牡丹芳黄金蘂綻紅玉房千片赤英霞爛爛百枝絳點燈煌煌照地初開錦繡段當風不結蘭麝囊仙人琪樹白無色王母桃花小不香宿露輕盈汎紫豔朝陽照耀生紅光紅紫二色間深淺向背萬態隨低昂映葉多情隱羞面卧叢無力含醉妝低嬌笑容疑掩口凝思怨人如斷腸穠姿貴彩信奇絶雜卉亂花無比方石

竹金錢何細碎芙蓉芍藥苦尋常遂使王公與卿相遊花冠蓋日相望庳車軟轝貴公主香衫細馬豪家郎衛公宅靜閉東院西明寺深開北廊戲蝶雙舞看人久殘鶯一聲春日長共愁日照芳難駐仍張帷幕垂陰涼花開花落二十日一城之人皆若狂三代以還文勝質人心重華不重實重華直至牡丹芳其來有漸非今日元和天子憂農桑恤下動天天降祥去歲嘉禾生九穗田中寂莫無人至今日瑞麥分兩岐君心獨喜無人知無人知可歎息我願暫求造化力減卻牡丹妖艷色少迴卿士愛花心同似吾君憂稼穡

極寫牡丹之穠麗忽接三代以還文勝質四句迂腐語聳然奪目下乃接元和天子憂農桑一段正意便覺峭折有波瀾若低手爲之則一直說下耳

容齋隨筆曰歐陽公牡丹釋名云牡丹初不載文字唐人如沈宋元白之流皆善咏花當時有一花之異彼必形於篇什而寂無傳焉唯劉夢得有咏魚朝恩

宅牡丹詩但云一叢千朵而已亦不云其美且異也予按白公集有白牡丹一篇十四韻又秦中吟買花一章云共道牡丹時相隨買花去而諷諭樂府有牡丹芳一篇絕道花之妖艷至有一城之人皆若狂之語又寄微之百韻詩云崇敬牡丹期注崇敬寺牡丹花多與微之有期又有惜牡丹詩元微之有咏壽寺看牡丹詩八韻和樂天秋題牡丹叢三韻酬胡三咏牡丹一絕又有五言二絕句許渾亦云近來無奈牡丹何數十千錢買一窠徐凝云三條九陌花時節萬馬千車看牡丹然則元白未嘗無詩唐人未嘗不重此花也

紅線毯　憂蠶桑之費也

紅線毯擇繭繅絲清水煮揀絲練線紅藍染染爲紅線紅於藍織作披香殿上毯披香殿廣十丈餘紅線織成可鋪殿綵絲茸茸香拂拂線軟花虛不勝物美人蹋上歌舞來羅襪繡鞵隨步沒太原毯澀毳縷硬蜀都褥薄

錦花冷不如此毯溫且柔年年十月來宣州宣州太守
加樣織自謂爲臣能竭力百夫同擔進宮中線厚絲多
卷不得宣州太守知不知一丈毯千兩絲地不知寒人
要暖少奪人衣作地衣

通首直叙到底出以徑遂所謂長於激也

杜陵叟　傷農夫之困也

杜陵叟杜陵居歲種薄田一頃餘三月無雨旱風起麥
苗不秀多黄死九月霜降秋早寒禾穗未熟皆青乾長

吏明知不申破急斂暴徵求考課典桑賣地納官租明
年衣食將何如剝我身上帛奪我口中粟虐人害物即
豺狼何必鉤爪鋸牙食人肉不知何人奏皇帝帝心惻
隱知人弊白麻紙上書德音京畿盡放今年稅昨日里
胥方到門手持尺牒牓鄉邨十家租稅九家畢虛受吾
君蠲免恩

從古及今善政之不能及民者多矣一結慨然思深可
爲太息

賣炭翁　苦宮市也

賣炭翁伐薪燒炭南山中滿面塵灰煙火色兩鬢蒼蒼
十指黑賣炭得錢何所營身上衣裳口中食可憐身上
衣正單心憂炭賤願天寒夜來城外一尺雪曉駕炭車
輾冰轍牛困人饑日已高市南門外泥中歇翩翩兩騎
來是誰黄衣使者白衫兒手把文書口稱勅迴車叱牛
牽向北一車炭千餘斤宮使驅將惜不得半匹紅紗一
丈綾繫向牛頭充炭直

直書其事而其意自見更不用著一斷語

陰山道　疾貪虜也

陰山道陰山道紇邏敦肥水泉好每至戎人送馬時道
傍千里無纖草草盡泉枯馬病羸飛龍但印骨與皮五
十匹縑易一匹縑去馬來無了日養無所用去非宜每
歲死傷十六七縑絲不足女工苦疏織短截充匹數藕
絲蛛網三丈餘回鶻訴稱無用處咸安公主號可敦遠
爲可汗頻奏論元和二年下新勅內出金帛酬馬直仍

詔江淮馬價縑從此不令疎短織合羅將軍呼萬歲捧授金銀與纁綵誰知黠虜啟貪心明年馬多來一倍纁漸好馬漸多陰山虜奈爾何

舊唐書回紇傳回紇特功自乾元後屢遣使以馬和市繒帛仍歲來市以馬一匹易絹四十匹動至數萬馬蕃得帛無厭我得馬無用朝廷甚苦之大歷八年十一月回紇使使領馬萬匹來市代宗以馬價出於租賦不欲重困民命有司量入許市六千匹按元微

之詩自注李傳云元和二年有詔悉以金銀酬回鶻馬價新舊唐書俱不載此詔是詩敘事極詳可補以史傳之所不及又按詩中五十匹縑易一匹新舊唐書俱作四十匹亦與此異未知孰是

鹽商婦　惡幸人也

鹽商婦多金帛不事田農與蠶績南北東西不失家風水為鄉船作宅本是揚州小家女嫁得西江大商客綠鬟富去金釵多皓腕肥來銀釧窄前呼蒼頭後叱婢問爾因何得如此壻作鹽商十五年不屬州縣屬天子每年鹽利入官時少入官家多入私官家利薄私家厚鹽鐵尚書遠不知何況江頭魚米賤紅膾黃橙香稻飯飽食濃妝倚柁樓兩朶紅顋花欲綻鹽商婦有幸嫁鹽商終朝美飯食終歲好衣裳好衣美食來何處亦須慚媿桑宏羊桑宏羊死已久不獨漢世今亦有

杏為梁　刺居處僭也

杏為梁桂為柱何人堂室李開府碧砌紅軒色未乾去

年身沒今移主高其牆大其門誰家第宅盧將軍素泥朱板光未滅今歲官收別賜人開府之堂將軍宅造未成時頭已白逆旅重居逆旅中心是主人身是客更有愚夫念身後心雖甚長計非久窮奢極麗越規模付子傳孫令保守莫教門外過客聞撫掌回頭笑殺君君不見馬家宅尚猶存宅門題作奉誠園君不見魏家宅屬他人詔賜贖還五代孫儉存奢失今存目安用高牆圍大屋

此詩與前傷宅一首大意相似後又引出魏徵宅一層勸戒俱備

新唐書李師道上私錢六百萬爲魏徵孫贖魏地居易言徵甚宰相太宗用殿材成其正寢後嗣不能守陛下猶宜以賢者子孫贖而歸之師道人臣不宜掠美帝從之文集中有論魏徵舊宅狀

紫毫筆　誡失職也

紫毫筆尖如錐兮利如刀江南石上有老兔喫竹飲泉

生紫毫宣城工人采爲筆千萬毛中揀一毫毫雖輕功甚重管勒工名充歲貢君兮勿輕用勿輕用將何如願賜東西府御史願頒左右臺起居搦管趨入黄金闕抽毫立在白玉除臣有奸邪正衙奏君有動言直筆書起居郎侍御史爾知紫毫不易致每歲宣城進筆時紫毫之價如金貴慎勿空將彈失儀慎勿空將録制詞

隋堤柳　憫亡國也

隋堤柳歲久年深盡衰朽風飄飄兮雨蕭蕭三株兩株汴河口老枝病葉愁殺人曾經大業年中春大業年中煬天子種柳成行夾流水西至黄河東至淮緑影一千三百里大業末年春暮月柳色如煙絮如雪南幸江都恣佚遊應將此柳繫龍舟紫髯郎將護錦纜青娥御史直迷樓海内財力此時竭舟中歌笑何日休上荒下困勢不久宗社之危如綴旒煬天子自言福祚長無窮豈知皇子封鄰公龍舟未過彭城閣義旗已入長安宮蕭牆禍生人事變晏駕不得歸秦中土墳數尺何處葬吳

公臺下多悲風二百年來汴河路沙草和煙朝復暮後王何以覽前王請看隋堤亡國樹

一起似諺似謠最有古意詳叙興亡之事仍以柳結俯仰情深

秦吉了　哀寃民也

秦吉了出南中彩毛青黑花頸紅耳聰心慧舌端巧鳥語人言無不通昨日長爪鳶今朝大觜烏鳶捎乳燕一窠覆烏啄母雞雙眼枯雞號墮地燕驚去然後拾卵攫

其雛豈無雛與鷇嗉中肉飽不肯搏亦有鸞鶴羣閒立高颺如不聞秦吉了人云爾是能言鳥豈不聞鶵燕之冤苦吾聞鳳凰百鳥主爾竟不為鳳凰之前致一言安用喋喋閒言語

采詩官　監前王亂亡之由也

采詩官采詩聽歌導人言言者無罪聞者誡下流上通上下泰周滅秦興至隋氏十代采詩官不置郊廟登歌讚君美樂府豔詞悅君意若求興諭規刺言萬句千章

無一字不是章句無規刺漸恐朝廷絕諷議諍臣杜口爲冗員諫鼓高懸作虛器一人負扆常端默百辟入門兩自媚夕郎所賀皆德音春官每奏唯祥瑞君之堂兮千里遠君之門兮九重閟君耳唯聞堂上言君眼不見堂前事貪利害民無所忌奸臣蔽君無所畏君不見厲王胡亥之末年羣臣有利君無利君兮君兮願聽此欲開壅蔽達人情先向歌詩求諷刺

末章總結言者無罪聞者誡一語申明作詩之旨隱然自附於三百篇之義也諸篇全倣杜甫新安石壕垂老無家等作[illegible]風[illegible]而多風其不及杜者只筆力之[illegible]格調之[illegible]也耳

郭茂倩曰新樂府者皆唐世之新歌也以其辭實樂府而未嘗被於聲故曰新樂府大抵皆以諷諭爲體欲以播於樂章歌曲焉

汪立名曰按元微之集有和李校書新題樂府上陽白髮人華原磬等十二首序云予友李公垂貺予樂

府新題二十首雅有所謂不虛爲文予取其病時之尤急者列而和之蓋十二而已云云語未嘗及白而此序中又不言和李作當是因李作而推廣者

御選唐宋詩醇卷二十

欽定四庫全書

集部

御選唐宋詩醇卷二十一

詳校官山東道御史臣温常綬

總校官編修臣朱鈐

校對官中書臣柴模

謄録監生臣梅用調

欽定四庫全書

御選唐宋詩醇卷二十一

太原白居易詩三

目録

病假中南亭閑望

官舍小亭閑望

和錢員外禁中夙興見示

松聲

禁中寓直夢遊仙遊寺

秋山

題楊潁士西亭

秋遊原上

閑居

遊悟真寺詩

朝回遊城南

舟行

泛溢水

晚望

遊石門澗

香鑪峯下新置草堂即事咏懷題於石上

長慶二年七月自中書舍人出守杭州路次藍溪作

自蜀江至洞庭湖有感而作

立春後五日

別元九後咏所懷

初與元九別後忽夢見之及悟而書適至兼寄桐花詩悵然感懷因以此寄

秋江送客

溪中早春

渭村雨歸

寄微之三首

孟夏思渭村舊居寄舍弟

南湖晚秋

早秋晚望兼呈韋侍御

司馬宅

寄王質夫

送客回晚興

東樓竹

東坡種花二首

步東坡

竹窗

御選唐宋詩醇卷二十一

太原白居易詩三

病假中南亭閑望

欹枕不視事兩日門掩關始知吏役身不病不得閑閑意不在遠小亭方丈間西簷竹梢上坐見太白山遙愧峯上雲對此塵中顔

神韻酷似淵明西簷二句亦摹採菊東籬下語意

官舍小亭閑望

風竹散清韻煙槐凝綠姿日高人吏去閑坐在茅茨葛衣禦時暑蔬飯療朝飢持此聊自足心力少營為亭上獨吟罷眼前無事時數峯太白雪一卷陶潛詩人心各自是我是良在兹迴謝爭名客甘從君所嗤

太白雪陶潛詩隨意所會綴而成文不相合而相合

和錢員外禁中夙興見示

窗白星漢曙窗暖燈火餘坐卷朱裏幕看封紫泥書窅窅鐘漏盡曈曈霞景物樓臺紅照耀松竹青扶疎君愛此時好迴頭特謂余不知上清界曉景復何如

松聲 自注修竹里張家宅南亭作

月好好獨坐雙松在前軒西南微風來潛入枝葉間蕭寥發為聲半夜明月前寒山颯颯雨秋琴冷冷弦一聞滌炎暑再聽破昏煩竟夕遂不寐心體俱翛然南陌車馬動西鄰歌吹繁誰知兹簷下滿耳不為喧

清境可想

禁中寓直夢遊仙遊寺

西軒草詔暇松竹深寂寂月出清風來忽似山中夕因成西南夢夢作遊仙客覺聞宮漏聲猶謂山泉滴

酷似摩詰

秋山

久病曠心賞今朝一登山山秋雲物冷稱我清羸顔白石卧可枕青蘿行可攀意中如有得盡日不欲還人生無幾何如寄天地間心有千載憂身無一日閑何時解

塵網此地來掩關

題楊顗士西亭

靜得亭上境遠諧塵外蹤憑軒東南望鳥滅山重重竹
露冷煩襟杉風清病容曠然宜真趣道與心相逢即此
可遺世何必蓬壺峯

秋遊原上

七月行已半早涼天氣清清晨起巾櫛徐步出柴荊露
杖筇竹冷風襟越蕉輕閒携弟姪輩同上秋原行新棗

未全赤晚瓜有餘馨依依田家叟設此相逢迎自我對
此邨往往白髮生邨中相識久老幼皆有情留連向暮
歸樹樹風蟬鳴是時新雨足禾黍夾道青見此令人飽
何必待西成

樸實說去一片真趣流行非徒擬王儲田家詩也

閑居

深閉竹間扉靜掃松下地獨嘯晚風前何人知此意看
山盡日坐枕帙移時睡誰能從我遊使君心無事

蕭疎蘊藉

遊悟真寺詩

元和九年秋八月月上弦我遊悟真寺寺在王順山去
山四五里先聞水潺湲自茲舍車馬始涉藍溪灣手拄
青竹杖足蹋白石灘漸怪耳目曠不聞人世喧山下望
山上初疑不可攀誰知中有路盤折通巖巔一息幡竿
下再休石龕邊龕間長丈餘門戶無扃關俯窺不見人
石髮垂若鬟驚出白蝙蝠雙飛如雪翻回首寺門望青
崖夾朱軒如擘山腹開置寺於其間入門無平地地窄

虛空寬房廊與臺殿高下隨峯巒巖峯無撮土樹木多
瘦堅根株抱石長屈曲蟲蛇蟠松桂亂無行四時鬱芊
芊枝梢嫋清翠韻若風中弦日月光不透綠陰相交延
幽鳥時一聲聞之似寒蟬首憩賓位亭就坐未及安須
臾開北戶萬里明豁然拂簷虹霏微遶棟雲回旋赤日
間白雨陰晴同一川埜綠蕟草樹眼界吞秦原渭水細
不見漢陵小於拳卻顧來時路縈紆映朱闌歷歷上山

人一一遥可觀前後多寶塔風鐸鳴四端欒爐與户牖
恰恰金碧繁云昔迦葉佛在此坐涅槃至今鐵鉢在當
底手跡穿西開玉像殿白佛森比肩斗藪塵埃衣禮拜
冰雪顔疊霜為袈裟貫雹為華鬘逼觀疑鬼功其跡非
雕鐫次登觀音堂未到聞旃檀上階脱雙屐斂足升淨
筵六楹排玉鏡四座敷金鈿黒夜自光明不待燈燭燃
衆寶互低昂碧佩珊瑚幡風來以天樂相觸聲珊珊白
珠垂露凝赤珠滴血殷點綴佛髻上合為七寶冠雙瓶

白琉璃色若秋水寒隔瓶見舍利閒轉如金丹玉笛何
代物天人施祇園吹如秋鶴聲可以降靈仙是時秋方
中三五月正圓寶堂豁三門金魄當其前月與寶相射
晶光爭鮮妍照人心骨冷竟夕不欲眠曉尋南塔路亂
竹低嬋娟林幽不逢人寒蝶飛翾翾山果不識名離離
夾道蕃足以療飢乏摘嘗味甘酸道南藍谷神紫繖白
紙錢若歲有水旱詔使修蘋蘩以地清淨故獻奠無葷
羶危石疊四五磊嵬欹且刓造物者何意堆在巖東偏

冷滑無人跡苔點如花牋我來登上頭下臨不測淵目
眩手足掉不敢低頭看風從石下生薄人而上搏衣服
似羽翮開張欲飛騫巉巉三面峯峯尖刀劍攢往往白
雲過決開露青天西北日落時夕暉紅團團千里翠屏
外走下丹砂丸東南月上時夜氣青漫漫百丈碧潭底
寫出黄金盤藍水色似藍日夜長潺潺周迴繞山轉下
視如青環或鋪為漫流或激為奔湍泓澄最深處浮出
蛟龍涎側身入其中懸磴尤險艱捫蘿踏樛木下逐飲

澗猿雪送起白鷺錦跳驚紅鱣歇定方盥漱濯去支體
煩淺深皆洞徹可照脾與肝但愛清見底欲尋不知源
東崖饒怪石積甃蒼琅玕温潤發於外其間韞璵璠卞
和死已久良玉多棄捐或時泄光彩夜與星月連中頂
最高峯拄天青玉竿飆馳上不得豈我能攀援上有白
蓮池素葩覆清瀾聞名不可到處所非人寰又有一片
石大如方尺瓴甋在半壁上其下萬仞懸云有過去師
坐得無生禪號為定心石長老世相傳却上謁仙祠蔓

草生綿綿昔聞王氏子羽化升上元其西照藥臺猶對芝木田時復明月夜上聞黃鶴言迴尋畫龍堂二叟鬚髮斑想見聽法時歡喜禮印壇復歸泉窟下化作龍蜿蜒階前石孔在欲雨生白煙徃有寫經僧身靜心精專感彼雲外鶴羣飛千翩翩來添硯中水去吸巖底泉一日三徃復時節長不僣經成號聖僧弟子名揚難誦此蓮花偈數滿百億千身壞口不壞舌耕如紅蓮顱骨今不見石函尚存焉粉壁有吳畫筆彩依舊鮮素屏有褚書

墨色如新乾靈境與異迹周覽無不殫一遊五晝夜欲返仍盤桓我本山中人誤為時網牽牽率使讀書推挽令效官既登文字科又忝諫諍員拙直不合時無益同素餐以此自慚惕戚戚常寡歡無成心力盡未老形骸殘今來脫簪組始覺離憂患及為山水遊彌得縱疎頑野麋斷羈絆行走無拘攣遊魚放入海一徃何時還身著居士衣手把南華篇終來此山住永謝區中緣我今四十餘從此終身閑若以七十期猶得三十年

洋洋灑灑一氣讀去幾於千巖競秀萬壑爭流目不給賞矣就其中細尋之則步驟井然一絲不紊首四句點清因遊寺而登山並年月日俱細叙出去山四五里至置寺於其間寫寺外之景曲折靈異迥隔塵世如入仙境妙在以回頭寺門望四句作一頓遂覺心神蕩漾究是初到人情入門無平地一句作提筆至聞之似寒蟬叙寺中路遲之遠遠樹木之蒼欝首憩賔位亭至可以降靈仙細叙寺中所歷之境與相傳之法物開北戶而

前行又回顧而見來路是以對多寶塔也玉像殿觀音堂皆寺西界是時秋方中至竟夕不欲眠摹寫夜中之景與八月月上弦一句相映又作一束曉尋南塔路至欲返仍盤桓歷叙連日所遊之境變化出之由南而東而中而上不言北者自入寺門大抵皆向北行也其間有神像有峯巖有水有怪石有白蓮有祠有臺有畫有書細細寫出日落月上復帶叙次日由晝入夜之景更不拖沓寫經僧誦經弟子只虛寫在傳聞上叙出靈境

與異跡四句作一總束一遊五晝夜又與八月月上弦照應我本山中人至末收足遊字意四十餘年三十年又與元和九年照應細玩全詩分明以作記序手筆用之於詩韓愈南山時以奇肆勝此以秀折勝可謂匹敵謝靈運遊山詩柳宗元山水記素稱奇構以彼方此不無廣狹之别矣

朝回遊城南

朝退馬未困秋初日猶長回轡城南去郊埜正清涼水

竹夾小徑縈迴繞川岡仰看晚山色俯弄秋泉光青松繫我馬白石為我牀常時簪組累此日和身忘旦隨鵷鷺末暮遊鷗鶴傍機心一以盡兩處不亂行誰辨心與跡非行亦非藏

機心既盡行藏自如居易一生真實受用在此

舟行 自注江州路上作

帆影日漸高閑眠猶未起起問鼓枻人已行三千里船頭有行竈炊稻烹紅鯉飽食起婆娑盥漱秋江水平生滄浪意一旦來遊此何況不失家舟中載妻子

遷謫迹行絶不作牢騷語非實有見地者不能如謝靈運初發石首城便云苕苕萬帆茫茫將何之豈復成胷臆耶

泛溢水

四月未全熱麥涼江氣秋湖山處處好最愛溢水頭溢水從東來一派入江流可憐似縈帶中有隨風舟命酒一臨泛舍鞍揚棹謳放迴岸傍馬去逐波間鷗煙浪始

渺渺風襟亦悠悠初疑上河漢中若尋瀛洲汀樹綠拂地沙草芳未休青蘿與紫葛枝蔓垂相樛繫纜步平岸回頭望江州城雉映水見隱隱如蜃樓日入意未盡將歸復少留到官行半歲今日方一遊此地來何暮可以寫吾憂

寫景如畫

晚望

江城寒角動沙洲夕鳥還獨在高亭上西南望遠山

小詩極有氣勢集中尤難得者

遊石門澗

石門無舊徑披榛訪遺跡時逢山水秋清輝如古昔常聞慧遠輩題詩此巖壁雲覆莓苔封蒼然無處覓蕭疎野生竹崩剝多年石自從東晋後無復人遊歷獨有秋澗聲潺湲空旦夕

汪立名曰按石門澗有二處一在江州太平寰宇記云石門澗在廬山西懸崖對聳形如闕當雙石之間

懸流數丈有一石可坐二十許人一在杭州西湖咸淳臨安志云武林山石門澗陸羽二寺記云南有巉巖舊有卧龍石橫澗石慈雲法師種松於此然詩中有慧遠題詩語自是江州作西湖志亦收此詩誤也

香鑪峯下新置草堂即事詠懷題於石上

香鑪峯北向遺愛寺西偏白石何鑿鑿清流亦潺潺有松數千株有竹千餘竿松張翠繖蓋竹倚青琅玕其下無人居悠哉多歲年有時聚猿鳥終日空風煙時有沉冥子姓白字樂天平生無所好見此心依然如獲終老地忽乎不知還架巖結茅宇斵壑開茶園何以洗我耳屋頭飛落泉何以淨我眼砌下生白蓮左手攜一壺右手挈五弦傲然意自足箕踞於其間興酣仰天歌歌中聊寄言言我本野夫誤為世網牽時來昔捧日老去今歸山倦鳥得茂樹涸魚返清源舍此欲焉往人間多險艱

草堂結構四圍景致詳於記中此詩只淡淡寫去自具朴老之致

草堂記匡廬奇秀甲天下山山北峯曰香鑪峯北寺曰遺愛寺介峯寺間其地勝絕又甲廬山元和十一年秋太原人白樂天見而愛之若遠行客過故鄉戀戀不能去因面峯腋寺作為草堂明年春草堂成三間兩柱二室四牖廣袤豐殺一稱心力洞北戶來陰風防徂暑也敞南甍納陽日虞祈寒也木斲而已不加丹墻圬而已不加白墄階用石羃窗用紙竹簾紵

幃李稱是馬堂中設木榻四素屏二漆琴一張儒道佛書各三兩卷樂天既來為主仰觀山俯聽泉傍睨竹樹雲石自辰及酉應接不暇俄而物誘氣隨外適内和一宿體寧再宿心恬三宿後頹然嗒然不知其然而然自問其故答曰是居也前有平地輪廣十丈中有平臺半平地臺南有方池倍平臺環池多山竹野卉池中生白蓮白魚又南抵石澗夾澗有古松老杉大僅十人圍高不知幾百尺脩柯戛雲低枝拂潭

如幢豎如蓋張如龍蛇走松下多灌叢蘿蔦葉蔓駢織承翳日月光不到地盛夏風氣如八九月時下鋪白石為出入道堂北五步據層崖積石嵌空垤塊雜木異草蓋覆其上綠陰濛濛朱實離離不識其名四時一色又有飛泉植茗就以烹燀好事者見可以永日堂東有瀑布水懸三尺瀉階隅落石渠昏曉如練色夜中如環珮琴筑聲堂西倚北崖石趾以剖竹架空引崖上泉脈分綫懸自簷注砌纍纍如貫珠霏微

如雨露滴瀝飄灑隨風遠去其四傍耳目杖屨可及者春有錦繡谷花夏有石門澗雲秋有虎谿月冬有鑪峯雪陰晴顯晦昏旦含吐千變萬狀不可殫紀覼縷而言故云甲廬山者噫凡人豐一屋華一簀而起居其間尚不免有驕穩之態今我為是物主物至致知各以類至又安得不外適内和體寧心恬哉昔永遠宗雷輩十八人同入此山老死不反去我千載我知其心以是哉矧予自思從幼迨老若白屋若朱門

凡所止雖一日二日輒覆簣土為臺聚拳石為山環斗水為池其喜山水病癖如此一旦蹇剝來佐江郡郡守以優容而撫我廬山以靈勝待我是天與我時地與我所卒獲所好又何以求焉尚以冗員所羈餘累未盡或往或來未遑寧處待予異時弟妹婚嫁畢司馬歲秩滿出處行止得以自遂則必左手引妻子右手抱琴書終老於斯以成就我平生之志清泉白石實聞此言時三月廿七日始居新堂四月九日與

河南元集虛范陽張允中南陽張深之東西二林寺長老湊朗滿晦堅等凡二十有二人具齋施茶果以落之因為草堂記

長慶二年七月自中書舍人出守杭州路次藍溪作

太原一男子自顧庸且鄙老逢不次恩洗拔出泥滓既居可言地願助朝廷理伏閣三上章戇愚不稱旨聖人存大體優貸容不死鳳詔停舍人魚書除刺史冥懷齊寵辱委順遂行止我自得此心於茲十年矣餘杭乃名郡郡郭臨江汜已想海門山潮聲來入耳昔予貞元末羈旅曾遊此甚覺太守尊亦諳魚酒美因生江海興每羨滄浪水尚擬拂衣行況今兼祿仕青山峰巒接白日煙塵起東道既不通改轅遂南指自秦窮楚越浩蕩五千里聞有賢主人而多好山水是行頗為愜所歷良可紀策馬渡藍溪勝遊從此始

中間以舊遊一層作襯推波助瀾致有曲折

白文公年譜云時河朔復亂居易數上疏論其事天子不能用遂求外任蓋穆宗荒縱宰相蕭俛杜元穎崔植等皆齷齪無遠畧宜公之不樂居朝也時汴軍亂路不通故由襄漢赴任

自蜀江至洞庭湖口有感而作

江從西南來浩浩無旦夕長波逐若瀉連山鑿如劈千年不壅潰萬里無沉溺不爾民為魚大哉禹之績導岷既艱遠距海無咫尺胡為不訖功餘水斯委積洞庭與青草大小兩相敵混合萬丈深淼茫千里白每歲秋夏時浩大吞七澤水族窟穴多農人土地窄我今尚嗟歎禹豈不愛惜邈未究其由想古觀遺跡疑此苗人頑恃險不終役帝亦無奈何留患與今昔水流天地內如身有血脈滯則為疽疣治之在鍼石安得禹復生為唐水官伯手提倚天劒重來親指畫疏河似翦紙決壅同裂帛滲作膏腴田蹋平魚鼈宅龍宮變閭里水府生禾麥坐添百萬戶書我司徒籍

議論奇闢筆力亦渾勁與題稱集中此種絶少頗近昌黎其源亦從杜甫劒門一篇脫胎

立春後五日

立春後五日春態紛婀娜白日斜漸長碧雲低欲墮殘氷坼玉片新萼排紅顆遇物盡欣欣愛春非獨我迎芳後園立就暖前檐坐還有惆悵心欲別紅爐火

遇物盡欣欣二句即茂叔不除窻前草之意

別元九後咏所懷

零落桐葉雨蕭條槿花風悠悠早秋意生此幽閒中況與故人別中懷正無悰勿云不相送心到青門東相知豈在多但問同不同同心一人去坐覺長安空

初與元九別後忽夢見之及寤而書適至兼寄桐花詩悵然感懷因以此寄

永壽寺中語新昌坊北分歸來數行淚悲事不悲君悠悠藍田路自去無消息計君食宿程已過商山北昨夜雲四散千里同月色曉來夢見君應是君相憶夢中握君手問君意何如君言苦相憶無人可寄書覺來未及説叩門聲冬冬言是商州使送君書一封枕上忽驚起顛倒著衣裳開緘見手札一紙十三行上論遷謫心下説離別腸心腸都未盡不暇敘炎涼云作此書夜夜宿商州東獨對孤燈坐陽城山館中夜深作書畢山月向西斜月下何所有一樹紫桐花桐花半落時復道正相思殷勤書背後兼寄桐花詩桐花詩八韻思緒一何深以我今朝意憶君此夜心一章三遍讀一句十回吟珍

重八十字字字化為金

一意百折往復纏綿極平極曲愈淺愈深覺兩人覿面對語無此親切也杜甫於李白居易於元微之皆友誼中最篤者故兩集中贈荅詩真摯乃爾

悲事不悲君一句見從前之上章論救不保於私情也此是篇中眼目

舊唐書本傳居易與河南元稹相善同年登制舉交情隆厚稹自監察御史謫為江陵府士曹掾翰林學

七李絳崔羣於上前面諭禎無罪居易累疏切諫不報

秋江送客

秋鴻次第過哀猿朝夕聞是日孤舟客此地亦離羣濛濛潤衣雨漠漠冒帆雲不醉潯陽酒煙波愁殺人

溪中早春

南山雪未盡陰嶺留殘白西澗冰已消春溜含新碧東風未幾日蟄動萌草坼潛知陽和功一日不虛擲愛此

天氣暖來拂溪邊石一坐欲忘歸暮禽聲嘖嘖蓬蒿隔桑棗隱映煙火夕歸來問夜飡家人烹薺麥

通首寫早春之景一結言外有情悠然不盡

渭村雨歸

渭水寒漸落離離蒲稗苗閒傍沙邊立看人刈葦苕近水風景冷晴明猶寂寥復茲夕陰起野思重蕭條蕭條獨歸路暮雨濕村橋

意致簡遠極似韋應物

寄微之三首

江州望通州天涯與地末有山萬丈高有江千里闊間之以雲霧飛鳥不可越誰知千古險為我二人設通州君初到鬱鬱愁如結江州我方去迢迢行未歇道路日乖隔音信日斷絶因風欲寄語地聲遠不徹生當復相逢死當從此別

君遊襄陽日我在長安住今君在通州我過襄陽去襄陽九里郭樓雉連雲樹顧此稍依依是君舊遊處蒼茫

蒹葭水中有潯陽路此去更相思江西少親故

去國日已遠喜逢物似人如何含此意江上坐思君有如河嶽氣相合方氤氳狂風吹中絶兩處成孤雲風迴終有時雲合豈無因努力各自愛窮通我爾身

清空一氣如話三首直如一首反覆讀之令人心惻惻殊難為懷似古樂府似蘇李河梁詩似杜甫夢李白二章要自成為香山之詩惟具真也詩文到真處則千古流傳不可磨滅矣

孟夏思渭村舊居寄舍弟

嘖嘖雀引雛稍稍筍成竹詩物感人情憶我故鄉曲故園渭水上十載事樵牧手種榆柳成陰陰覆墻屋兎隠豆苗肥鳥鳴桑椹熟前年當此時與爾同遊矚詩書課弟姪農圃資童僕日暮麥登場天晴蠶拆簇弄泉南澗坐待月東亭宿興發飲數杯悶來棋一局一朝忽分散萬里成覊束井鮒思反泉籠鶯悔出谷九江地卑濕四月天炎燠苦雨初入梅瘴雲稍含毒泥秧水畦稻灰種

畬田粟已訝殊歲時仍嗟異風俗閒登郡樓望日落江山緑歸雁拂鄉心平湖斷人目殊方我漂泊舊居君幽獨何時同一瓢飲水心亦足

村居之樂寫來神往歸雁平湖風景亦自不惡而煙波江上之愁已盡此十字中足抵一篇登樓賦

南湖晚秋

八月白露降湖中水方老旦夕秋風多衰荷半傾倒手攀青楓樹足蹋黄蘆草慘淡老容顔冷落秋懷抱有兄在淮楚有弟在蜀道萬里何時來煙波白浩浩

早秋晚望兼呈韋侍御

九派繞孤城城高生遠思人煙半在船野水多於地穿霞日脚直驅鴈風頭利去國來幾時江上秋三至夫君亦淪落此地同飄寄憫默向隅心摧頽觸籠翅且謀眼前計莫問胷中事潯陽酒甚濃相勸時時醉

司馬宅

雨徑緑蕪合霜園紅葉多蕭條司馬宅門巷無人過唯

對大江水秋風朝夕波

瀕江冷署如在目前

寄王質夫

憶始識君時愛君世緣薄我亦吏王畿不為名利著春尋仙遊洞秋上雲居閣樓觀水潺潺龍潭花漠漠吟詩石上坐引酒泉邊酌因話出處心心期老巖壑忽從風雨別遂被簪纓縛君作出山雲我作入籠鶴籠深鶴殘悴山遠雲飄泊去處雖不同同負生平約今來各何在

老去隨所托我守巴南城君佐征西幕年顔漸衰颯生計仍蕭索方含去國愁且羡從軍樂舊遊疑是夢往事思如昨相憶春又深故山花正落

前後叙交情中間忽作比體格調頗近建安一結有風致

送客回晚興

城上雲霧開沙頭風浪定參差亂山出淡泞平江淨行客舟已遠居人酒初醒嫋嫋秋竹梢巴蟬聲似磬

江城風景逐層寫得淒涼筆墨之外逼出一愁字

東樓作

瀟灑城東樓遶樓多修竹森然一萬竿白粉封青玉卷簾睡初覺欹枕看未足影轉色入樓牀席生浮綠空城絶賓客向夕彌幽獨樓上夜不歸此君留我宿

娟淨可愛

東坡種花二首

持錢買花樹城東坡上栽但購有花者不限桃杏梅百果參雜種千枝次第開天時有早晚地力無高低紅者灼灼白者雪皚皚遊蜂逐不去好鳥亦來棲前有長流水下有小平臺時拂臺上石一舉風前杯花枝蔭我頭花蕊落我懷獨酌復獨咏不覺月平西巴俗不愛花竟春無人來唯此醉太守盡日不能迴

東坡春向暮樹木今何如漠漠花落盡翳翳葉生初每日領童僕荷鋤仍决渠剗土壅其本引泉溉其枯小樹低數尺大樹長丈餘封植來幾時高下齊扶疎養樹既如此養民亦何殊將欲茂枝葉必先救根株云何救根株勸農均賦租云何茂枝葉省事寛刑書移此為郡政庶幾甿俗蘇

前一首細寫種花之趣静觀物理及時行樂獨善之義也後一首推廣言之與柳宗元郭橐駝種樹説同意兼濟之志也妙在説得極纖悉極平淡乃具真實本領宋儒謂杜子美情多得志必能濟物亦是此意陳蕃不事掃除一室而欲經營天下宜其志大而才疎也勸農均

賦省事寛刑豈獨治一郡哉雖以治天下可矣

二老堂詩話曰蘇文忠公不輕許可獨敬愛樂天屢形詩篇蓋其文章皆主辭達而忠厚好施剛直盡言與人有情於物無著大畧相似謫居黄州始號東坡其原必起於樂天忠州之作也

步東坡

朝上東坡步夕上東坡步東坡何所愛愛此新成樹種植當歲初滋榮及春暮信意取次栽無行亦無數綠陰

斜景轉芳氣微風度新葉鳥下來萎花蝶飛去閒攜斑竹杖徐曳黄麻屨欲識往來頻青苔成白露

容齋隨筆曰東坡居黄州始自稱東坡居士其意蓋專慕樂天而然如贈寫真李道士云他時要指集賢人知是香山老居士贈善相程傑云我似樂天君記取華顛賞遍洛陽春送程懿叔云我甚似樂天但無素與蠻入侍邇英云定是香山老居士世緣終淺道緣深去杭州云出處依稀似樂天敢將衰朽較前賢則公之所以景仰者不止一再言之非東坡之名偶爾暗合也

竹窗

常愛輞川寺竹窗東北廊一别十餘載見竹未曾忘今春二月初卜居在新昌未暇作廐庫且先營一堂開窗不糊紙種竹不依行意取北簷下窗與竹相當遶屋聲淅淅逼人色蒼蒼煙通杳靄氣月透玲瓏光是時三伏天天氣熱如湯獨此竹窗下朝迴解衣裳輕紗一幅巾

小簟六尺牀無客盡日靜有風終夜涼乃知前古人言事頗諳詳清風北窗卧可以傲羲皇

御選唐宋詩醇卷二十一

欽定四庫全書

御選唐宋詩醇卷二十二

太原白居易詩四

目録

御選唐宋詩醇卷二十二

太原白居易詩四

江南遇天寶樂叟

白頭病叟泣且言祿山未亂入梨園能彈琵琶和法曲
多在華清隨至尊是時天下太平久年年十月坐朝元
千官起居環珮合萬國會同車馬奔金鈿照耀石甕寺
蘭麝熏煮溫湯源貴妃宛轉侍君側體弱不勝珠翠繁

冬雪飄颻錦袍暖春風蕩漾霓裳翻歡娛未足燕寇至
弓勁馬肥胡語諠豳土人遷避夷狄鼎湖龍去哭軒轅
從此漂淪落南土萬人死盡一身存秋風江上浪無限
暮雨舟中酒一樽涸魚久失風波勢枯草曾沾雨露恩
我自秦來君莫問驪山渭水如荒村新豐樹老籠明月
長生殿闇鎖春雲紅葉紛紛蓋欹瓦綠苔重重封壞垣
唯有中官作宫使每年寒食一開門

前叙樂叟之言天寶舊事也後叙告樂叟之言亂後景象也俯仰今昔滿目蒼涼言外黯然欲絕樂叟未必實有其人特借以抒感慨之思耳

醉後走筆酬劉五主簿長句之贈兼簡張大賈二十四先輩昆季

劉兄文高行孤立十五年前名翕習是時相遇在符離
我年二十君三十得意忘年心迹親寓居同縣日知聞
衡門寂寞朝尋我古寺蕭條暮訪君朝來暮去多攜手
窮巷貧居何所有秋燈夜寫聯句詩春雪朝傾煖寒酒

陴湖綠愛白鷗飛濉水清憐紅鯉肥偶語閒攀芳樹立
相扶醉蹋落花歸張賈兄弟同里巷乘閒數數來相訪
雨天連宿草堂中月夜徐行石橋上我年漸長忽自驚
鏡中冉冉髭鬚生心畏後時同勵志身牽前事各求名
問我栖栖何所適鄉人薦為鹿鳴客二千里別謝交遊
三十韻詩慰行役出門可憐唯一身弊裘瘦馬入咸秦
鼕鼕街鼓紅塵闇晚到長安無主人二賈二張與余弟
驅車邐迤來相繼操詞握賦為干戈鋒銳森然勝氣多

齊入文場同苦戰五人十載九登科二張得雋名居甲
美退爭雄重告捷棠棣輝榮並桂枝芝蘭芬馥和荆葉唯
有沉犀屈未伸握中自謂駭雞珍三年不鳴鳴必大豈
獨駭雞當駭人元和運啓千年聖同遇明時余最幸始
辭秘閣吏王畿遽列諫垣升禁闈蹇步何堪鳴珮玉衰
容不稱著朝衣閶闔晨開朝百辟立去天顔無咫尺宫
花似雪從乘輿禁月如霜坐直廬身賤每驚隨内宴才
微常媿草天書晚松寒竹新昌第職居密近門多閉日

暮銀臺下直回故人到門門暫開回頭一馬一相顧塵
土滿衣何處來斂手炎涼敘未畢先説舊山今悔出岐
陽旅宦少歡娱江左羈遊費時日贈我一篇行路吟吟
之句句披沙金歲月徒催白髮貌泥塗不屈青雲心誰
會茫茫天地意短才獲用長才棄我隨鵷鷺入煙雲謬
上丹墀為近臣君同鸞鳳棲荆棘猶着青袍作選人惆
悵知賢不能薦徒為出入蓬萊殿月慚諫紙二百張歲
媿俸錢三十萬大底浮榮何足道幾度相逢即身老且
傾斗酒慰羈愁重話符離問舊遊北巷鄰居幾家去東
林舊院何人住武里村花落復開流溝山色應如故感
此酬君千字詩醉中分手又何之須知通塞尋常事莫
歎浮沉先後時慷慨臨岐重相勉殷勤别後加餐飯君
不見買臣衣錦還故鄉五十身榮未為晚

七古長篇一氣盤旋不必刻意求奇自具大家風格非
晚唐人寒儉廹促者所能到惆悵知賢不能薦四句自
占身分極高末段仍歸曠達是詩作於元和之初居易

為左拾遺未幾即丐改官除京兆户曹參軍外出蓋立
朝而道不行則奉身而退知愧者庶可無愧也

畫竹歌并引

協律郎蕭悦善畫竹舉時無倫蕭亦甚自秘重有終
歲求其一竿一枝而不得者知予天與好事忽寫一
十五竿惠然見投予厚其意高其藝無以答貺作歌
以報之凡一百八十六字云

植物之中竹難寫古今雖畫無似者蕭郎下筆獨逼真

丹青以來唯一人人畫竹身肥擁腫蕭畫莖瘦節節竦
人畫竹梢死羸垂蕭畫枝活葉葉動不根而生從意生
不筍而成由筆成野塘水邊倚岸側森森兩叢十五莖
嬋娟不失筠粉態蕭颯盡得風煙情舉頭忽看不似畫
低耳靜聽疑有聲西叢七莖勁而健省向天竺寺前石
上見東叢八莖疎且寒憶曾湘妃廟裏雨中看幽姿遠
思少人別與君相顧空長歎蕭郎蕭郎老可惜手顫眼
昏頭雪色自言便是絕筆時從今此竹尤難得

波瀾意度直逼子美堂奧與香山平日面貌不類蓋有
意規倣子美題畫諸作而為之者

長恨歌

漢皇重色思傾國御宇多年求不得楊家有女初長成
養在深閨人未識天生麗質難自棄一朝選在君王側
迴眸一笑百媚生六宮粉黛無顏色春寒賜浴華清池
温泉水滑洗凝脂侍兒扶起嬌無力始是新承恩澤時
雲鬢花顏金步搖芙蓉帳暖度春宵春宵苦短日高起
從此君王不早朝承歡侍宴無閒暇春從春遊夜專夜
後宮佳麗三千人三千寵愛在一身金屋妝成嬌侍夜
玉樓宴罷醉和春姊妹弟兄皆列土可憐光彩生門戶
遂令天下父母心不重生男重生女驪宮高處入青雲
仙樂風飄處處聞緩歌慢舞凝絲竹盡日君王看不足
漁陽鞞鼓動地來驚破霓裳羽衣曲九重城闕煙塵生
千乘萬騎西南行翠華搖搖行復止西出都門百餘里
六軍不發將奈何宛轉蛾眉馬前死花鈿委地無人收

翠翹金雀玉搔頭君王掩面救不得回看血淚相和流
黃埃散漫風蕭索雲棧縈紆登劍閣峨眉山下少人行
旌旗無光日色薄蜀江水碧蜀山青聖主朝朝暮暮情
行宮見月傷心色夜雨聞鈴腸斷聲天旋日轉回龍馭
到此躊躇不能去馬嵬坡下泥土中不見玉顏空死處
君臣相顧盡沾衣東望都門信馬歸歸來池苑皆依舊
太液芙蓉未央柳芙蓉如面柳如眉對此如何不淚垂
春風桃李花開夜秋雨梧桐葉落時西宮南苑多青草

落葉滿堦紅不埽梨園弟子白髮新椒房阿監青娥老
夕殿螢飛思悄然孤燈挑盡未成眠遲遲鐘鼓初長夜
耿耿星河欲曙天鴛鴦瓦冷霜華重翡翠衾寒誰與共
悠悠生死別經年魂魄不曾來入夢臨卭道士鴻都客
能以精誠致魂魄為感君王展轉思遂教方士殷勤覓
排空馭氣奔如電升天入地求之遍上窮碧落下黃泉
兩處茫茫皆不見忽聞海上有仙山山在虛無縹緲間
樓閣玲瓏五雲起其中綽約多仙子中有一人字太真

雪膚花貌參差是金闕西廂叩玉扃轉教小玉報雙成
聞道漢家天子使九華帳裏夢魂驚攬衣推枕起徘徊
珠箔銀屏邐迤開雲鬢半偏新睡覺花冠不整下堂來
風吹仙袂飄颻舉猶似霓裳羽衣舞玉容寂寞淚闌干
梨花一枝春帶雨含情凝睇謝君王一別音容兩渺茫
昭陽殿裏恩愛絕蓬萊宮中日月長回頭下望人寰處
不見長安見塵霧唯將舊物表深情鈿合金釵寄將去
釵留一股合一扇釵擘黃金合分鈿但教心似金鈿堅
天上人間會相見臨別殷勤重寄詞詞中有誓兩心知
七月七日長生殿夜半無人私語時在天願作比翼鳥
在地願為連理枝天長地久有時盡此恨綿綿無絕期

從古女禍未有甚於唐者明皇踐阼覆轍匪遠開元厲精幾致太平天寶以後溺情牀笫太真潛納新臺同誚艷妻煽處職為厲階倉皇播遷宗社再造幸也姚宋諸賢臣輔之而不足一太真敗之而有餘南內歸來僬返而自咎恨無終窮矣遑繫心於既殞傾城之婦耶長恨

一傳自是當時傳會之說其事殊無足論者居易詩詞特妙情文相生沉鬱頓挫哀艷之中具有諷刺漢皇重色思傾國從此君王不早朝君王掩面救不得皆微詞也養在深閨人未識為尊者諱也欲不可縱樂不可極結想成因幻緣奚罄總以為發乎情而不能止乎禮義者戒也通首分四段漢王重色思傾國至驚破霓裳羽衣曲暢叙楊妃擅寵之事卻以漁陽鞞鼓動地來二句暗攝下意一氣直下滅去轉落之痕九重城闕煙塵生

至夜雨聞鈴腸斷聲叙馬嵬賜死之事行宫見月傷心色二句暗攝下意蓋以幸蜀之靡不思引起還京之徬徨念舊一直說去中間暗藏馬嵬改葬一節此行文飛渡法也天旋日轉迴龍馭至魂魄不曾來入夢叙上皇南宫思舊之情悠悠生死別經年二句亦暗攝下意臨邛道士鴻都客至末叙方士招魂之事結處點清長恨為一詩結穴戛然而止全勢已足更不必另作收束

陳鴻長恨歌傳曰開元中泰階平四海無事明皇在

位歲久倦於旰食宵衣政無大小始委於右丞相深居遊宴以聲色自娛先是元獻皇后武淑妃皆有寵相次即世宫中雖良家子千數無可悅目者上心忽忽不樂時每歲十月駕幸華清宫内外命婦熠燿景從浴日餘波賜以湯沐春風靈液淡蕩其間上心油然若有顧遇左右前後粉色如土詔高力士潛搜外宫得宏農楊元琰女於壽邸既笄矣鬒髮膩理纖穠中度舉止閑冶如漢武帝李夫人別疏湯泉詔賜澡瑩既出水體弱力微若不任羅綺光彩煥發轉動照人上甚悅進見之日奏霓裳羽衣曲以導之定情之夕授金釵鈿合以固之又命戴步搖垂金璫明年冊為貴妃半后服由是冶其容敏其詞婉孌萬態以中上意上益嬖焉時省風九州泥金五岳驪山雪夜上陽春朝與上行同室宴專席寢專房雖有三夫人九嬪二十七世婦八十一御妻暨後宫才人樂府妓女使天子無顧盼意自是六宫無復進幸者非徒殊艷

尤態致是蓋才智明慧善巧便佞先意希旨有不可形容者叔父昆弟皆列在清貫爵為通侯姊妹封國夫人富埒王室車服邸第與大長公主侔而恩澤勢力則又過之出入禁門不問京師長吏為側目故當時謡詠有云生女勿悲酸生男勿喜歡又曰男不封侯女作妃看女却為門上楣其人心羨慕如此天寶末兄國忠盗丞相位愚弄國柄及安禄山引兵向闕以討楊氏為詞潼關不守翠華南幸出咸陽道次馬

嵬亭六軍徘徊持戟不進從官郎吏伏上馬前請誅錯以謝天下國忠奉氂纓盤水死於道左右之意未快上問之當時敢言者請以貴妃塞天下怒上知不免而不忍見其死反袂掩靣使牽之而去蒼黄展轉竟就絶於尺組之下既而明皇狩成都肅宗受禪靈武明年大兇歸元大駕還都尊明皇為太上皇就養南宮遷於西内時移事去樂盡悲來每至春之日冬之夜池蓮夏開宮槐秋落梨園弟子玉琯發音聞霓

裳羽衣一聲則天顔不怡左右歔欷三載一意其念不衰求之魂夢杳不能得適有道士自蜀來知上皇心念楊妃如是自言有李少君之術明皇大喜命致其神方士乃竭其術以索之不至又能遊神馭氣出天界沒地府以求之不見又旁求四虛上下東極大海跨蓬壺見最高仙山上多樓闕西廂下有洞户東向闔其門署曰玉妃太真院方士抽簪扣扉有雙童女出應門方士造次未及言而雙鬟復入俄有碧衣侍女又至詰其所從方士因稱唐天子使者且致其命碧衣云玉妃方寢請少待之於是雲海沉沉洞天日曉瓊户重闔悄然無聲方士屏息斂足拱手門下久之而碧衣延入且曰玉妃出見一人冠金蓮披紫綃珮紅玉曳鳯舄左右侍者七八人揖方士問皇帝安否次問天寶十四年已還事言訖憫然指碧衣取金釵細合各析其半授使者曰為謝太上皇謹獻是物尋舊好也方士授辭與信將行色有不足玉妃因

其意復前跪致詞請當時一事不為他人聞者驗於太上皇不然恐鈿合金釵負新垣平之詐也玉妃茫然退立若有所思徐而言之曰昔天寶十載侍輦避暑驪山宮秋七月牽牛織女相見之夕秦人風俗是夜張錦繡陳飲食樹瓜菓焚香於庭號為乞巧宮掖間尤尚之夜殆半休侍衛於東西廂獨侍上上凭肩而立因仰天感牛女事密相誓心願世世為夫婦言畢執手各嗚咽此獨君王知之耳因自悲曰由此

一念又不得居此復墮下界且結後緣或為緣或為
天或為人決再相見好合如舊因言太上皇亦不久
人間幸唯自安無自苦耳使者還奏太上皇皇心震
悼日日不豫其年夏四月南宮晏駕元和元年冬十
二月太原白樂天自校書郎尉於盩厔鴻與琅邪王
質夫家於是邑暇日相攜遊仙寺話及此事相與感
歎質夫舉酒於樂天前曰夫希代之事非遇出世之
才潤色之則與時消沒不聞於世樂天深於詩多於

情者也試為歌之如何樂天因為長恨歌意者不但
感其事亦欲懲尤物窒亂階垂於將來也歌既成使
鴻傳焉世所不聞者予非開元遺民不得知世所知
者有明皇本紀在今但傳長恨歌云爾

唐汝詢曰此譏明皇迷於色而不悟也始則求其人
而未得既得而愛幸之即淪惑而不復理朝政矣不
獨寵妃一身而又徧及其宗黨不惟不復早朝益且
盡日耽於絲竹以致祿山倡亂乘輿播遷帝既誅妃

以謝天下則宜悔過乃復展轉懷思不能自絕至令
方士徧索其神得鈿合金釵而不辨其詐是真迷而
不悟者矣吁以五十年致治之主而一女子覆其成
功權去勢詘而以憂死悲夫女寵之禍豈淺鮮哉花
鈿委地無人收伏後鈿合金釵桊意者妃就絕之時
花鈿散逸民間必有得之者方士持挾此以欺上皇
非有他術也

詩人玉屑曰峨眉山下少人行峨眉在嘉州與蜀全

無交涉此文章之病也

汪立名曰按隱居詩話云唐人咏馬嵬事多矣世所
稱白居易六軍不發將奈何宛轉峨眉馬前死此乃
歌咏祿山能使官兵叛逼迫明皇不得已而誅楊妃
也豈特不曉文章體裁而造語蠢拙抑亦失臣下事
君之禮老杜則不然其北征詩曰不聞夏殷衰中自
誅褒妲乃見明皇鑒夏商之敗畏天悔禍賜妃子以
死官軍何與馬此論為推尊少陵則可若以此為貶

樂天則不可論詩須相題長恨歌本與陳鴻王質夫話楊妃始終而作猶慮詩有未詳陳鴻又作長恨歌傳所謂不特感其事亦欲懲尤物窒亂階垂於將來也自與北征詩不同若諱馬嵬事實則長恨二字便無著落矣讀書全不理會作詩本末而執片詞肆議古人已屬太過至謂歌詠禄山能使官軍云云則尤近乎鍛鍊矣宋人多文字吹求之禍皆釀於此等議論若唐人作詩本無所謂忌諱忠厚之風自可慕也

然陳傳中敘貴妃進於壽邸而白詩諱之但云楊家有女初長成養在深閨人未識天生麗質難自棄一朝選在君王側安得謂樂天不知文章大體耶倘有祖其謬以羅織少陵者必將以少陵憶昔詩張后不樂天子忙句為失以臣事君之禮百官跣足隨天王句為歌咏吐蕃追逼代宗又豈通論乎

琵琶引 并序

元和十年予左遷九江郡司馬明年秋送客湓浦口聞船中夜彈琵琶者聽其音錚錚然有京都聲問其人本長安倡女嘗學琵琶于穆曹二善才年長色衰委身為賈人婦遂命酒使快彈數曲曲罷憫然自敘少小時歡樂事今漂淪憔悴轉徙於江湖間予出官二年恬然自安感斯人言是夕始覺有遷謫意因為長句歌以贈之凡六百一十二言命曰琵琶行

潯陽江頭夜送客楓葉荻花秋瑟瑟主人下馬客在船舉酒欲飲無管弦醉不成歡慘將別別時茫茫江浸月

忽聞水上琵琶聲主人忘歸客不發尋聲暗問彈者誰琵琶聲停欲語遲移船相近邀相見添酒回燈重開宴千呼萬喚始出來猶抱琵琶半遮面轉軸撥弦三兩聲未成曲調先有情弦弦掩抑聲聲思似訴平生不得志低眉信手續續彈說盡心中無限事輕攏慢撚抹復挑初為霓裳後六么大弦嘈嘈如急雨小弦切切如私語嘈嘈切切錯雜彈大珠小珠落玉盤間關鶯語花底滑幽咽泉流水下灘水泉冷澁弦疑絶疑絶不通聲暫歇

别有幽愁暗恨生此時無聲勝有聲銀瓶乍破水漿迸
鐵騎突出刀鎗鳴曲終收撥當心畫四絃一聲如裂帛
東船西舫悄無言唯見江心秋月白沉吟放撥插絃中
整頓衣裳起斂容自言本是京城女家在蝦蟇陵下住
十三學得琵琶成名屬教坊第一部曲罷曾教善才伏
粧成每被秋娘妬五陵年少爭纏頭一曲紅綃不知數
鈿頭雲篦擊節碎血色羅裙翻酒汙今年歡笑復明年
秋月春風等閒度弟走從軍阿姨死暮去朝來顔色故

門前冷落鞍馬稀老大嫁作商人婦商人重利輕别離
前月浮梁買茶去去來江口守空船遶船明月江水寒
夜深忽夢少年事夢啼粧淚紅闌干我聞琵琶已歎息
又聞此語重唧唧同是天涯淪落人相逢何必曾相識
我從去年辭帝京謫居卧病潯陽城潯陽地僻無音樂
終歲不聞絲竹聲住近湓江地低濕黄蘆苦竹遶宅生
其間旦暮聞何物杜鵑啼血猿哀鳴春江花朝秋月夜
往往取酒還獨傾豈無山歌與村笛嘔啞嘲哳難為聽
今夜聞君琵琶語如聽仙樂耳暫明莫辭更坐彈一曲
為君翻作琵琶行感我此言良久立卻坐促絃絃轉急
淒淒不似向前聲滿座重聞皆掩泣座中泣下誰最多
江州司馬青衫濕

滿腔遷謫之感借商婦以發之有同病相憐之意焉比興相緯寄托遥深其意微以顯其音哀以思其辭麗以則十九首云清商隨風發中曲正徘徊一彈再三歎慷慨有餘哀及杜甫觀公孫大娘弟子舞劒器行與此篇同為千秋絶調不必以古近前後分也

容齋五筆曰白公琵琶行讀者但羡其風致敬其詞章至形於樂府歌詠之不足遂以謂真為長安故倡而作不知直欲攄寫天涯淪落之恨爾

唐汝詢曰此宦遊不遂因琵琶以托興也言當清秋明月之夜聞琵琶哀怨之音聽商婦自叙之苦以動我逐臣久客之懷宜其泣下沾襟也

藝苑雌黄曰家在蝦蟆陵下住按國史補云舊説董

仲舒墓門下人至者皆下馬故謂之下馬陵語訛為蝦蟆陵故東坡詩云隻雞敢忘橋公友下馬聊尋董相墳又謝徐朝奉啟云過而下馬空瞻董相之陵蓋用此事郭氏佩觿亦嘗論此云長安董仲舒墓名曰下馬陵今轉語為蝦蟆陵出黃京紀曰白氏琵琶行蓋狗俗之過也

醉後狂言酬贈蕭殷二協律

餘杭邑客多羈貧其間甚者蕭與殷天寒身上猶衣葛

日高甑中未拂塵江城山寺十一月北風吹沙雪紛紛賓客不見綈袍惠黎庶未沾襦袴恩此時太守自慚愧重衣複衾有餘溫因命染人與針女先製兩裘贈二君吳綿細軟桂布密柔如狐腋白似雲勞將詩書投贈我如此小惠何足論我有大裘君未見寬廣和暖如陽春此裘非繒亦非纊裁以法度絮以仁刀尺鈍拙製未畢出亦不獨裹一身若令在郡得五考與君展覆杭州人

即杜甫廣廈千萬間意而暢言之前段黎庶未沾襦袴恩句已伏後意末段又推廣一層淋漓暢竭言大而非誇也

秋江晚泊

扁舟泊雲島倚棹念鄉國四望不見人煙江淡秋色客心貧易動日入愁未息

代書詩一百韻寄微之

憶在貞元歲初登典校司身名同日授心事一言知肺腑都無隔形骸兩不羈疎狂屬年少閒散為官卑分定

金蘭契言通藥石規交賢方汲汲友直每偲偲有月多同賞無杯不共持秋風拂琴匣夜雪卷書帷高上慈恩塔幽尋王子陂唐昌玉蕊會崇敬牡丹期笑勸迂辛酒閒吟短李詩儒風愛敦質佛理賞元師（自注辛丑度李紳劉敦質庾元師）度日曾無悶通宵靡不為雙聲聯律句八面對官棋往往遊三省騰騰出九逵寒銷直城路春到曲江池樹暖枝條弱山晴彩翠奇峯攢石綠點柳宛麴塵絲岸草煙鋪地園花雪壓枝早光紅照耀新溜碧逶迤幄幕侵

堤布盤跮占地施徵伶皆絶藝選妓悉名姬鉛黛凝春
態金鈿耀水嬉風流誇墮髻時世鬭啼眉密坐隨歡促
華尊逐勝移香飄歌袂動翠落舞釵遺籌插紅螺椀觥
飛白玉卮打嬈調笑易飲訝卷波遲殘席諠譁散歸鞍
酩酊騎酕醄顏烏帽側醉袖玉鞭垂紫陌傳鐘鼓紅塵塞
路岐幾時曾蹔別何處不相隨荏苒星霜易迴環節候
催兩銜多請告三考欲成資運啟千年聖天成萬物宜
皆當少壯日同惜盛明時光景嗟虛擲雲霄竊暗窺攻

文朝矻矻講學夜孜孜策目穿如札毫鋒鋭若錐繁張獲
鳥網堅守釣魚坻並受夔龍薦齊陳晁董詞萬言經濟
畧三策太平基中第爭無敵專場戰不疲輔車排勝陳
犄角搴降旗雙闕紛容衛千僚儼等衰恩隨紫泥降名
向白麻披既在高科選還從好爵縻東垣君諫諍西邑
我驅馳再喜登烏府多慚侍赤墀官班分内外遊處遂
參差每列鵷鸞序偏瞻獬豸姿簡威霜凜冽衣彩繡葳
蕤正色摧彊禦剛腸嫉喔咿常憎持祿位不擬保妻兒
養勇期除惡輸忠在滅私下韝驚燕雀當道懾狐狸南
國人無怨東臺吏不欺理冤多定國切諫甚辛毗造次
行於是平生志在兹道將心共直言與行兼危水暗波
翻覆山藏路嶮巇未為明主識已被倖臣疑木秀遭風
折蘭芳遇霰萎千鈞勢易壓一柱力難搘騰口因成痏
吹毛遂得疵憂來吟貝錦謫去詠江蘺邂逅塵中遇殷
勤馬上辭賈生離魏闕王粲向荆夷水過清源寺山經
綺里祠心摇漢臯珮淚墮峴亭碑驛路緣雲際城樓枕

水湄思鄉多繞澤望闕獨登陴林晚青蕭索江平綠渺
瀰野秋悲蟋蟀沙冷聚鸕鷀官舍黃茅屋人家苦竹籬
白醪充夜酌紅粟備晨炊寡鶴摧風翮鰥魚失水鬐闇
雛啼渴旦涼葉墮相思一點寒燈滅三聲曉角吹藍衫
經雨故驄馬卧霜羸念涸誰濡沫嫌醒自歠醨耳垂無
伯樂舌在有張儀負氣冲星劍傾心向日葵金言自銷
鑠玉性肯磷緇伸屈須看蠖窮通莫問龜定知身是患
應用道為醫想子今如彼嗟予獨在斯無那當歲杪有

夢到天涯坐阻連襟帶行乖接履綦潤銷衣上霧香散
室中芝念遠緣遷貶驚時為別離索書三往復明月七
盈虧舊里非難到餘歡不可追樹依興善老草傍靜安
衰前事思如昨中懷寫向誰北村尋古栢南宅訪辛夷
此日空搔首何人共解頤病多知夜永年長覺秋悲不
飲長如醉加餐亦似飢狂吟一千字因使寄微之

長律百韻始於杜甫夔府咏懷一篇繼之者元微之白
居易居易集中百韻詩凡三篇杜甫排奡沉鬱局陣變

化其才氣筆力自非居易所及居易法律井然條暢流
美實可為後學之法學者未能闖杜之閫奥且從此種
問津自無艱澀淩亂之病

馮班曰匀細整贍力自有餘長詩有置置次第起承
轉合不可不知却拘不得須變化飛動為佳此篇匀
整之至却細膩省淨無疊辭累句如紅娩紫之病長
詩忌詞太煩如此最善

和談校書秋夜感懷呈朝中親友

遥夜涼風楚客悲清砧繁漏月高時秋霜似鬢年空長
春草如袍位尚卑詞賦擅名來已久煙霄得路去何遲
漢庭卿相皆知己不薦揚雄欲薦誰

清脆瀏亮古詩青袍似春草庾信賦亦云青袍如草第
四句妙於翻用

感秋寄遠

惆悵時節晚兩情千里同離憂不散處庭樹正秋風
影動歸翼蕙香銷故叢佳期與芳歲牢落兩成空

律法整嚴尚與盛唐相近朧朕已開晚唐李商隱一派

春題華陽觀 自注觀即華陽公主故宅有舊內人存焉

帝子吹簫逐鳳凰空留仙洞號華陽落花何處堪惆悵
頭白宮人掃影堂

縣西郊秋寄贈馬造

紫閣峯西清渭東野烟深處夕陽中風荷落葉蕭條綠
水蓼殘花寂寞紅我厭官遊君失意可憐秋思兩心同

前四句寫景極蕭瑟之致結出懷人意自然警動

早春獨遊曲江自注時為校書郎

散職無羈束羸驂少送迎朝從直城出春傍曲江行風起池東暖雲開山北晴氷銷泉脉動雪盡草芽生露杏紅初坼煙楊緑未成影遲新度鴈聲澀欲啼鶯閑地心俱靜韶光眼共明酒狂憐性逸藥効喜身輕慵慢踈人事幽棲遂野情廻看芸閣笑不似有浮名

細膩清新

江南送北客因憑寄徐州兄弟書時年十五

故園望斷欲何如楚水吳山萬里餘今日因君訪兄弟數行鄉淚一封書